MODERN RUSSIAN READER
FOR INTERMEDIATE CLASSES

MODERN RUSSIAN READER
For Intermediate Classes

SECOND EDITION

BY

LILA PARGMENT
University of Michigan

PITMAN PUBLISHING CORPORATION
NEW YORK   **TORONTO**   **LONDON**

Printed in the United States of America

FOREWORD

THE basic aim of this book is to serve as a second step on the road toward the development of an extensive recognition vocabulary. However, since it is rightly considered that an intensive study of a small amount of appropriate material is very helpful in the acquisition of a ready reading ability, there is, in the back of the book, a set of Direct Method exercises. These should lead the earnest student to a thorough assimilation, through usage, of such part of the reading material as can reasonably be expected to be so assimilated without too great an expenditure of time.

The book is intended primarily for students of the intermediate level; that is, those who have had a minimum of two semesters of Russian and who may be supposed to be acquainted with the most commonly used Russian words and with the basic principles of grammar.

The choice of selections was determined by the following criteria:

To gain a place in the collection, each story is required to possess one or more of the following merits. It must: (a) be capable of arousing and holding the student's interest—interest being the greatest single helpful factor in the process of all learning; (b) have a content that is likely to broaden his horizon by affording him a new cultural or human experience; (c) appeal to and satisfy the mentality of an adult; (d) be written in present, living, idiomatic Russian without being too difficult; (e) belong to the pen of a modern or contemporary writer.

Most of the texts appear in their original form, and in the cases where some simplification was deemed desirable, care was exercised not to do violence to the author's intentions.

An earnest attempt was made to arrange the stories in order of gradually increased length on the one hand, and of difficulty on the other hand, but as these two features do not always coincide, neither could be realized consistently. It should not be difficult for the teacher to make adjustments in accordance with his preferences.

In the treatment of the exercises, the editor was guided by the following considerations: (a) the *Questions*, all written in colloquial style, have been so formulated that, in order to answer them correctly, it will only be necessary for the student to have fully *understood* the text, but not to have *memorized* it. This is in accordance with sound pedagogy and sound psychology; (b) the *Summaries*, called in the text "Кра́ткое изложе́ние те́кста," have been composed with the view of insuring the thorough assimilation of a small amount of material by means of dictation, oral reading, aural comprehension, oral or written paraphrases, or any other devices that the teacher may wish to employ.

The purposes and plan of the footnotes that have been added at the bottom of each page are: (a) to contribute to a more accurate and intelligent understanding of the text by clarifying obscurities; (b) to prevent the student from making blunders by explaining everything that may be misconstrued or misinterpreted; (c) to minimize the thumbing of the Vocabulary by including the meanings of such constructions as cannot be easily classified. The Notes also point out popular, slang or provincial expressions, and rare, irregular or archaic constructions, giving in each case the correct or current equivalents.

Stressed vowels in words of more than one syllable have been accented throughout the text, even when the vowel is capitalized. This has been done as a teaching device to assist non-Russian students with their pronunciation.

In conclusion, it is the editor's hope that the material presented in this volume, in its content, form and treatment, will prove to be well suited to the purposes for which it has been designed.

L. P.

СОДЕРЖА́НИЕ

ABBREVIATIONS USED IN THE FOOTNOTES

affec.	..	..	..	..	affectionate
aug.	..	..	..	..	augmentative
colloq.	..	..	..	..	colloquial
dim.	..	..	..	..	diminutive
fam.	..	..	..	..	familiar
iron.	..	..	..	..	ironical
lit.	..	..	..	..	literally
obsol.	..	..	..	..	obsolete
pejor.	..	..	..	..	pejorative
poet.	..	..	..	..	poetical
pop.	..	..	..	..	popular
prov.	..	..	..	..	provincial

ТЕ́КСТЫ

СОСЕ́ДКА

I

Мы перее́хали на но́вую кварти́ру. Це́лое собы́тие: ста́рая ужа́сно надое́ла — э́то раз; в но́вой есть сад, а в ста́рой не́ было — э́то два, а са́мое гла́вное — в но́вой у меня́ своя́ отде́льная от ма́леньких бра́тьев ко́мната. Своя́ ко́мната![1] То́лько у па́пы и у меня́ — своя́ ко́мната. Никогда́ ещё в жи́зни[2] у меня́ не́ было свое́й ко́мнаты.

В кварти́ре ещё пу́сто, чи́сто. Полы́ — жёлтые, блестя́щие. Так хорошо́ па́хнет кра́ской и ещё чем-то.[3] Па́па с ма́мой за́няты: привезли́ ме́бель, крова́ти, пиани́но, сундуки́. Ма́ма ссо́рится с па́пой, спо́рят о том, где что поста́вить, крича́т на прислу́гу, стоя́щую без де́ла, крича́т на меня́: я меша́ю . . . Лу́чше уйти́ пода́льше от всего́ э́того.[4] Помча́лся вверх по ле́стнице[5] в свою́ ко́мнату. Прекра́сная ко́мната: дли́нная, у́зкая, с больши́м окно́м. И да́же запира́ется![6] Бра́во! Откры́л окно́, зале́з на широ́кий подоко́нник . . . Высоко́. Перегну́лся че́рез подоко́нник, посмотре́л вниз на у́лицу. Стра́шно!

— Не смей[7] ла́зить!

— Я хочу́ посмотре́ть, ма́ма . . .

— Упадёшь!

— Что тут тако́е? . . .

Ну, и па́па то́же! Крича́т в два го́лоса, грозя́т отобра́ть ко́мнату и опя́ть ссо́рятся ме́жду собо́ю:[8]

— Ра́но ему́ свою́ ко́мнату име́ть. Мал ещё он. Упадёт.

— Я, па́па, не тако́й ма́ленький, что́бы упа́сть . . .

— Затвори́[9] окно́, не рассужда́й.

---

[1]*My own room!* [2]*Never before* (in my life). [3]*Something else.* [4]*From all this.* [5]*Upstairs.* [6]*It can even be locked.* [7]*A stern order not to . . .* [8]*Among themselves.* [9]Затвори́ or закро́й (*close*).

3

— Ну отли́чно, закро́ю.

Па́па с ма́мой продолжа́ли спо́рить, а я ушёл в сад. Ма́ленький сад, а и́здали каза́лся огро́мным. По́лное разочарова́ние: с одно́й стороны́ кирпи́чная стена́, а с двух высо́кие забо́ры, а за[1] забо́рами — сады́, огро́мные ста́рые сады́.

— Михаи́л![2]

— Что, па́па?

— У тебя́ ско́ро экза́мены, а ты . . . Взял бы[3] кни́жку да почита́л!

— Возьму́.

— Сел бы[3] на ла́вочку[4] и учи́л.

— Ся́ду, па́почка.[5] На́до же посмотре́ть,[6] как всё э́то . . . Когда́ устро́ю себе́ ко́мнату, тогда́ ста́ну занима́ться. За́втра, па́почка . . .

Оте́ц сел на ла́вочку, глубоко́ вздохну́л и стал ворча́ть:

— Уста́л, как ло́шадь.

В э́тот моме́нт вбежа́л бра́тик[7] и весёлым то́ном торопли́во сообщи́л:

— Ма́мочке[8] комо́дом но́гу уда́рили.

— Ах, чёрт![9]

Оте́ц серди́то ушёл из са́да, а мы с бра́том, отыска́в в забо́ре ще́ли, ста́ли знако́миться с сосе́дними сада́ми. То́чно друго́й мир был там, за забо́ром. Здесь мра́чно, па́хнет сы́ростью, а там, за забо́ром—ра́достно, со́лнечно и так удиви́тельно краси́во! Больша́я зелёная лужа́йка; ряды́ стро́йных то́полей; прямы́е, дли́нные доро́жки; клу́мбы с краси́выми цвета́ми.

— Фонта́н! Фонта́н!

— А вон каче́ли.

— Се́тки!

— Ла́ун-те́ннис.

Мы дви́гались по забо́ру и, оты́скивая но́вые ще́ли,

---

[1]*On the other side of* . . . [2]Here Михаи́л, instead of the familiar Ми́ша, denotes dissatisfaction or bad humour. [3]*You had better take* . . ., *sit down.* [4]Dim. of ла́вка (bench). [5]Affec. for па́па (daddy). [6]*I must see.* (The же is emphatic.) [7]Dim. of брат (brother). [8]Affec. for ма́ма (mother). [9]Чёрт or, more commonly, чёрт возьми́ is a familiar expression of vexation.

4

смотрéли и дéлали всё нóвые и нóвые[1] открытия . . .

— Смотри: там óзеро, а кругóм цветы! Птица плáвает . . . Огрóмная!

— Дурáк! Это лéбедь.

Огрóмный молчаливый сад. Слóвно в заколдóванном цáрстве.[2] Тéни под высóкими лúпами, цветы невидáнных форм и огрóмная бéлая птúца . . . Как в скáзке!

Да, там совсéм другóй[3] мир, загáдочный, непонятный . . .

— Кто там живёт?

— Мóжет быть, царь или корóль.

— Дурáк. Царь живёт в Петербýрге,[4] а не здесь.

— Ну, другóй какóй-нибýдь . . . Или принц![5] . . .

— Прóсто óчень знáтные и богáтые лю́ди.

— Тише! Кáжется, идýт.

На песчáной дорóжке показáлась мáленькая собáчка[6] с крáсным гáлстучком.[7] Тóже какáя-то стрáнная, скáзочная, слóвно не настоящая, а игрýшечная. Вслед за собáчкой появúлась дéвочка с льняными лóконами, в бéлом плáтье, с тóнкими нóжками.[8] Онá на ходý подбрáсывала мячик и, поднимáя к нéбу гóлову, ловúла егó, встрáхивая лóконами . . . И тóже, слóвно не настоящая, а огрóмная нарядная кýкла, нарядная и дорогáя. Мы плотнéе прижáлись к щéлям и следúли за этой красáвицей. Онá молчаливо поигрáла мячиком, подошлá к óзеру, побросáла лéбедю хлéба, чтó-то лáсково говорúла емý, посылáла емý воздýшные поцелýи. А когдá пошлá обрáтно, то свернýла на дорóжку, котóрая шла óколо сáмого забóра, за котóрым мы спрятались. Ах, какáя красúвая! Никогдá в жúзни не видáл такúх красúвых! Тóлько уж óчень вáжная;[9] идёт так прямо и глазá прищýривает. Лениво говорит собáчке:

---

[1] *More and more new.* [2] *Like an enchanted kingdom.* [3] *Entirely different.* [4] The former capital of Russia. [5] Принц is not a Russian title, and the word is used only in fairy tales. The Russian equivalent for prince is князь. [6] Dim. of собáка (dog). [7] Dim. of гáлстук. Usually, " necktie," but here, " collar." [8] Dim. of нóги (legs, feet). [9] *But how puffed up she is!*

— Бо́бка! Не смей шали́ть.[1]

А Бо́бка, чу́вствуя, что мы за забо́ром, пры́гает и ла́ет.

— Бо́бка! Сты́дно так шали́ть. Ты не ма́ленький![2]

Мы перегляну́лись и торопли́во убежа́ли в кусты́. Помолча́ли, пото́м ста́ли тихо́нько[3] говори́ть про де́вочку.

— Кака́я краси́вая . . . Ви́дел?

— Да. Мо́жет быть, э́то ца́рская дочь и́ли короле́вна . . .

— Дура́к. Про́сто о́чень зна́тная . . .

— Мо́жет быть, княжна́ . . . В на́шем го́роде есть князья́.

— Княжна́, — мо́жет быть . . .

— Щу́рится. Заме́тил?

— Заме́тил. А ви́дел, каки́е во́лосы? То́чно не настоя́щие, а из льна сде́ланы. Посмо́трим ещё![4]

— То́лько ти́ше, на цы́почках.

Мы сно́ва ста́ли смотре́ть в ще́ли. Сиди́т на ла́вочке и плетёт вено́к из ра́зных цвето́в, а соба́чка — ря́дом. Что она́ поёт? . . .

„Ми́-лые цве-то́-о-чки,[5]

Как люблю́ я вас . . .“

Наде́ла вено́к на го́лову и спра́шивает:

— „Бо́бка, посмотри́: хорошо́? Не пра́вда-ли, я краса́вица? Ну, смотри́ же!“[6]

Она́ поста́вила соба́чку на за́дние ла́пы и ста́ла ей улыба́ться и морга́ть глаза́ми. Бра́тик не вы́держал и фы́ркнул. Я пригрози́л кулако́м. Но бы́ло по́здно: Бо́бка, сто́я на за́дних ла́пках,[7] смотре́л в на́шу сто́рону и ворча́л.

— Как ты сме́ешь, глу́пый![8] Ты до́лжен любова́ться, а ты . . .

Тут уж и я не вы́терпел. Зажа́в рот, я махну́л бра́ту

---

[1]*Don't misbehave.* [2]*You are not a baby!* [3]Dim. of ти́хо (quietly). [4]*Let us look again.* [5]Dim. of цветы́ (flowers). [6]The же is emphatic. [7]Dim. of ла́пы (paws). [8]*How dare you, you foolish dog!*

рукой, и мы бросились от забора. А потом вбежали в нашу беседку и начали хохотать.

— Какая кокетка! Видел?

— Видел. Дура.

— Не дура, а это называется — кокетка ... Ты сам дурак.[1]

— Не ругайся, а то я папе скажу, что ты в щёлку смотришь ...

— Ты тоже смотришь.

— Я маленький, а ты гимназист ...[2]

Так[3] я в первый раз увидел красавицу и кокетку Нину в сказочном саду за забором. ... Как я узнал что её зовут Ниной? ...

II

Однажды я сидел в саду и учил грамматику:

— „Раз“, „воз“, „низ“, „из“ — перед буквами к, п, т, х изменяют букву „з“ в „с“ ... „Раз“, „воз“, „из“, „низ“ перед буквами ... к, п, т, х изменяют, изменяют ... Что они изменяют? ...

Вдруг за забором — лай собачки. Закрыл учебник и пошёл к забору, продолжая повторять правило. Надо сказать, что сидеть с учебником недалеко от забора сделалось с некоторого времени моим любимым занятием: девочка с льняными волосами, эта кокетка, притягивала меня тайной силой к забору.

И теперь я сидел недалеко, и когда услыхал лай собачки, то меня словно кто-то[4] толкнул к забору. Не успел я[5] прижаться глазом к дырочке,[6] как что-то стукнуло под моими ногами. Это был мячик, которым играла кокетка. Обрадовался, отыскал мяч и подошёл к забору. Посмотрел в дырочку: ищет.

— Что вы ищете?

---

[1] *You are silly yourself.* [2] *Gymnasium student.* A gymnasium was a classical secondary school. [3] *That's how.* [4] *Just as though someone.* [5] *Before I ...* [6] Dim. of дыра (hole).

7

— Мя́чик. А кто там спра́шивает? . . Како́е вам де́ло?[1] Как вы сме́ете . .

— Мя́чик упа́л к нам в сад.

— Бро́сьте его́ сюда́!

— А мо́жет быть, э́то не ваш мя́чик? . . .

— Тогда́ я бро́шу его́ вам наза́д. Ну![2]

— Посмотри́те в щёлку, ваш-ли.[3]

— А где щёлка?

— Вот здесь! Я просу́нул ве́точку.[4]

— А-а, ви́жу. Ну!

Я сам смотре́л в щёлку, когда́ мне навстре́чу сверкну́л бли́зко-бли́зко си́ний глаз.

Я бы́стро показа́л мя́чик.

— Ви́дите?

— Да. Э́то мой. Бро́сьте, я пойма́ю.

— А как вас зову́т?[5]

— Заче́м вам э́то знать?[6] Не скажу́. Мы незнако́мы.

— Е́сли бы мы бы́ли знако́мы, я знал бы, как вас зову́т, и не спра́шивал бы.

— Не скажу́. Не ва́ше де́ло.

— Тогда́ я не бро́шу мя́чика.

— Не броса́йте. Я его́ вам дарю́.

— Ни́на! С кем ты разгова́риваешь? Отойди́ от забо́ра. Неприли́чно.

— Но там мой мя́чик. Я забро́сила его́ туда́, а како́й-то мальчи́шка[7] взял и не отдаёт . . .

Мальчи́шка! „Како́й-то мальчи́шка“. Э́то — я. Покрасне́в от гне́ва и оби́ды, я ки́нул че́рез забо́р мяч:

— Лови́те, Ни́на!

— Не сме́йте меня́ называ́ть . . .

— Ни́на! Ни́на! Ни́на! . . .

— Мужи́к![8] . . .

— Кака́я принце́сса! Поду́маешь[9] . . .

---

[1] What business is it of yours? [2] Come on! [3] Whether it is yours. [4] Dim. of ве́тка (twig). [5] What is your name? [6] What's this to you? [7] Pejor. for ма́льчик (young boy). [8] People of the upper classes used this word, somewhat contemptuously, for крестья́нин (peasant) and also to qualify ill-breeding. [9] Think of it!

— Глу́пый мальчи́шка!

— Коке́тка!

Ита́к, мы поссо́рились пре́жде чем познако́мились. Эта ссо́ра ещё бо́льше[1] прикова́ла мои́ мы́сли к забо́ру.

— Вот кака́я . . . ва́жная. Ну и коке́тка![2] Называ́ет меня́ мужико́м, глу́пым мальчи́шкой . . . Вообража́ет, что она́ краса́вица; коке́тничает с проти́вной соба́кой . . . „Раз", „воз", „из", „низ" пе́ред бу́квами к, п, т, х — изменя́ют бу́кву „з" в „с" . . .

III

Дня че́рез два[3] я её встре́тил. Иду́ в гимна́зию, заверну́л за у́гол, а она́ вы́шла из большо́го ка́менного до́ма и сади́тся в пролётку. Она́ меня́ не узна́ла, а я момента́льно. В гимна́зию е́здит на лошадя́х! И с гуверна́нткой! Когда́ она́ пое́хала, я гро́мко сказа́л:

— Ни́на!

Она́ оберну́лась; удивлённо и серди́то огляде́лась по сторона́м. А краси́вая! . . . Тепе́рь я всё испо́ртил ссо́рой. Неудо́бно знако́миться. А мо́жет быть . . . То́лько о́чень она́ зна́тная. Не люблю́ таки́х.[4]

Возвраща́ясь из гимна́зии, прошёл ми́мо большо́го до́ма, посмотре́л на ме́дную доще́чку: „Никола́й Никола́евич, князь Кекуа́нов". А-а, действи́тельно, ва́жная, княжна́. А всё таки, что тут осо́бенного? У нас в кла́ссе то́же у́чится князь, а дура́к и попроша́йка:[5] у всех за́втрак про́бует в большу́ю переме́ну.[6] И на брю́ках — запла́та. Мо́жет быть, тот не настоя́щий, а како́й-нибудь . . . Княжна́ Ни́на Никола́евна Кекуа́нова! . . . Кто из нас ста́рше: я и́ли она́? Мне трина́дцать лет, а ей . . . то́же не бо́льше. Чего́ же она́ называ́ет меня́ мальчи́шкой? . . . А вон и она́ подъезжа́ет. Ба́рыня ва́жная. А у меня́ в рука́х огро́мный буке́т сире́ни: нарва́л в гимнази́ческом саду́.

---

[1] *Even more.* [2] *What a flirt!* [3] *About two days later.* [4] *That kind.* [5] *One who annoys people by constant begging.* [6] *Noon recess.*

Уроню ветку и пройду, а она будет проходить и, наверное, поднимет. А потом я спрошу в забор, хорошо-ли пахнет моя сирень ... Спешу пройти мимо крыльца и бросаю две ветки сирени. Прохожу до угла, заворачиваю и возвращаюсь посмотреть, взяли-ли ... И не подумала: даже наступила ногами ... Какая гордячка! А всё-таки возьмёшь. Дома сделал хороший букет из сирени, перевязал его ленточкой[1] и привязал записку: „Княжне Нине Николаевне Кекуанавой, от графа С.В." И, перебросив через забор, стал у забора около дырочки. Простоял часа два. Не идёт. Вечером, на закате, подошёл и посмотрел: букет лежит на прежнем месте. Не действует! Решил просчитать до ста:[2] если не появится, уйду и не буду смотреть. Сосчитал до девяноста и остальной десяток стал считать медленно-медленно. И на девяносто девяти в кустах мелькнуло белое платье и чёрные длинные ножки княжны ... Идёт, идёт! Как раз мимо.[3] Увидала. Браво! Подняла, читает. Удивлённо смотрит вокруг, потом на забор и тихо произносит: „Граф ..."

Молча улыбается, нюхает сирень и убегает.

Был праздничный день. Накануне я успешно сдал экзамен по русскому языку и получил от папы разрешение сегодня не готовиться к следующему экзамену.

— Отдохни один день.

Конечно, мой отдых проходил главным образом около забора. Сегодня за забором было шумно и весело: у княжны Нины собрались подруги, и в саду звенел весёлый смех девочек. Как огромные цветы, белые, синие, красные вырастали на лужайках и в кустах нарядные девочки, и самая нарядная и красивая среди них была княжна. Она была похожа на ярко-красный мак. Должно быть, она рассказала подругам про мой букет сирени: взявшись под руки, девочки парами проходили мимо, с любопытством смотрели на

---

[1]Dim. of лента (ribbon). [2]*Up to one hundred.* [3]*Right past.*

забор и шептались. Мне захотелось, чтобы Нина знала, что я в саду, за забором. Как это сделать?[1] Разве запеть? Тот романс, который поёт дядя Петя?[2] Начало я знаю. Я запел:

„Под душистою веткой сирени
      Я сидел с ней над сонной рекой . . .“[3]

За забором раздался смех, который всё удалялся и удалялся . . .[4] Убежали! Так и есть:[5] посмотрел в дырочку, — девочки исчезли . . . Опять смеются и всё ближе и ближе. Бегут сюда . . .

„Под душистою веткой си-ре-ни-и-и . . .“

Что это? На дорожку упал резиновый мячик, — знакомый мне уже мячик, который однажды был уже в моих руках . . . А потом звонкий голос:

— Граф! Будьте добры . . .[6] Мы нечаянно перекинули к вам в сад мячик.

„Граф? . . . Почему — граф? Какой граф? Ах, да . . . Это я — граф“.

— Граф! Послушайте, граф! . .

Я взлез на забор и выглянул: несколько девочек бежали прочь, а три — среди них и княжна — стояли, взявшись под руки, и ждали. Я приподнял фуражку,[7] девочки кивнули головами

— Вы меня звали?

— Да, граф! . . . Мы забросили мяч туда, через забор . . . Будьте добры . . .

— Сейчас поищу . . .

Искать не надо было: я уже знал, где лежит мяч, но медлил, чтобы поговорить:

— Не могу найти. В какую сторону вы его бросили?

— Прямо. Против самой высокой берёзы . . . Простите, граф, что . . .

— Нашёл! Сейчас. Ловите!

---

[1]*How should I go about it?* [2]Fam. for Пётр. [3]*Under a fragrant branch of lilacs, I sat with her near a sleepy (quiet) river . . .* [4]*Moved away farther and farther.* [5]*So it is.* [6]*Be so kind.* [7]Student cap.

— Броса́йте!

— Раз!

— Два! — отве́тил голосо́к[1] Ни́ны.

— Пойма́ли?

— Да. Мерси́.[2]

— Не сто́ит.

— Мерси́ за сире́нь! — прозвуча́л голосо́к Ни́ны, и де́вочки со сме́хом побежа́ли прочь от забо́ра.

Ве́чером я уже́ был в ска́зочном саду́ и игра́л с де́вочками в кроке́т. Ни́на и я бы́ли во вражде́бных па́ртиях, и я гоня́л её по са́ду за ша́ром без вся́кого милосе́рдия. Она́ оттопы́ривала гу́бки,[3] грима́сничала и с упрёком произноси́ла:

— Граф! Проти́вный граф!

А пото́м перешла́ в на́шу па́ртию и ра́достно хло́пала в ладо́ши, когда́ я му́чил проти́вников.

— Бра́во, граф!

И, взгля́дывая на меня́, так приве́тливо улыба́лась, что мне что́-то щекота́ло се́рдце.

Когда́ я уходи́л из ска́зочного са́да, Ни́на протяну́ла мне ру́ку, сде́лала革ера́нс и повели́тельно сказа́ла:

— Приходи́те, граф, ещё[4] . . . ка́ждый день . . .

— Мерси́, княжна́ . . .

IV

Так я сде́лался гра́фом. Не́сколько пе́рвых дней[5] я смуща́лся, когда́ Ни́на и её подру́ги называ́ли меня́ гра́фом, но ско́ро так свы́кся с э́тим зва́нием, что переста́л находи́ть в нём неудо́бство и на́чал чу́вствовать себя́ прирождённым гра́фом. Де́ло дошло́ до того́,[6] что в гимна́зии во вре́мя уро́ков, когда́ учи́тель вызыва́л к доске́ моего́ това́рища,[7] настоя́щего гра́фа, я, ещё не дослы́шав фами́лии, вска́кивал.

[1]Dim. of го́лос (voice). [2]*Thank you.* This French word is very common in Russia in colloquial speech. The Russian word is спаси́бо. [3]Dim. of гу́бы (lips). [4]*Come again.* [5]*The first few days.* [6]*It reached such a point.* [7]Here, " classmate."

— Не тебя, а графа.

— А-а!... Послышалось...

— Пойди к доктору. Ты плохо слышишь...

Нина представила меня своей матери — отца её не было дома, он уехал заграницу — и та очень любезно встретила наше знакомство и тоже называла меня графом.

— Граф, вы говорите по-французски?

— Нет... Я — по-немецки, но не очень хорошо.

— Это жаль...

Княгиня начинала говорить что-то по-французски своей дочери, и та смущалась и краснела. А однажды даже выскочила из-за стола[1] и крикнула:

— И вовсе нет!... Нисколько![2]...

А княгиня перевела на меня улыбающиеся глаза и спросила:

— Вам, граф, сколько лет?[3]

— Скоро четырнадцать...

— Да, пожалуй, мало...[4] — задумчиво сказала княгиня и начала говорить по-французски с гувернанткой, оживлённо, со смехом и гримасами. А я краснел, потому что чувствовал, что речь идёт[5] обо мне и Нине...

Дома надо мной начали смеяться: младший брат уже успел рассказать о моих приключениях папе и маме.

— У него там невеста... Княжна! Он влюбился...

— Совсем не влюбился. Врёшь! А просто я... мы там играем в крокет:

— С девчонками![6] Там нет ни одного мальчика... Влюбился в княжну...

— Жених, ты опять стоптал сапоги...[7]

— Обещали новые, если сдам экзамен по географии...

---

[1] *Jumped up from the table.* [2] *Not at all.* [3] *How old are you?* [4] *I guess he is too young.* [5] *That they are talking about...* [6] *Pejor. for* девочками *(little girls).* [7] *You have again worn out your boots.*

13

— Если завтра выдержишь экзамен по латыни, куплю новые сапоги, брюки и фуражку.

— А курточку[1] забыла, мама?

— Ладно, куплю и курточку.

Два дня я не был у княжны. На третий сдал экзамен по латыни, последний, перешёл в четвёртый класс. Не находил места[2] от радости и безделья, от тоски по княжне, которую я сам уже начал считать своей невестой, но в гости не шёл: хотел явиться туда во всём новом.[3] После обеда пошёл с мамой покупать всё новое. Оба измучились, ходя из лавки в лавку, примеривая и сомневаясь. Я не находил фуражки по вкусу. Я хотел такую, которая походила бы на офицерскую, а мне предлагали безобразную... Я примерял, подходил к зеркалу и разочарованно говорил:

— Опять не такая... Уши торчат, как у татарина...

— Не мы вам уши делали. Наша только фуражка, а уши у вас собственные.

А потом муки с брюками: мама хотела пошире[4] да подлиннее,[4] а я — покрасивее.[4]

— Мешки, а не брюки!

— Вырастешь — будут узки.

— И длинные!

— Подвернёшь.

— Что я, баба, что ли?

Уже начали запирать лавки, когда наши муки кончились. Я добился того, что всё было по моему вкусу.

— Не махай руками! Держись прямо.

— Я иду по-военному. Раз-два! Раз-два! Правой! Правой![5]

Когда мы пришли домой, брат с завистью осмотрел меня с головы до ног, а папа произнёс:

---

[1]Dim. of курткa (jacket). [2]*I fidgeted about.* [3]*In new clothes.* [4]*Possibly, wider, longer ... more beautiful.* [5]*Right foot.* This is a mistake; the command in the Army always was левой, левой! (left foot).

— Ну́-ка, поверни́сь!

Я сде́лал по-вое́нному оборо́т на ме́сте и о́тдал честь под козырёк.[1]

— Вот тепе́рь настоя́щий жени́х!

— А когда́ тебя́ не́ бы́ло до́ма, в сад зва́ли . . . И меня́! — сказа́л оби́женный чем-то брати́шка.[2]

— Там ма́леньких нет . . .

— А я пойду́ . . . Меня́ звала́ сама́ княжна́. Приходи́те, говори́т, и вы . . .

— Мо́жешь игра́ть в ста́ром костю́ме — сказа́ла ма́ма. — Я не позво́лю ла́зить по забо́рам в но́вом. Порвёшь.

— В ста́ром я не пойду́.

— Как хо́чешь . . .

— Ну, разреши́ то́лько сего́дня! . . . Оди́н раз! Я бу́ду игра́ть осторо́жно.

— Нельзя́.

— Он хо́чет княжне́ бо́льше понра́виться.

— Не твоё де́ло,[3] дура́к . . . Сдал все экза́мены, а они́ — „ходи́ в ста́ром“. Е́сли бы я знал . . . Я не че́рез забо́р, а у́лицей пойду́ туда́.

— Ну, хорошо́, сего́дня мо́жешь пойти́ в но́вом, но е́сли порвёшь, скажу́ отцу́.

— Не порву́.

— К неве́сте! . . . Я то́же пойду́. Она́ меня́ звала́.

— Тебе́ там не́чего де́лать.[4] Мал ещё, — сказа́ла мать и э́тим оконча́тельно разозли́ла бра́та.

V

Я посмотре́л в зе́ркало, попра́вил фура́жку и пошёл к княжне́ в сад, где ве́село стуча́ли шары́ и молотки́ игра́ющих в кроке́т. Меня́ встре́тили восто́рженно:

— Граф! Граф пришёл!

— С на́ми!

---

[1]*Saluted in military fashion.* Козырёк = peak. [2]Dim. and fam. for брат. [3]*It's none of your business.* [4]*You have nothing to do there.*

15

— Нет, с нáми! Онú сильнéе!...

— Граф, я хочý быть в однóй с вáми пáртии![1] — сказáла княжнá, и я óтдал ей честь[2] и примкнýл на еë стóрону. Нúна потихóньку поглядывала на меня и так лáсково улыбáлась, что я чýвствовал себя пóлным победúтелем. В спóрах онá всегдá былá на моéй сторонé... Впрóчем, все дéвочки относúлись ко мне внимáтельно,[3] и я не успевáл отвечáть: со всех сторóн звáли:

— Граф! Граф!

— Он вóвсе не граф!... Наврáл, что граф, а вы, дураки, повéрили!

Что такóе?[4]... Откýда гóлос брáта? О, ýжас! На забóре сидéл братúшка, хохотáл, называл меня лгунóм, а другúх дуракáми.

— Убирáйся вон![5]... Я пáпе скажý, что ты невéжда... нахáл!

— А я скажý, что ты называешь себя грáфом!... Мы вóвсе не грáфы, а простúе чинóвники.

— Слезáй, говорят тебé!...

Игрá оборвалáсь. Все слýшали словá брáта и смущённо улыбáлись.

— Княжнá! Он вóвсе не граф... Он обманýл, чтóбы женúться на вас!

Это бúло вúше моúх сил.[6] Под предлóгом остановúть егó я, ни с кем не прощáясь, пошёл бúстрым шáгом из сáда, бормочá:

— Я сейчáс скажý пáпе, какóй ты невéжа и нахáл!...

Я ушёл, а брат остáлся на забóре и продолжáл расскáзывать.

Спервá я пошёл в наш сад и стащúл брáта зá ногу с забóра. Потóм побúл егó. Он заплáкал и побежáл жáловаться, а я, подáвленный, унúженный открытым обмáном, прислонúлся к забóру и стал прислýшиваться

---

[1] *Side.* [2] *Greeted her* (in military fashion). [3] *Treated me with consideration.* [4] *What's that?* [5] *Go away.* [6] *This was more than I could stand.*

к тому́, что де́лается за забо́ром . . . Там спо́рили о том, граф я и́ли не граф.

— Граф, граф, граф! . . . Я зна́ю . . . — повторя́ла Ни́на.

Я стал пробира́ться бо́ком вдоль забо́ра, зацепи́лся за гвоздь и порва́л но́вые брю́ки. С позо́ром, потихо́ньку, я подня́лся наве́рх, в свою́ ко́мнату, и за́пер дверь на ключ.[1] Сни́зу доноси́лся плач бра́та.

Кто́-то идёт наве́рх! По шага́м узнаю́ отца́.

— Эй, ты, граф! Отопри́!

— Заче́м тебе́? Я занима́юсь . . .

— Отопри́.

А я не мог отпере́ть, так как сиде́л и зашива́л по́рванные брю́ки. Что де́лать! Положе́ние бы́ло ужа́сное. Я стал надева́ть брю́ки, но го́лос отца́, тре́бующего неме́дленно отпере́ть дверь, был так гро́зен, что я на одно́й ноге́ поскака́л к две́ри и о́тпер.

— Что ты тут де́лаешь, жени́х! . . . Порва́л? . . . Но́вые?

— Ма́ленькая ды́рка . . . Это ничего́ . . .

Слы́шу, ма́ма бежи́т:

— Что тако́е? Како́й граф? . . . Ничего́ не понима́ю . . .

Па́па на́чал говори́ть с ма́мой, поссо́рился, забы́л про меня́, и, благодаря́ э́той ссо́ре, я незаме́тно скры́лся из свое́й ко́мнаты. А пото́м, когда́ гнев роди́телей улёгся норма́льным путём, я появи́лся в ко́мнатах, и де́ло ограни́чилось лише́нием меня́ не́которых прав: а и́менно — ноше́ния до о́сени но́вого пла́тья.

Но тепе́рь э́то бы́ло уже́ для меня́ нева́жно: я бо́льше никогда́ не пойду́ в сад, где меня́ ждут позо́р и презре́ние.

И до́ма, среди́ родны́х, я чу́вствовал себя́ о́чень скве́рно: оте́ц называ́л меня́ женихо́м, бра́тья и сёстры — гра́фом. За обе́дом и ча́ем дразни́ли:

— Ку́шайте, ва́ше сия́тельство!

[1] *Locked the door.*

17

И я уходи́л наве́рх, в свою́ ко́мнату, и там сиде́л. В откры́тое окно́ доноси́лся из са́да смех де́вочек и зво́нкий стук шаро́в — там попре́жнему игра́ли в кроке́т. Иногда́, среди́ шу́ма голосо́в, я лови́л серебри́стый смех княжны́ Ни́ны.

— Хохо́чет!. . . Коке́тничает с соба́чкой . . . О́чень интере́сно!. . . Не запла́чу!. . .

Так я утеша́л себя́ в несча́стьи, но зво́нкий голосо́к Ни́ны наполня́л мою́ ду́шу, и пе́ред глаза́ми встава́ла краса́вица с си́ними глаза́ми и льняны́ми волоса́ми. Ах, как мне хоте́лось бы очути́ться вдруг среди́ де́вочек за высо́ким забо́ром и стоя́ть с молотко́м в руке́ о́коло одно́й из них, кото́рая . . . Нет, э́того никогда́ не мо́жет случи́ться!

Тепе́рь я с у́жасом ду́мал: а вдруг я с ней где-нибу́дь встре́чусь, и она́ с хо́хотом назовёт меня́ ва́шим сия́тельством? При одно́й мы́сли[1] об э́том я красне́л до уше́й и торопли́во закрыва́л окно́, что́бы не слы́шать сме́ха в сосе́днем саду́. Когда́ на́до бы́ло пойти́ куда́-нибу́дь, я далеко́ обходи́л[2] большо́й ка́менный дом, в кото́ром жила́ княжна́ Ни́на.

И всё-таки одна́жды мы встре́тились: она́ е́хала в коля́ске с ма́терью. Я кро́тко и ве́жливо снял фура́жку, но мне не отве́тили. Мо́жет быть, не заме́тили, а мо́жет быть . . . не жела́ли заме́тить . . .

Ужа́сная коке́тка!. . . Сла́ва Бо́гу, что не жени́л-ся!. . .

По Евге́нию Чи́рикову[3]

[1]*At the mere thought.* [2]*Made a long detour around* . . . [3]Чи́риков, a Russian short-story writer (1864-1936).

МИША

(Having been unable to find the Russian text of this charming story, the editor has retranslated it from the English.)

Миша не мог ни минуты сидеть спокойно; он постоянно должен был что-нибудь делать. Когда он не мог пойти играть в парк или на улицу, он как юла вертелся у всех под ногами.[1]

Все мальчики и девочки знают, что взрослые занятой народ: они всегда заняты чем-нибудь скучным, и потому постоянно твердят детям: „Не мешай мне!" Сколько раз Миша слышал это от мамы,[2] всегда занятой чем-нибудь по хозяйству. И от папы[2] тоже. Папа целый день сидит у себя в кабинете[3] и пишет разные книжки[4] — все очень большие и, вероятно, скучные, потому что Мише не разрешают их читать.

Мама красива, как кукла. Папа тоже очень милый, но ничего красивого в нём нет;[5] он скорее похож на индейца, чем на куклу.

Однажды, в самом начале весны, погода была ужасная: день за днём шёл дождь или снег. Мише не позволяли играть на улице, в грязи, и в день, о котором идёт речь, он особенно надоедал маме и папе и мешал им работать.[6]

— Что, Миша, жизнь довольно скучна, а? — спросил, наконец, папа.

— Ужасно! — ответил Миша, — как раз, как арифметика!

— Как если бы ты взял[7] вот эту тетрадь и записывал бы в ней всё, что случится с тобой интересного?

---

[1]*Under everyone's feet.* [2]*Mother, father.* Used almost exclusively when addressing one's own parents. [3]*In his study.* [4]A very common diminutive of книга (book). [5]*But there is nothing pretty about him.* [6]*Interfered with their work.* [7]*Suppose you take.*

Понима́ешь, что я хочу́ сказа́ть? Э́то называ́ется „дневни́к". Ты бу́дешь вести́ дневни́к.[1]

— А что, по-тво́ему, случи́тся интере́сного? — спроси́л Ми́ша, беря́ тетра́дь.

— Отку́да мне знать?[2] — отве́тил оте́ц, зажига́я папиро́су.

— Почему́ же ты не зна́ешь?

— Потому́ что когда́ я был ма́леньким ма́льчиком, я пло́хо учи́лся. Я всегда́ надоеда́л всем глу́пыми вопро́сами и никогда́ не мог сам ничего́ приду́мать.[3] Понима́ешь? Ну, тепе́рь иди́.

Ми́ша по́нял, что ма́льчик, о кото́ром говори́т па́па, был он сам,[4] Ми́ша, и что па́па не хо́чет бо́льше с ним разгова́ривать. Ми́ша хоте́л рассерди́ться, но у па́пы бы́ли[5] таки́е ла́сковые глаза́, что он разду́мал и, вме́сто э́того, спроси́л:

— Кто же бу́дет де́лать что-то интере́сное?

— Ты — отве́тил па́па. — Пожа́луйста, уходи́ тепе́рь и дай мне[6] рабо́тать.

Ми́ша пошёл в свою́ ко́мнату, положи́л тетра́дь на стол, поду́мал мину́ту, пото́м написа́л на пе́рвой страни́це: „Э́то дневни́к. Па́па дал мне краси́вую тетра́дь. Е́сли я напишу́ в ней что-нибу́дь, в ней бу́дет что-то интере́сная".

Он отки́нулся на спи́нку сту́ла,[7] огляде́л ко́мнату, так хорошо́ знако́мую ему́, встал и зашага́л к па́пе.

Па́па при́нял его́ ме́нее любе́зно, чем ра́ньше.

— А, верну́лся? Опя́ть?

— Посмотри́ — сказа́л Ми́ша, подава́я ему́ тетра́дь. — Посмотри́, я уже́ написа́л. Хорошо́?

— Хорошо́, хорошо́ — пробормота́л па́па. — То́лько „дневни́к" пи́шется че́рез[8] „е", а не „и", а „интере́сное" конча́ется на „ое", а не „ая". А тепе́рь, пожа́луйста, оста́вь меня́ в поко́е.[9]

— Что мне ещё писа́ть?[10] — спроси́л Ми́ша, поду́мав.

[1] *You will keep a diary.* [2] *How could I know?* [3] *I never thought anything out myself.* [4] *Was he.* [5] *Papa had.* [6] *Let me.* [7] *Leaned on the back of his chair.* [8] *Is spelled with.* [9] *Leave me alone.* [10] *What else should I write?*

— Всё, что хо́чешь. Приду́май что-нибудь и запиши́. Пиши́ стихи́.

— Чьи[1] стихи́?

— Ничьи́,[2] сочиня́й их сам, как поэ́ты де́лают.[3] Ну, хва́тит! Переста́нь надоеда́ть мне!

Па́па взял Ми́шу за́ руку, вы́вел его́ из ко́мнаты и закры́л дверь. Это бы́ло гру́бо, и Ми́ша оби́делся.

Верну́вшись в свою́ ко́мнату, Ми́ша сел опя́ть за стол и, положи́в пе́ред собо́ю тетра́дь, стал ду́мать, что́ бы ему́ писа́ть.[4]

Ну и день![5] Ма́ма за́нята: счита́ет в столо́вой бельё. В ку́хне всегда́ о́чень интере́сно, но туда́ ему́ не позволя́ют ходи́ть.[6] А на у́лице дождь и тума́н. Ещё то́лько у́тро, че́тверть деся́того.[7] Ми́ша посмотре́л на часы́[8], пото́м вдруг засмея́лся и написа́л:

"На стине́ вися́т часы́,
Торча́т стре́лки, как усы́".

Он был так рад[9] свои́м стиха́м, что вскочи́л и побежа́л в столо́вую, крича́:

— Ма́ма, ма́ма, посмотри́, я написа́л стихи́!

— Де́вять . . . — сказа́ла ма́ма, кладя́ на стол салфе́тку. — Не прерыва́й меня́! — Де́сять, оди́ннадцать . . .

Ми́ша одно́й руко́й обхвати́л ма́мину ше́ю, а друго́й сова́л ей под нос тетра́дь.

— Ма́ма, ма́ма, смотри́ сюда́!

— Двена́дцать . . . О, Го́споди, ты меня́ опроки́нешь! Но всё-же[10] взяла́ тетра́дь и, к вели́кому огорче́нию Ми́ши, сказа́ла:

Па́па, вероя́тно, помо́г тебе́. И зате́м „стена́" пи́шется че́рез „е", а не „и".

— Да́же в стиха́х? — спроси́л Ми́ша гру́стно.

— Поня́тно, в стиха́х то́же. Тепе́рь не меша́й мне, пожа́луйста. Иди́ де́лай что-нибудь.

— Что же мне де́лать?[11]

— Ну . . . пиши́ ещё стихи́.

---

[1]Whose. [2]No one's [3]As poets do. [4]What he could write. [5]What a day! [6]But he is not allowed to go there. [7]A quarter after nine. [8]Clock. Used only in the plural. [9]He was so happy about. [10]Nevertheless. [11]But what shall I do?

— О чём?[1]

— Это ты сам реши́. Что-нибудь о тик так часо́в.
Поду́май и приду́маешь ри́фму.

— Ла́дно! — отве́тил Ми́ша. Он послу́шно верну́лся
к себе́ в ко́мнату, сел за стол и стал ду́мать о том, что[2]
сказа́ла ма́ма. Пото́м взял перо́ и написа́л:

„Тик и так, зимо́й и ле́том“.

Но бо́льше ничего́ не мог приду́мать,[3] хоть и ду́мал
так усе́рдно, что не то́лько па́льцы, но и подборо́док
вы́мазал черни́лами.[4]

„Тик и так, зимо́й и ле́том“.

И вдруг, как бу́дто кто-то шепну́л ему́ на́ ухо,

„Ох, как тру́дно быть поэ́том“!

Па́па был прав: Ми́ше бы́ло ужа́сно ску́чно.[5] Но
как то́лько[6] он записа́л э́тот после́дний стих, ему́ ста́ло
стра́шно ве́село.[7] Уф![8] Да́же жа́рко ста́ло! Он
соскочи́л со сту́ла и бро́сился к па́пе в кабине́т. Но
па́па — како́й хи́трый[9]! — за́пер дверь.

Ми́ша постуча́л.

— Кто там? — спроси́л па́па за две́рью.

— Откро́й дверь, скоре́й! — сказа́л Ми́ша, задыха́ясь.
— Это я. Я написа́л стихи́. Получи́лось прекра́сно!

— Поздравля́ю![10] Продолжа́й!—пробормота́л па́па.

— Я хочу́ прочита́ть их тебе́!

— По́сле.

— Я хочу́ тепе́рь!

— Не меша́й мне тепе́рь!

Ми́ша наклони́лся к замо́чной сква́жине и прочита́л
своё стихотворе́ние. Но ему́ каза́лось, что он кричи́т
в глубо́кий коло́дец. А па́па не отвеча́л. Ми́ше
ста́ло о́чень оби́дно.[11] Он пошёл в свою́ ко́мнату.
Постоя́л немно́го у окна́, прижа́в лоб к холо́дному
стеклу́. Затем сел за стол и приня́лся писа́ть всё, что
бы́ло на уме́.

---

[1]*About what?* [2]*He thought of what . . .* [3]*Couldn't think of anything else.*
[4]*Ink.* Used only in the plural. [5]*Was terribly bored.* [6]*As soon as.* [7]*He became
very cheerful.* [8]*An* exclamation of fatigue or of relief. [9]*What a sly man!*
[10]*My compliments.* [11]*Misha felt deeply hurt.*

„Па́па обману́л меня́. Он сказа́л, что е́сли я бу́ду вести́ дневни́к, то случи́тся что-то о́чень интере́сное. Ничего́ подо́бного! Он э́то сказа́л про́сто, чтоб отде́латься от меня́. Я зна́ю. Когда́ ма́ма се́рдится, он зовёт её «зла́я ку́рица». Сам он зла́я ку́рица. Вчера́ я игра́л с его́ сере́бряным портсига́ром, и он рассе́рдился ещё бо́льше, чем ма́ма.[1] Уж он бы лу́чше молча́л.[2] Они́ о́ба одина́ковы. Когда́ Ни́на Петро́вна, та, что поёт,[3] разби́ла ча́шку, они́ о́ба сказа́ли: «ничего́, ничего́!» А когда́ я что-нибу́дь разбива́ю, они́ руга́ются“.

При мы́сли о том, как несправедли́вы с ним ма́ма и па́па, Ми́ше ста́ло так гру́стно,[4] что он чуть не запла́кал.[4] Ему́ бы́ло о́чень жа́лко[5] себя́, ма́му и па́пу. Они́ о́ба таки́е ми́лые, но не зна́ют, как с ним обраща́ться.[6]

II

Ми́ша подошёл к окну́. На карни́зе сиде́л мо́крый воробе́й и чи́стил клю́вом свои́ пе́рья. Ми́ша до́лго смотре́л на него́. Пти́чка продолжа́ла чи́ститься, и пе́рья вокру́г её клю́ва взъеро́шились и ста́ли похо́жи на[7] па́пины усы́.

Вдруг Ми́ше в го́лову пришёл стих:

Пти́чкины но́жки[8]
Бегу́т по доро́жке,
В дождь они́ под кры́шей,
Высоко́ над Ми́шей.

Он ничего́ бо́льше приду́мать не мог, но и э́то[9] бы́ло замеча́тельно. Он был о́чень дово́лен собо́й; подбежа́л к столу́ и записа́л своё стихотворе́ние. Пото́м доба́вил:

„Писа́ть стихи́ о́чень легко́. Сто́ит то́лько[10] посмотре́ть на что-нибу́дь, и стихотворе́ние гото́во. И па́пе не́чего чва́ниться.[11] Е́сли я захочу́, то могу́ писа́ть

---

[1] *Even more than mamma.* [2] *He should talk!* [3] *The one that sings.* [4] *He became so sad that he was ready to cry.* [5] *He felt sorry (for).* [6] *How to treat him.* [7] *Looked like.* [8] Dim. of но́ги (feet, legs). [9] *But this too.* [10] *You only have to.* [11] *Must not brag.*

книжки, да ещё в стихах.[1]   Я узнаю всё про запятую и т. п.[2] и когда надо писать «е», а когда «и», и буду писать книги. Мама-дама, Маша-наша. Я и на это мог бы написать стихи, да не хочу. Вообще я не хочу писать стихи или вести дневник. Если вам не интересно,[3] то и мне не интересно, и незачем заставлять меня писать их, и, пожалуйста, не мешайте мне".

Мише стало очень грустно. Он готов был расплакаться, но в этот момент вошла его учительница, Ксения Ивановна, маленькая, с розовыми щеками; на бровях её ещё были дождевые капли.

— Здравствуй — сказала она — чего у тебя такое грустное лицо?[4]

Миша нахмурился и принял очень важный вид.

— Не мешайте мне — сказал он папиным голосом и записал в тетради:

„Папа зовёт мою учительницу «курносая» и говорит что ей ещё надо[5] играть в куклы".

— Что с тобой?[6] — удивлённо спросила учительница, растирая свои розовые щёчки[7] кукольными ручками.[7]

— Что ты пишешь?

— Нельзя говорить,[8] — ответил Миша — Папа сказал, чтоб я вёл дневник и записывал всё интересное, что я думаю.

— Что ж?   Ты подумал о чём-то интересном? — спросила учительница и посмотрела в тетрадь.

— Нет, не очень.   Только стихотворения.

— Как ты пишешь!   Посмотри, какие ошибки! — воскликнула учительница. — А, стихотворения!   Да, рифма есть.   Это, конечно, папа тебе написал?

Миша опять обиделся.   Никто ему не верит.

— Если так, — сказал он, — то я сегодня заниматься не буду.

— Почему?

— Потому что не хочу.

---

[1]*And in rhymes, too.*   [2]И тому подобное (and the like).   [3]*If you are not interested.*   [4]*Why do you look so sad?*   [5]*She should still.*   [6]*What is wrong with you?*   [7]Dim. of щёки (cheeks). Dim. of руки (hands).   [8]*I must not say.*

Тут учи́тельница дошла́ до ме́ста, где Ми́ша написа́л о ней. Она́ прочита́ла, покрасне́ла, посмотре́ла на себя́ в зе́ркало, и то́же оби́делась.

— Так ты нашёл что-то интере́сное написа́ть обо мне́, а? Э́то пра́вда? Па́па, действи́тельно, э́то сказа́л?

— А вы ду́маете, что он вас бои́тся? — спроси́л Ми́ша.

Учи́тельница поду́мала немно́го, пото́м опя́ть посмотре́ла в зе́ркало.

— Так ты не хо́чешь занима́ться?

— Нет.

— Хорошо́. Пойду́ посмотрю́, что на э́то[1] ска́жет ма́ма.

И она́ вы́шла.

Ми́ша проводи́л её глаза́ми, пото́м верну́лся к своему́ дневнику́.

„Я капри́зничал с Ксе́нией Ива́новной, как ма́ма иногда́ капри́зничает с па́пой. Пусть она́ оста́вит меня́ в поко́е[2] и не меша́ет мне. Е́сли меня́ никто́ не лю́бит, мне всё равно́.[3] По́сле я извиню́сь пе́ред учи́тельницей и запишу́ э́то в своём дневнике́. Бу́ду писа́ть и писа́ть це́лый день, как па́па, и никто́ меня́ не уви́дит. И я никогда́ не бу́ду обе́дать, да́же когда́ на десе́рт бу́дут печёные я́блоки. По ноча́м[4] я не бу́ду спать: бу́ду всё писа́ть, писа́ть, писа́ть. А у́тром ма́ма ска́жет мне, как говори́т па́пе, что я себя́ переутомля́ю, и что у меня́ бу́дут не́рвы. И пусть ма́ма пла́чет. Мне всё равно́. Е́сли меня́ никто́ не лю́бит, мне соверше́нно всё равно́".[5]

Он то́лько ко́нчил писа́ть после́днее сло́во, как в ко́мнату вошли́ ма́ма и Ксе́ния Ива́новна. Не говоря́ ни сло́ва, ма́ма взяла́ ми́шин дневни́к, и её ми́лые глаза́, скрыва́вшие улы́бку, ста́ли чита́ть ми́шины мы́сли.

— Го́споди! — ти́хо воскли́кнула она́, — что за ребёнок![6] Нет, э́то на́до показа́ть[7] па́пе! И она́ ушла́, унося́ с собо́й дневни́к.

---

[1]*About that.* [2]*Let her leave me alone.* [3]*I don't care.* [4]*At night.* [5]*I don't care at all.* [6]*What a child!* [7]*This must be shown . . .*

— Меня́ нака́жут — поду́мал Ми́ша.

— Вы на меня́ пожа́ловались[1] — сказа́л он Ксе́нии Ива́новне.

— Е́сли ты не слу́шаешься меня́, что же . . .

— Я не ло́шадь, чтоб слу́шаться!

— Ми́ша! . . . — начала́ учи́тельница, но Ми́ша серди́то продолжа́л : — Я не могу́ занима́ться и ду́мать обо всём[2] и всё запи́сывать . . .

Он хоте́л ещё мно́гое сказа́ть, но вошла́ служа́нка и сказа́ла, что па́па зовёт его́.

— Поди́-ка[3] сюда́, бра́тец![4]

Па́па одно́й руко́й закры́л усы́, а в друго́й держа́л ми́шину тетра́дь. В глаза́х у него́[5] бы́ли весёлые и́скры. Ма́ма лежа́ла на дива́не, подсу́нув го́лову под ки́пу поду́шечек;[6] пле́чи её дрожа́ли, как бу́дто от[7] сме́ха.

— Меня́ не нака́жут — сообрази́л Ми́ша.

Па́па привлёк Ми́шу к себе́, сжал его́ коле́нями, припо́днял па́льцем его́ подборо́док и спроси́л:

— Ты капри́зничаешь, да?

— Да, — согласи́лся Ми́ша.

— Почему́?

— Так.[8]

— Должна́ же быть кака́я-нибу́дь причи́на!

— Не зна́ю, — отве́тил Ми́ша, пото́м доба́вил : — Ты не обраща́ешь на меня́ внима́ния.[9] Ма́ма то́же не обраща́ет внима́ния, и учи́тельница то́же . . . нет, не она́. Она́ мне всё вре́мя надоеда́ет.

— Ты оби́жен? — спроси́л мя́гко па́па.

— Да.

— Ну, не обижа́йся, — па́пин го́лос был о́чень мя́гкий.

— Ни ма́ма, ни я не хоти́м обижа́ть тебя́. Посмотри́ на неё. Она́ лежи́т, и её ду́шит смех. Я то́же ду́маю, что э́то смешно́, но я бу́ду по́сле смея́ться.

---

[1]*You told on me.* [2]*About everything.* [3]Pop. for пойди́ (come). [4]*Affec. and fam. for* брат (brother). [5]*In his eyes.* [6]*Dim. of* поду́шка (pillow, cushion). [7]*As though from.* [8]*For no reason.* [9]*You pay no attention to me.*

— Что тут смешно́го? — спроси́л Ми́ша.

— Я тебе́ по́сле скажу́.

— Нет, скажи́ тепе́рь, — наста́ивал Ми́ша.

— Ви́дишь-ли, наш сын о́чень смешно́й ма́льчик.

— А? — не ве́рил Ми́ша.

Па́па по́днял его́ и посади́л себе́ на коле́ни.

— Дава́й[1] говори́ть серьёзно, ла́дно?

— Ла́дно, — согласи́лся Ми́ша.

— Никто́ не хо́чет обижа́ть тебя́. Во всём винова́та скве́рная пого́да. Е́сли бы на у́лице бы́ло хорошо́, ты игра́л бы во дворе́ и забавля́лся бы. Что каса́ется твоего́ дневника́, то ты там написа́л мно́го еру́нды.

— Ты сам сказа́л мне, чтоб я писа́л — отве́тил Ми́ша и пожа́л плеча́ми.

— Посто́й, бра́тец, я не говори́л тебе́ писа́ть глу́пости.

— Мо́жет быть, — согласи́лся Ми́ша, — я не по́мню. Зна́чит, то что я написа́л вы́шло глу́по?[2]

— И́менно, мой друг. — Па́па кивну́л голово́й.

— А когда́ ты пи́шешь кни́ги, то́же выхо́дит глу́по? — спроси́л Ми́ша.

Ма́ма вскочи́ла с дива́на и вы́бежала из ко́мнаты. Ми́ша прекра́сно знал, что она́ смея́лась, но хоте́ла скрыть э́то. Взро́слые так уме́ют притворя́ться! Па́па то́же хоте́л смея́ться. Его́ щёки бы́ли красны́, усы́ шевели́лись и, каза́лось, щекота́ли ему́ нос.

— Да — сказа́л он — я то́же иногда́ пишу́ глу́пости. Писа́ть правди́во и хорошо́ — о́чень тру́дно. Твои́ стихи́ не плохи́, совсе́м не плохи́, но остально́е никуда́ не годи́тся.[3]

— Почему́? — спроси́л Ми́ша.

— Всё э́то напи́сано сли́шком серди́то. Ты кри́тик, я э́того не знал. Ты всех критику́ешь, а на́до всегда́ начина́ть с самого́ себя́.[4] Да, пре́жде всего́ критику́й себя́ . . . Зна́ешь что? Дава́й забу́дем[5] о дневнике́.

— Ла́дно, — согласи́лся Ми́ша. Он рисова́л карти́нки на па́пиной бума́ге кра́сными и си́ними

---

[1]Let us. [2]Came out silly. [3]Is no good. [4]Oneself. [5]Let's forget.

карандашáми. — Это óчень скýчно, — как урóки. Это былá твоя идéя. Ты сказáл: „Пиши, и это бýдет интерéсно", и я написáл, но ничегó интерéсного там нет. Пáпа, мóжно мне пропустить сегóдня урóк?

— Почемý?

— Я лýчше бýду читáть с Ксéнией Ивáновной.

— Хорошó, мóжешь пропустить сегóдня урóк — согласился пáпа, — тóлько мы óба должны извиниться пéред твоéй учительницей. Мы говорили и писáли о ней не óчень хорóшие вéщи.

Пáпа встал, и, держáсь зá руки,[1] óба напрáвились в мишину кóмнату.

— Прáвда, что нос её немнóго вздёрнут — сказáл пáпа, — но ей лýчше об этом не говорить. Такие вéщи нельзя исправить словáми, брáтец. Нос, какóй бы он ни был,[2] дан нам на всю жизнь.[3] Вот у тебя, напримéр, веснýшки на носý и по всей мóрдочке.[4] Хотéл бы ты, чтоб тебя звáли веснýщатым?

— Нет, не хотéл бы, — согласился Миша.

По Гóрькому

---

[1] *Holding each other's hand.*   [2] *No matter how it looks.*   [3] *For life.*   [4] *Little face.* Affec. form of мóрда. Unless so used, the word is vulgar.

28

ЛЮБОПЫ́ТНЫЙ СЛУ́ЧАЙ

I

В Ленингра́де, на одно́м заво́де рабо́тал инжене́р-меха́ник Фёдор Па́влович Кирю́шин. Заво́д был небольшо́й, но по вое́нному вре́мени незамени́мый. Хоте́ли эвакуи́ровать его́ в Сиби́рь, но пото́м реши́ли оста́вить на ме́сте.

Зимо́ю 1941-42 го́да Инжене́р Кирю́шин, как и все[1] жи́тели Ленингра́да, испы́тывал го́лод и хо́лод,[2] от кото́рых здоро́вье его́ си́льно пострада́ло. Дире́ктор заво́да реши́л посла́ть Кирю́шина лечи́ться.

Одна́жды по́здно но́чью разда́лся телефо́нный звоно́к.

— Кирю́шин, ты? Вот что, брат. Получи́лась из Москвы́ проду́ктовая посы́лка для тебя́. Бери́ са́нки и приходи́. Тут бли́зко.

Че́рез час он уже́ вскрыва́л посы́лку. Бо́же мой! Кака́я посы́лка! Ма́сса великоле́пных чёрных сухаре́й; огро́мный кусо́к свино́го са́ла; два кило́ сли́вочного ма́сла; два кило́ са́хару; мно́го крупы́; не́сколько ба́нок сгущённого молока́ и ра́зных консе́рвов. И три́дцать пли́ток великоле́пного шокола́ду. Да́же шокола́д . . . Ура́!

— Куда́ же мне всё э́то одному́?[3] — ду́мает растро́ганный Кирю́шин — На́до подели́ться с кем-нибу́дь.

И пе́рвая мысль о ма́тери. А где она́? Стару́ха мать эвакуи́ровалась к свое́й племя́ннице в Воро́неж. Он получи́л от неё то́лько одно́ письмо́, а ведь[4] с тех пор прошло́ семь ме́сяцев! Мо́жет быть, её уже́ в Воро́неже нет. Впро́чем, ма́ма живёт лу́чше, чем сестра́. Сестра́ Кирю́шина, учи́тельница, эвакуи́ровалась в Каза́нь

---

[1] *Like all.* [2] During the Second World War, Leningrad was besieged and bombarded for more than eighteen months. [3] *How can I keep all this for me alone?* [4] *But then.*

вместе с институтом, где она преподаёт английский язык. Муж её ушёл в Красную армию, и с нею осталась четырёхлетняя дочь Танечка.[1] Вот ей посылка будет кстати. Может быть, можно будет переслать с лётчиком, который летит в Казань.

Он сел за письмо.

„Дорогая Анна! Помнишь басню Крылова:[2] «Вороне где-то Бог послал кусочек[3] сыру?» Так вот и мне добрые люди прислали из Москвы, и не кусочек, а большой кусок. И я хочу послать тебе кусочек этого куска. Хотел бы послать тебе много, но лётчик много не возьмёт; ведь[4] у него будет много посылок для других. Поэтому посылаю тебе полкило сала и двадцать семь плиток шоколада, тебе и Танечке. Ну, а теперь послушай, как я живу, как идёт жизнь в Ленинграде . . .“

Письмо было длинное и подробное. Это письмо вместе с посылкой он отнёс в штаб армии и отдал приятелю, подполковнику Цветкову. Цветков сказал ему, что через два дня в Казань летит самолёт, и обещал отправить посылку и письмо этим самолётом.

Вскоре в комнату, где жила Анна Павловна Рябинина, сестра Кирюшина, постучали. Было раннее утро. Танечка ещё спала. Анна Павловна только что проснулась. Услыхав стук, она наскоро набросила халат, причесала волосы, и открыла дверь. В комнату вошёл молодой человек в форме лётчика. Спросив, она-ли Анна Павловна Рябинина, и получив утвердительный ответ, он вынул из сумки посылку и подал ей.

— Скажите, от кого эта посылка? — спросила Анна Павловна.

— К великому сожалению, не знаю—ответил лётчик.

— Да кто же вам её передал?

— Посылку дал мне подполковник Цветков в штабе армии.

---

[1]Affec. for Таня, which is the fam. form of Татьяна. [2]Крылов, a famous Russian fabulist (1768-1844). [3]Dim. of кусок (a piece). [4] *Since.*

— Но, мо́жет быть, вам да́ли и письмо́?

— Вы вскро́йте посы́лку: мо́жет быть, в ней есть и письмо́.

А́нна Па́вловна вскры́ла посы́лку, но письма́ в ней не́ было.

— Мо́жет быть, вам и бы́ло письмо́ — сказа́л тогда́ лётчик — но я его́ не привёз . . . Расскажу́ вам по секре́ту . . . По доро́ге в Каза́нь с мото́ром что́-то случи́лось, и нам пришло́сь сде́лать вы́нужденную поса́дку. Когда́ почини́ли мото́р, пришло́сь вы́нуть ко́е-что из каби́ны, в том числе́ мешо́к с пи́сьмами. Да и забы́ли его́ там.

II

По́сле ухо́да лётчика А́нна Па́вловна до́лго лома́ла го́лову — от кого́ посы́лка? Скоре́е всего́ ну́жно бы́ло бы ожида́ть от бра́та Фе́ди.[1] Но А́нна Па́вловна зна́ла, что брат и сам[2] в Ленингра́де голода́ет. К тому́ же[3] из его́ после́днего письма́ ви́дно бы́ло,[4] что их заво́д эвакуи́руется в Сиби́рь. Но э́то письмо́ бы́ло полу́чено два ме́сяца тому́ наза́д.[5] Где же тепе́рь её брат? А-а-а-а, вот от кого́![6] Шокола́д ей присла́ла её знако́мая киноактри́са Исто́мина, кото́рая брала́ у неё уро́ки англи́йского языка́. У э́той Исто́миной так мно́го цвето́в, духо́в, шокола́да. Коне́чно, э́то она́ присла́ла шокола́д для Та́нечки!

А́нна Па́вловна была́ о́чень ра́да посы́лке. Пра́вда, знако́мый лётчик, кото́рому она́ преподаёт англи́йский язы́к, подари́л её Та́нечке полкило́ прекра́сного америка́нского шокола́ду. И всё-таки А́нна Па́вловна была́ о́чень ра́да шокола́ду. Она́ тепе́рь мо́жет посла́ть шокола́ду свое́й ма́тери, кото́рую она́ люби́ла не ме́ньше, чем Та́нечку. Стару́шка мать жила́ у свое́й племя́нницы в Росто́ве. На́до найти́ лётчика, кото́рый лете́л бы туда́.

---

[1]Fam. for Фёдор. [2]*Himself.* [3]*Moreover.* [4]*It was clear.* [5]*Ago.* [6]*Here is from whom it comes!*

Прошло́ де́сять дней. Лётчик Руднёв пришёл к ней ра́достный и говори́т:

— Дава́йте посы́лочку.[1] За́втра лечу́ в Росто́в.

А́нна Па́вловна оста́вила три пли́тки шокола́ду — одну́ себе́, две Та́нечке — остальны́е два́дцать четы́ре запакова́ла и вме́сте с письмо́м отпра́вила ма́тери.

Лётчик Руднёв прилете́л в Росто́в ещё до зака́та[2] со́лнца. Он заста́л стару́шку в огоро́де. Она́ сиде́ла под вишнёвым де́ревом и вяза́ла чуло́к. Она́ поблагодари́ла его́ за посы́лку, и ста́ла расспра́шивать о том, как живёт её дочь. Он рассказа́л ей, что А́нна Па́вловна живёт не пло́хо.

— А вот о своём бра́те, о вашем сы́не Фёдоре Па́вловиче она́ о́чень беспоко́ится. Гла́вное, не зна́ет, где он живёт: он давно́ не писа́л ей. Она́ зна́ет то́лько, что заво́д, на кото́ром он рабо́тает, эвакуи́ровался в Сиби́рь.

Стару́ха, вы́слушав его́, улыбну́лась и сказа́ла:

— Ничего́ подо́бного.[3] Фе́дя живёт в Ленингра́де, как ра́ньше. Я и сама́ ду́мала, что он в Сиби́ри, но на дня́х[4] я встре́тила одного́ знако́мого старичка́,[5] из Ленингра́да, кото́рый рабо́тает на том же заво́де, что и Фе́дя. Он мне сказа́л, что их заво́д оста́лся в Ленингра́де, и что Фе́дя продолжа́ет там жить.

Лётчик Руднёв ушёл, и стару́шка Кирю́шина заду́малась. Старичо́к из Ленингра́да сказа́л ей, что сын её живёт в нужде́. Вот ему́-то она́ и отпра́вит шокола́д. Две пли́тки оста́вит себе́ с племя́нницей, а два́дцать две пошлёт Фе́деньке.[6] Ему́ он бу́дет о́чень кста́ти. Да ещё постара́ется немно́го ма́сла ему́ доста́ть. Че́рез неде́лю старичо́к возвраща́ется в Ленингра́д, и она́ пошлёт посы́лку с ним.

Стару́шка се́ла за письмо́.

„Дорого́й Фе́денька! — писа́ла она́ — Когда́ ты был

---

[1] Dim. and affec. for посы́лка. [2] Зака́та or захо́да. [3] *Nothing of the kind.* [4] *The other day.* [5] Dim. of стари́к (old man). [6] Affec. for Фе́дя.

ещё ма́ленький и учи́лся в шко́ле, то, по́мнишь, чита́л мне наизу́сть ба́сни Крыло́ва. По́мнишь: «Воро́не где́-то Бог посла́л кусо́чек сы́ру». Вот так и мне"... Письмо́ бы́ло дли́нное. Стару́шка вложи́ла его́ в конве́рт и запакова́ла вме́сте с посы́лкой.

Мину́т за де́сять до нача́ла у́тренних рабо́т в кабине́т Фёдора Па́вловича Кирю́шина вошёл старичо́к, возврати́вшийся в Ленингра́д. Поздоро́вавшись, он положи́л на стол посы́лку и сказа́л:

— Э́то вам от ва́шей ма́меньки[1] пода́рочек.[2]

Кирю́шин вскрыл посы́лку и гро́мко рассмея́лся: из неё одна́ за друго́й па́дали пли́тки знако́мого шокола́да.

По В. Шишко́ву[3]

---

[1]A term of endearment for мать.   [2]Dim. of пода́рок.   [3]Шишко́в, a well-known Russian novelist and short-story writer (1873-1945).

АПТЕ́КАРША

Городо́к[1] Б., состоя́щий из двух-трёх кривы́х у́лиц, кре́пко спит. Круго́м тишина́. Слы́шно то́лько как где́-то далеко́, должно́ быть, за го́родом ла́ет соба́ка. Ско́ро рассве́т.

Всё давно́ усну́ло. Не спит то́лько молода́я жена́ апте́каря, Черномо́рдика. Она́ ложи́лась уже́ три ра́за, но сон упря́мо не идёт к ней,[2] и неизве́стно отчего́. Сиди́т она́ у откры́того окна́ и гляди́т на у́лицу. Ей ду́шно, ску́чно, доса́дно . . . так доса́дно, что да́же пла́кать хо́чется, а отчего́ — опя́ть-таки неизве́стно.

Сза́ди, в не́скольких шага́х от апте́карши, лицо́м к стене́, сла́дко храпи́т сам Черномо́рдик. Его́ куса́ет блоха́, но он э́того не чу́вствует и да́же улыба́ется, так как ему́ сни́тся, что все в го́роде ка́шляют и непреры́вно покупа́ют у него́ ка́пли от ка́шля.

Апте́ка нахо́дится почти́ у кра́я го́рода, так что апте́карше далеко́ ви́дно в по́ле. Она́ ви́дит, как ма́ло-пома́лу беле́ет восто́чный край не́ба, как он пото́м багрове́ет, сло́вно от большо́го пожа́ра. Неожи́данно из-за отдалённого куста́рника выполза́ет больша́я широколи́цая луна́.

Вдруг среди́ ночно́й тишины́ раздаю́тся чьи́-то шаги́ и звя́кание шпор. Слы́шатся голоса́.

— Э́то офице́ры в ла́герь иду́т — ду́мает апте́карша.

Немно́го погодя́, пока́зываются две фигу́ры в бе́лых офице́рских ки́телях: одна́ больша́я и то́лстая, друга́я немно́го ме́ньше и то́ньше . . . Они́ лени́во иду́т вдоль забо́ра и гро́мко разгова́ривают о чём-то. Поравня́вшись с апте́кой, о́бе фигу́ры начина́ют итти́ ещё ти́ше и гляди́т на о́кна.

— Апте́кой па́хнет . . . — говори́т то́нкий. — Апте́ка

---

[1]Dim. of го́род (city, town). [2]*Does not come to her.*

34

и есть! Ах, помню . . . На прошлой неделе я здесь был, касторку покупал. Тут аптекарь с кислым лицом и с ослиной челюстью. Вот так челюсть!

— М-да . . . — говорит толстый басом. — Спит. И аптекарша спит. Тут, Обтёсов, аптекарша хорошенькая.

— Видел. Мне она очень нравится . . . Скажите, доктор, неужели она может любить эту ослиную челюсть? Неужели?

— Нет, вероятно, не любит, — вздыхает доктор с таким выражением, как будто ему жаль аптекаря. — Спит теперь милая за окошечком![1] Обтёсов, а? . . . ротик[2] полуоткрыт . . . и ножка[2] с кровати свесилась.

— Знаете что, доктор? — говорит офицер, останавливаясь. — Давайте зайдём в аптеку и купим чего-нибудь! Аптекаршу, может быть, увидим.

— Выдумал — ночью!

— А что же?[3] Ведь они и ночью обязаны торговать. Голубчик,[4] войдёмте!

— Пожалуй . . .

Аптекарша, спрятавшись за занавеску, слышит тихий звонок. Оглянувшись на мужа, который храпит попрежнему сладко и улыбается, она набрасывает на себя платье, надевает на босую ногу туфли и бежит в аптеку.

За стеклянной дверью видны две тени . . . Аптекарша припускает огня в лампе и спешит к двери, чтобы отпереть, и ей уже не скучно, и не досадно, и не хочется плакать, а только сильно стучит сердце. Входит толстяк-доктор и тонкий Обтёсов.

— Что вам угодно? — спрашивает аптекарша, придерживая на груди платье.

---

[1]*Behind the window.* Окошечко is a diminutive of окошко, which is a popular term for окно. [2]Dim. respectively of рот (mouth) and нога (leg, foot). [3]*What about it?* [4]Голубчик, голубушка are very common terms of endearment.

— Да́йте . . . э-э-э . . . на пятна́дцать копе́ек мя́т-
ных лепёшек!

Апте́карша, не спеша́, достаёт с по́лки ба́нку и на-
чина́ет ве́шать. Покупа́тели, не мига́я, глядя́т на её
спи́ну; до́ктор жму́рится, как сы́тый кот, а офице́р
о́чень серьёзен.

— Пе́рвый раз ви́жу, что да́ма в апте́ке торгу́ет —
говори́т до́ктор.

— Тут ничего́ нет осо́бенного . . . — отвеча́ет апте́-
карша, и́скоса погля́дывая на ро́зовое лицо́ Обте́сова. —
Мой муж не име́ет помо́щников, и я ему́ всегда́ помога́ю.

— Так . . . А у вас ма́ленькая апте́чка![1] Ско́лько
тут ра́зных э́тих . . . ба́нок! И вы не бои́тесь враща́ть-
ся среди́ я́дов?

Апте́карша запеча́тывает паке́тик[2] и подаёт до́ктору.
Обте́сов подаёт ей пятна́дцать копе́ек. Прохо́дит
полмину́ты в молча́нии . . . Мужчи́ны перегля́дываются,
де́лают шаг к две́ри, пото́м опя́ть перегля́дываются.

— Да́йте на де́сять копе́ек со́ды! — говори́т до́ктор.

Апте́карша опя́ть, лени́во дви́гаясь, протя́гивает
ру́ку к по́лке.

— Нет-ли тут,[3] в апте́ке, чего́-нибу́дь тако́го[4] . . . —
бормо́чет Обте́сов, шевеля́ па́льцами, — чего́-нибу́дь
тако́го, зна́ете-ли[5] . . . зе́льтерской воды́, что́-ли?[6] У
вас есть зе́льтерская вода́?

— Есть — отвеча́ет апте́карша.

— Бра́во! Вы не же́нщина, а фе́я. Да́йте-ка нам
буты́лочки[7] три!

Апте́карша торопли́во запеча́тывает со́ду и исчеза́ет
в темноте́ за две́рью.

— Фрукт! — говори́т до́ктор подми́гивая. — Тако́го
анана́са, Обте́сов, и на о́строве Маде́йре[8] не сы́щете.[9]
А? Как вы ду́маете? Одна́ко . . . слы́шите храп?
Это сам господи́н апте́карь изво́лит почива́ть.[10]

---

[1]Dim. of апте́ка (drug store). [2]Dim. of паке́т (package). [3]*Isn't there*
[4]*Something* . . . [5]*You know* . . . [6]*Perhaps.* [7]Dim. and affec. of буты́лка
(bottle). [8]*Madeira,* a Portuguese island off the N.W. coast of Africa.
[9]From сыска́ть; colloq. for найти́ (to find). [10]*Is kind enough to repose* (iron.).

Через минуту возвращается аптекарша и ставит на прилавок пять бутылок. Она только что была[1] в погребе, а потому красна и немного взволнована.

— Тсс . . . тише! — говорит Обтёсов, когда она, раскупорив бутылки, роняет штопор. — Не стучите так, а то[2] мужа разбудите.

— Ну так что же[3] если разбужу?

— Он так сладко спит . . . видит вас во сне . . . За ваше здоровье!

— И к тому же[4] — говорит доктор басом — мужья такая скучная история, что хорошо бы они сделали, если бы всегда спали. Эх, к этой водице[5] винца[5] бы красненького?[5]

— Чего ещё выдумали![6] — смеётся аптекарша.

— Великолепно бы! Жаль, что в аптеках не продают вина! Впрочем . . . вы ведь[7] должны продавать вино, как лекарство. Есть у вас vinum gallicum rubrum?[8]

— Есть.

— Ну вот! Подавайте нам его! Тащите[9] его сюда!

— Сколько вам?[10]

— Сначала дайте нам в воду по унцу, а потом увидим . . . Обтёсов, а? Сначала с водой, а потом без . . .

Доктор и Обтёсов садятся у прилавка, снимают фуражки и начинают пить красное вино.

— А вино, надо сознаться, скверное! Впрочем, в присутствии . . . э-э-э . . . оно кажется нектаром. Вы восхитительны, сударыня! Целую вам мысленно ручку.

— Я дорого дал бы за то, чтобы сделать это не мысленно! — говорит Обтёсов. — Честное слово! Я отдал бы жизнь!

— Это уж вы оставьте . . . — говорит госпожа Черномордик, вспыхивая и делая серьёзное лицо.

<hr />

[1]*Just now was* . . . [2]*Or else.* [3]*What of it.* [4]*Moreover.* [5]Dim. and affec. for вода (water), вино (wine), красное (red). [6]*What'll you think next?* [7]The word has no definite meaning; is used, for emphasis, in conversation. [8]*Red French wine.* [9]Colloq. and fam. for принесите (bring). [10]*How much do you want?*

— Кака́я, одна́ко, вы коке́тка! — ти́хо хохо́чет до́ктор, гля́дя на неё исподло́бья. — Глазёнки[1] так и стреля́ют! Пиф! паф!

Поздравля́ю: вы победи́ли! Мы сражены́!

Апте́карша гляди́т на их румя́ные ли́ца, слу́шает их болтовню́ и ско́ро сама́ оживля́ется. Ой, ей уже́ так ве́село! Она́ вступа́ет в разгово́р, хохо́чет, коке́тничает и да́же, по́сле до́лгих просьб покупа́телей, выпива́ет у́нца два кра́сного вина́.

— Вы бы, офице́ры, поча́ще в го́род из ла́герей приходи́ли — говори́т она́: — а то тут у́жас кака́я ску́ка! я про́сто умира́ю.

— Ещё бы! — вздыха́ет до́ктор — Тако́й анана́с . . . чу́до приро́ды и — в глуши́! Прекра́сно вы́разился Грибое́дов:[2] „В глушь, в Сара́тов!"[3] Одна́ко нам пора́. О́чень рад познако́миться . . . весьма́! Ско́лько мы вам должны́?"

Апте́карша поднима́ет к потолку́ глаза́ и до́лго шевели́т губа́ми.

— Двена́дцать рубле́й со́рок во́семь копе́ек! — говори́т она́.

Обтёсов вынима́ет из карма́на то́лстый бума́жник, до́лго ро́ется в па́чке де́нег и пла́тит.

— Ваш муж сла́дко спит . . . ви́дит сны . . . — бормо́чет он, пожима́я на проща́нье ру́ку апте́карши.

— Я не люблю́ слу́шать глу́пости . . .

— Каки́е же глу́пости? Наоборо́т . . . э́то во́все не глу́пости . . . Да́же Шекспи́р сказа́л: „Блаже́н, кто смо́лоду был мо́лод! . . ."

— Пусти́те ру́ку!

Наконе́ц, покупа́тели, по́сле до́лгих разгово́ров, целу́ют у апте́карши ру́чку[4] и нереши́тельно, сло́вно разду́мывая, не забы́ли-ли они́ чего́-нибу́дь, выхо́дят из апте́ки.

---

[1]Affec. for глаза́ (eyes). [2]Famous Russian playwright (1795-1829). [3]Saratov is no longer a wilderness, but a city of about 400,000 inhabitants. [4]Dim. and affec. for рука́ (hand).

А она быстро бежит в спальню и садится у того же окна. Ей видно, как доктор и Обтёсов, выйдя из аптеки, лениво отходят шагов на двадцать, потом останавливаются и начинают о чём-то шептаться. О чём? Сердце у неё стучит, в висках тоже стучит, а отчего — сама не знает.

Минут через пять доктор отходит от Обтёсова и идёт дальше, а Обтёсов возвращается. Он проходит мимо аптеки раз, другой . . . То остановится около двери, то опять зашагает . . . Наконец, осторожно звонит.

— Что? Кто там? — вдруг слышит аптекарша голос мужа.

— Там звонят, а ты не слышишь! — говорит аптекарь строго. — Что за беспорядки!

Он встаёт, надевает халат и, покачиваясь в полусне, идёт в аптеку.

— Чего . . . вам? — спрашивает он у Обтёсова.

— Дайте . . . дайте на пятнадцать копеек мятных лепёшек.

С бесконечным сопением, зевая, засыпая на ходу, аптекарь лезет на полку и достаёт банку . . .

Спустя две минуты[1] аптекарша видит, как Обтёсов выходит из аптеки и, пройдя несколько шагов, бросает на пыльную дорогу мятные лепёшки. Из-за угла навстречу ему идёт доктор . . . Оба сходятся и, жестикулируя руками, исчезают в утреннем тумане.

— Как я несчастна! — говорит аптекарша, со злобой глядя на мужа, который быстро раздевается, чтобы опять лечь спать. — О, как я несчастна! — повторяет она, вдруг заливаясь горькими слезами. — И никто, никто не знает . . .

— Я забыл пятнадцать копеек на прилавке — бормочет аптекарь, укрываясь одеялом — Спрячь их, пожалуйста . . .

И тотчас же засыпает.

Чехов[2]

---

[1] *Two minutes later.* [2] Чехов, a famous short-story writer and playwright (1860-1904).

ПОСЛЕ БАЛА

I

— Вся моя́ жизнь — на́чал свой расска́з Ива́н Васи́льевич — перемени́лась от одно́й но́чи и́ли, скоре́е, у́тра.

— Да что же бы́ло?[1] — спроси́ли хо́ром собра́вшиеся у него́ друзья́, заинтересо́ванные таки́м нача́лом.

— А бы́ло то, что был я си́льно влюблён.[2] Влюбля́лся я мно́го раз, но э́то была́ моя́ са́мая си́льная любо́вь. Де́ло про́шлое; у неё уже́ до́чери за́мужем. Это была́ Ва́ренька[3] Б . . . — Ива́н Васи́льевич назва́л фами́лию. — Она́ и в пятьдеся́т лет[4] была́ замеча́тельная краса́вица, но в мо́лодости, восемна́дцати лет, была́ преле́стна.

Я в то вре́мя был студе́нтом. Был я о́чень весёлый и бо́йкий ма́лый, да ещё[5] и бога́тый. Была́ у меня́ прекра́сная ло́шадь, ката́лся я с гор с ба́рышнями (коньки́ ещё не́ были в мо́де),[6] кути́л с това́рищами. Гла́вное же моё удово́льствие составля́ли балы́ и вечера́. Танцова́л я хорошо́ и был не безобра́зен.

— Ну, не скро́мничайте, — переби́ла его́ одна́ из слу́шательниц. Мы ведь ви́дели ваш портре́т. Вы бы́ли краса́вец.

— Мо́жет быть, да не в э́том де́ло.[7] А де́ло в том, что во вре́мя мое́й э́той са́мой си́льной любви́ я был в после́дний день ма́сляницы на балу́ у одного́ о́чень бога́того челове́ка. Бал был чуде́сный. За́ла[8] прекра́сная, музыка́нты — знамени́тые в то вре́мя крепостны́е

---

[1]*What happened?* [2]*Madly in love.* [3]Affec. for Ва́ря which is the familiar name for Варва́ра. [4]*At fifty.* The gen. pl. of ле́то with the meaning of *years* is used in all numbers other than two, three and four, separate or in combination with other numbers. [5]*And in addition.* [6]*Were not yet in vogue.* [7]*It's irrelevant.* [8]За́ла ог зал.

помещика — великолепный буфет и море шампанского. Хоть я и охотник был до шампанского, но не пил, потому что без вина был пьян любовью, но зато танцовал без устали и вальсы и польки, разумеется, насколько возможно было, всё с Варенькой. Она была в белом платье с розовым поясом, в белых лайковых перчатках и в белых атласных туфлях. А когда не танцовал с нею, я всё время смотрел на неё; всё время видел её высокую стройную фигуру в белом платье с розовым поясом, её сияющее розовое лицо с ямочками в щеках и ласковые милые глаза. Не я один — все смотрели на неё и любовались ею; любовались мужчины и женщины. Нельзя было не любоваться. Да, так вот танцовал я больше с нею и не заметил, как прошло время. Был третий час утра.[1] Надо было пользоваться последними минутами. Я ещё раз[2] выбрал её, и мы в сотый раз прошли вдоль залы.[3] Из гостиных поднялись уже из-за карточных столов мамаши и папаши, ожидая ужина.

— Так после ужина кадриль моя, — сказал я, отводя её к её месту.

— Разумеется, если меня не увезут,[4] — сказала она, улыбаясь.

— Смотрите, папу просят танцовать, — сказала она мне, указывая на высокую, статную фигуру её отца — полковника, с серебряными эполетами, стоявшего в дверях с дамами.

— Варенька, подите[5] сюда, — услышали мы громкий голос хозяйки.

Варенька подошла к двери, и я за ней.[6]

— Уговорите, милая, отца пройтись с вами. Ну, пожалуйста, Пётр Владиславович, — обратилась хозяйка к полковнику.

Отец Вареньки был очень красивый, статный, высокий и свежий старик.

---

[1]*Between two and three a.m.* [2]*Once more.* [3]*Danced the length of the hall.*
[4]*If they do not take me home.* [5]Colloq. for пойдите (come). [6]*Followed her.*

Когда́ мы подошли́ к дверя́м, полко́вник отка́зывался, говоря́, что он разучи́лся танцова́ть, но всё-таки, улыба́ясь, заки́нув на ле́вую сто́рону ру́ку, вы́нул шпа́гу из портупе́и, о́тдал её услу́жливому молодо́му челове́ку и, натяну́в за́мшевую перча́тку на пра́вую ру́ку, взял ру́ку до́чери и стал выжида́ть такт. Дожда́вшись нача́ла мазу́рки, он бо́йко то́пнул одно́й ного́й, вы́кинул другу́ю, и высо́кая, стро́йная фигу́ра его́ ти́хо и пла́вно задви́галась вокру́г за́лы. Грацио́зная фигу́ра Ва́реньки плыла́ о́коло него́, незаме́тно, во-вре́мя укора́чивая и́ли удлиня́я шаги́ свои́х ма́леньких, бе́лых атла́сных но́жек. Вся за́ла следи́ла за ка́ждым движе́нием па́ры. Когда́ же полко́вник, бы́стро расста́вив но́ги, опя́ть соедини́л их и упа́л на одно́ коле́но, а Ва́ренька, улыба́ясь, пла́вно прошла́ вокру́г него́, все гро́мко зааплоди́ровали. Приподня́вшись, он не́жно поцелова́л дочь в лоб, и подвёл её ко мне.

— Пройди́тесь тепе́рь вы с не́ю, — сказа́л он, ла́сково улыба́ясь.

Мазу́рка ко́нчилась, хозя́ева проси́ли госте́й к у́жину, но полко́вник Б. отказа́лся, сказа́в, что ему́ на́до за́втра ра́но встава́ть, и прости́лся с хозя́евами. Я испуга́лся, что и Ва́реньку увезу́т, но она́ оста́лась с ма́терью.

По́сле у́жина я танцова́л с не́ю обе́щанную кадри́ль, и сча́стье моё всё росло́ и росло́.

Когда́ я прие́хал домо́й, разде́лся и поду́мал о сне, я увида́л, что э́то соверше́нно невозмо́жно. У меня́ в руке́ бы́ло пёрышко[1] от её ве́ера и её перча́тка, кото́рую она́ дала́ мне, уезжа́я, когда́ сади́лась в каре́ту. Я смотре́л на э́ти ве́щи и ви́дел её пе́ред собо́ю.[2]

Жи́ли мы тогда́ одни́ с поко́йным бра́том. Брат и вообще́[3] не люби́л све́та и не е́здил на балы́, тепе́рь же гото́вился к экза́мену и вёл са́мую пра́вильную жизнь. Он спал. Крепостно́й наш лаке́й Петру́ша[4] встре́тил

---

[1]Dim. of перо́ (feather). [2]*Before me.* [3]Usually, " in general "; here, " never." [4]Pop. and fam. for Пётр.

меня́ со свечо́й и хоте́л помо́чь мне разде́ться, но я отпусти́л его́.   Стара́ясь не шуме́ть, я на цы́почках прошёл в свою́ ко́мнату и сел на посте́ль.   Нет, я был сли́шком сча́стлив, я не мог спать.   Прито́м мне бы́ло жа́рко в нато́пленных ко́мнатах, и я, не снима́я мунди́ра, потихо́ньку вы́шел в пере́днюю, наде́л шине́ль, отвори́л нару́жную дверь и вы́шел на у́лицу.

II

С ба́ла я уе́хал в пя́том часу́; пока́[1] дое́хал домо́й, посиде́л до́ма, прошло́ ещё часа́ два, так что,[2] когда́ я вы́шел, бы́ло уже́ светло́.   Жи́ли Б. тогда́ на конце́ го́рода по́дле большо́го по́ля, на одно́м конце́ кото́рого бы́ло гуля́нье, а на друго́м — деви́ческий институ́т. Я прошёл наш пусты́нный переу́лок и вы́шел на большу́ю у́лицу, где ста́ли встреча́ться и пешехо́ды и ломовы́е с дрова́ми на саня́х.   Когда́ я вы́шел на по́ле, где был их дом, я увида́л в конце́ его́ что-то большо́е, чёрное и услыха́л доноси́вшиеся отту́да зву́ки фле́йты и бараба́на.   В душе́ у меня́ всё вре́мя пе́ло и и́зредка слы́шался моти́в мазу́рки.   Но э́то была́ кака́я-то друга́я, жёсткая, нехоро́шая му́зыка.

— Что э́то тако́е?[3] — поду́мал я и по ско́льзкой доро́ге, пересека́вшей по́ле, пошёл по направле́нию зву́ков.   Пройдя́ шаго́в сто, я из-за тума́на стал различа́ть мно́го чёрных люде́й.   Очеви́дно, солда́ты.   «Вероя́тно, уче́нье», поду́мал я и вме́сте с кузнецо́м, нёсшим что-то и ше́дшим передо мно́ю, подошёл бли́же. Солда́ты в чёрных мунди́рах стоя́ли двумя́ ряда́ми друг про́тив дру́га, держа́ ру́жья к ноге́, и не дви́гались. Позади́ их стоя́ли бараба́нщики и флейти́ст и не переста́вая повторя́ли всё ту же неприя́тную, визгли́вую мело́дию.

— Что э́то они́ де́лают? — спроси́л я у кузнеца́, останови́вшегося ря́дом со мной.

[1] *The time it took.*   [2] *So that.*   [3] *What is this?*

— Татáрина гонЯют за побéг, — сердúто сказáл кузнéц, взглЯдывая в дáльний конéц рЯдóв.

Я стал смотрéть тудá же и увúдел посредú рЯдóв что-то стрáшное, приближáющееся ко мне. Приближáющееся ко мне был оголённый по пóяс человéк, привЯзанный к рýжьям двух ýнтер-офицéров, котóрые велú егó. РЯдом с ним шёл высóкий воéнный в шинéли и фурáжке, фигýра котóрого показáлась мне знакóмой. Дёргаясь всем тéлом, накáзываемый, под сЫпавшимися с обéих сторóн на негó удáрами, подвигáлся ко мне, то опрокúдываясь назáд — и тогдá ýнтер-офицéры, вéдшие егó за рýжья, толкáли егó вперёд, то пáдая наперéд — и тогдá ýнтер-офицéры, удéрживая егó от падéния, тянýли егó назáд. И, не отставáя от негó, шёл твёрдой похóдкой высóкий воéнный. Это был её отéц, с своим румЯным лицóм и бéлыми усáми.

При кáждом удáре накáзываемый поворáчивал смóрщенное от страдáния лицó в ту стóрону, с котóрой пáдал удáр, и, оскáливая бéлые зýбы, повторЯл какúе-то однú и те же словá.[1] Тóлько когдá он был совсéм блúзко,[2] я расслЫшал эти словá. Он не говорúл, а всхлúпывал: «Брáтцы, пожалéйте, брáтцы, пожалéйте!» Но брáтцы продолжáли своё дéло.

— О, Гóсподи, — проговорúл пóдле менЯ кузнéц. Шéствие стáло удалЯться. Всё так же[3] пáдали с двух сторóн удáры на спотыкáющегося, кóрчившегося человéка, и всё так же бúли барабáны и свистéла флéйта, и всё так же твёрдым шáгом двúгалась высóкая, стáтная фигýра полкóвника рЯдом с накáзываемым. Вдруг полкóвник остановúлся и бЫстро приблúзился к одномý из солдáт.

— Я тебé![4]... — услыхáл я егó гнéвный гóлос. И я вúдел, как он своéй сúльной рукóй в зáмшевой перчáтке бил по лицý испýганного слáбого солдáта нúзкого рóста за то, что он недостáточно сúльно удáрил своéй пáлкой по крáсной спинé татáрина.

[1]*Some words, always the same.* [2]*Very near.* [3]*In the same way.* [4]These are the initial words of a threat.

— Подать свежих шпицрутенов! — крикнул он, оглядываясь, и увидал меня. Делая вид, что он не знает меня, он, грозно и злобно нахмурившись, поспешно отвернулся. Мне было до такой степени[1] стыдно, что, не зная, куда смотреть, я опустил глаза и поторопился уйти домой. Всю дорогу в ушах у меня то била барабанная дробь и свистела флейта, то слышались слова: „Братцы, пожалейте“, то я слышал гневный голос полковника: „Я тебе!...“

Не помню, как я добрался домой и лёг. Но только[2] стал засыпать, услыхал и увидел опять всё и вскочил.

Заснул я только к вечеру, и то[3] после того, как пошёл к приятелю и напился с ним совсем пьян“.

Иван Васильевич умолк.

— Ну, а любовь что?[4] — спросили его гости.

— Любовь? Любовь с этого дня пошла на убыль. Когда она, как это часто бывало с ней,[5] с улыбкой на лице, задумывалась, я сейчас же вспоминал полковника на площади, и мне становилось неловко и неприятно,[6] и я стал реже видаться с ней. И любовь так и сошла на нет.[7] — Так вот какие бывают дела[8] и от чего[9] переменяется и направляется вся жизнь человека — закончил он.

Толстой[10]

---

[1]*So.* [2]*No sooner.* [3]*And even then.* [4]*And what about your love?* [5]*As she often did.* [6]*I felt uneasy and uncomfortable.* [7]*Dwindled away.* [8]*This is how things sometimes are.* [9]*Because of what.* [10]Famous Russian philosopher and novelist (1828-1910).

ЧАРЫ

I

Я расскажу́ вам трагикоми́ческую исто́рию мое́й пе́рвой любви́. Нача́ло исто́рии о́чень романти́чно. Предста́вьте себе́ бал: большо́й, све́тлый зал;[1] бога́то оде́тые да́мы и мужчи́ны, и вот на эстра́де, высоко́ над мо́рем челове́ческих голо́в,[2] появля́ется „он". Чёрные ку́дри па́дают на пле́чи, чёрные ба́рхатные[2] глаза́ смо́трят вперёд с холо́дным вели́чием;[2] рука́ — дли́нная, бе́лая, прекра́сная рука́ арти́ста, небре́жно обтира́ет платко́м де́ку скри́пки и пото́м та́к же небре́жно броса́ет э́тот плато́к на роя́ль. Тишина́. Ро́бкие акко́рды прелю́дии. Се́рдце моё замира́ет. Нет бо́льше ни сия́ющего за́ла, ни мама́н,[3] ни сосе́дей. Остаю́тся то́лько зву́ки скри́пки и чёрные ба́рхатные глаза́ там, на эстра́де.

Да́льше предста́вьте себе́ наи́вную, то́лько что нача́вшую выезжа́ть де́вушку-институ́тку[4] с голово́й, наби́той романти́ческим вздо́ром.

Мой скрипа́ч был о́чень при́нят[5] в вы́сшем све́те. Его́ называ́ли „Второ́й Пагани́ни"[6] и „Второ́й Сараса́те".[7] Да́мы находи́ли в нём что́-то демони́ческое.

Ско́лько раз, гля́дя на его́ демони́ческий и го́рдый про́филь, я с мучи́тельным любопы́тством ду́мала о его́ инти́мной жи́зни, о лю́дях, кото́рые его́ окружа́ют, о его́ многочи́сленных побе́дах же́нских серде́ц. Я уже́

---

[1] Зал ог за́ла. [2] The Russian language makes free use of daring metaphors, as, for example, here: a sea of heads, eyes of velvet, cold loftiness. [3] A French word much used in the old times in high society for ма́ма. (mother). [4] A student of a pre-revolutionary school for girls of the nobility. The word carries the connotation of naïveté. [5] *Was very fashionable.* [6] Famous Italian violinist (1784-1840). [7] The greatest Spanish violinist of his time (1844-1908).

зна́ла из кни́г, что вели́кие лю́ди о́чень одино́ки. И я мечта́ла . . .

Одна́жды я реши́лась написа́ть ему́ письмо́. Он отве́тил, и ме́жду на́ми завяза́лась перепи́ска, из кото́рой я ещё раз убеди́лась в том, что я была́ права́: мой арти́ст гляде́л на жизнь с уста́лостью и презре́нием. При э́том он выража́л благода́рность чу́ткому же́нскому се́рдцу, оцени́вшему его́. Не́чего и говори́ть,¹ что э́то чу́ткое се́рдце принадлежа́ло мне.

Ле́том мы уе́хали на да́чу, и перепи́ска прекрати́лась.

На да́че на́шим ежедне́вным го́стем сде́лался кавалери́йский генера́л сорокале́тний холостя́к с прекра́сным бу́дущим.

Генера́л вози́л² мне цветы́ и конфе́ты. Мама́н не раз говори́ла о том, каку́ю хоро́шую па́ртию он представля́ет для де́вушки из не о́чень бога́той семьи́. Но моё се́рдце бы́ло перепо́лнено демони́ческим арти́стом. „Е́сли не он, то никто́!“ — реши́ла я. И, наве́рно, оста́лась бы при своём реше́нии, е́сли бы не слу́чай, о кото́ром я сейча́с расскажу́.

II

Одна́жды мама́н, я и мой генера́л возвраща́лись домо́й с прогу́лки. Я отста́ла. Они́ бы́ли о́чень за́няты разгово́ром, и не заме́тили э́того. Когда́ я проходи́ла ми́мо ма́ленькой да́чи, до моего́ слу́ха донёсся знако́мый го́лос, сра́зу взволнова́вший меня́. Любопы́тство моё бы́ло так си́льно, что я останови́лась и, скры́тая куста́ми ака́ции, ста́ла прислу́шиваться, наблюда́ть. Бо́же мой! Пре́жде всего́ я уви́дела „его́“, мою́ демони́ческую нату́ру, моего́ Сараса́те и Пагани́ни. Он сиде́л пе́ред терра́сой, о́коло кру́глого зелёного стола́. На коле́нях у него́ был ребёнок ме́сяцев трёх-четырёх,³ с голово́й, кача́ющейся во все сто́роны. Про́тив него́ то́лстая же́нщина, в гря́зном се́ром пла́тье, вари́ла варе́нье.

---

¹*It goes without saying.* ²More commonly, привози́л. ³*About three or four.*

47

Че́тверо[1] други́х дете́й — тро́е ма́льчиков и де́вочка — толпи́лись о́коло та́за, вре́мя от вре́мени обли́зывая ло́жки с варе́ньем. Карти́ну дополня́ли ещё две же́нщины, сиде́вшие о́коло того́ же кру́глого зелёного стола́: стару́шка[2] лет семи́десяти, вяза́вшая чуло́к, и горба́тая же́нщина, о́чень похо́жая на моего́ Пагани́ни, кото́рая, то приближа́я, то удаля́я от глаз ребёнка блестя́щий стака́н, заставля́ла его́ вскри́кивать, пуска́ть ртом пузыри́ и тяну́ться вперёд рука́ми. Гля́дя на него́, и то́лстая же́нщина, и стару́шка с чулко́м, и сам Пагани́ни, улыба́лись улы́бками счастли́вого отца́, дово́льной ма́тери и ба́бушки. А мой демони́ческий музыка́нт с любо́вной забо́тливостью вытира́л како́й-то гря́зной тря́пкой мо́крые гу́бы и нос ребёнка.

Вдруг музыка́нт поверну́л го́лову. Я ви́дела то́лько, как его́ лицо́ покры́лось густо́й кра́ской; как его́ ру́ки инстинкти́вно протяну́лись, чтобы дать дитя́ горба́той де́вушке. Что бы́ло да́льше, я не зна́ю, не по́мню . . . Я бро́силась бежа́ть, бежа́ть, бежа́ть . . .

Че́рез полго́да я ста́ла жено́й кавалери́йского генера́ла.

Ку́прин[3]

---

[1]Дво́е (2), тро́е (3), че́тверо (4), etc., up to ten, are often used instead of два, три, четы́ре . . . when speaking of masculine human beings or of nouns that are used only in the plural. [2]Dim. and affec. for стару́ха (old woman). [3]A distinguished Russian short-story writer (1870-1938).

ОТРЫВОК ИЗ „ОДНОЭТА́ЖНАЯ АМЕ́РИКА"[1]

Пе́рвые часы́ в Нью-Йо́рке, — прогу́лка по ночно́му го́роду, а зате́м возвраще́ние в гости́ницу, — навсегда́ сохраня́тся в па́мяти, сло́вно како́е-то собы́тие.

А ведь,[2] в су́щности, ничего́ осо́бенного не произошло́. Мы вошли́ в о́чень просто́рный мра́морный вестибю́ль гости́ницы. Спра́ва, за гла́дким деревя́нным барье́ром, рабо́тали два молоды́х конто́рщика. У обо́их бы́ли бле́дные, отли́чно вы́бритые щёки и у́зкие чёрные у́сики.[3] Да́льше сиде́ла касси́рша за автомати́ческой счётной маши́ной.[4] Сле́ва помеща́лся таба́чный кио́ск. Под стекло́м прила́вка те́сно лежа́ли раскры́тые деревя́нные коро́бки с сига́рами. Ка́ждая сига́ра была́ завёрнута в прозра́чную блестя́щую бума́гу, причём[5] кра́сные с зо́лотом сига́рные коле́чки[6] бы́ли наде́ты пове́рх бума́ги. На бе́лой блестя́щей пове́рхности отки́нутых кры́шек бы́ли изображены́ краса́вцы с ро́зовыми щека́ми, золоты́е и сере́бряные меда́ли, зелёные па́льмы и негритя́нки, сбира́ющие[7] таба́к. В угла́х кры́шек стоя́ла цена́: пять, де́сять или пятна́дцать це́нтов за шту́ку. И́ли пятна́дцать це́нтов за две шту́ки, и́ли де́сять за три́. Ещё бо́лее те́сно, чем сига́ры, лежа́ли ма́ленькие па́чки сигаре́т,[8] то́же обвёрнутые в прозра́чную бума́гу. Бо́льше всего́ америка́нцы ку́рят «Ла́ки Страйк», в темнозелёной обёртке с кра́сным кру́гом посреди́не, «Че́стерфильд», в бе́лой обёртке с золото́й на́дписью и «Кэ́мэл» —

---

[1] A work by two Russian humorists describing their impressions of the United States, where they travelled in 1936. [2] *And yet.* [3] Dim. of усы (mustache). [4] *Cash register.* [5] *And.* [6] Dim. of кольцо́ (ring). [7] Сбира́ть is a popular term for собира́ть. [8] Russian cigarettes, with inner cardboard tubes, are not called сигаре́ты, but папиро́сы.

желтова́тая па́чка с изображе́нием кори́чневого вербло́да.

Всю сте́ну напро́тив вхо́да в вестибю́ль занима́ли просто́рные ли́фты с золочёными две́рцами.[1] Две́рцы раскрыва́лись то[2] спра́ва, то[2] сле́ва, то[2] посреди́не, а из ли́фта высо́вывался негр в све́тлых штана́х и зелёной ку́ртке.

Мы вошли́ в лифт, и он помча́лся кве́рху. Лифт остана́вливался, и негр, открыва́я две́рцу, крича́л: «Ап!» (вверх!), пассажи́ры называ́ли но́мер своего́ этажа́. Вошла́ же́нщина. Тогда́ все мужчи́ны сня́ли шля́пы и да́льше е́хали без шляп. Мы сде́лали то же са́мое.[3] Э́то был пе́рвый америка́нский обы́чай, с кото́рым мы познако́мились. Че́рез не́сколько дней[4] мы поднима́лись в ли́фте к на́шему изда́телю. Вошла́ же́нщина, и мы с поспе́шностью ста́рых о́пытных нью-йо́ркцев сня́ли шля́пы. Одна́ко остальны́е[5] мужчи́ны не после́довали на́шему приме́ру и да́же посмотре́ли на нас с любопы́тством. Оказа́лось, что шля́пы ну́жно снима́ть то́лько в ча́стных и гости́ничных ли́фтах. В тех зда́ниях, где лю́ди де́лают «би́знес», мо́жно остава́ться в шля́пах.

На два́дцать седьмо́м этаже́ мы вы́шли из ли́фта и по у́зкому коридо́ру напра́вились к своему́ но́меру. Огро́мные второкла́ссные нью-йо́ркские оте́ли в це́нтре го́рода стро́ятся чрезвыча́йно эконо́мно, — коридо́ры у́зкие, ко́мнаты хотя́ и дороги́е, но ма́ленькие, потолки́ станда́ртной высоты́, то есть[6] невысо́кие. Одна́ко, э́ти ма́ленькие ко́мнаты о́чень чи́сты и комфорта́бельны. Там всегда́ есть горя́чая и холо́дная вода́, почто́вая бума́га, телегра́фные бла́нки, откры́тки с изображе́нием оте́ля, бума́жные мешки́ для гря́зного белья́ и печа́тные бла́нки, где остаётся то́лько поста́вить ци́фры, ука́зывающие коли́чество белья́, отдава́емого в сти́рку. Стира́ют в Аме́рике бы́стро и необыкнове́нно хорошо́.

---

[1] Dim. of две́ри (doors). [2] *Now . . . now.* [3] *The same thing.* [4] *A few days later.* [5] *The other.* [6] *That is.*

Вы́глаженные руба́шки вы́глядят лу́чше, чем но́вые в магази́нной витри́не. Ка́ждую из них вкла́дывают в бума́жный карма́н, опоя́сывают бума́жной ле́нтой, и аккура́тно зака́лывают була́вочками рукава́. Кро́ме того́, бельё из сти́рки прихо́дит зачинённым, носки́ — зашто́панными. Комфо́рт в Аме́рике во́все не[1] при́знак ро́скоши. Он станда́ртен и досту́пен.

Войдя́ в но́мер, мы при́нялись оты́скивать включа́тель, и до́лгое вре́мя ника́к не могли́ поня́ть, как здесь включа́ется электри́чество. Мы броди́ли по ко́мнатам сперва́ в потьма́х, пото́м жгли спи́чки, обша́рили все сте́ны, две́ри и о́кна, но включа́телей нигде́ не́ было. Не́сколько раз мы приходи́ли в отча́яние и сади́лись отдохну́ть в темноте́. Наконе́ц, нашли́. Во́зле ка́ждой ла́мпочки висе́ла коро́ткая то́нкая цепо́чка с ма́леньким ша́риком на конце́. Дёрнешь[2] за таку́ю цепо́чку — и электри́чество зажжётся. Сно́ва дёрнешь — поту́хнет. Посте́ли не́ были приготовлены на́ ночь, и мы ста́ли иска́ть кно́пку звонка́, чтобы позвони́ть го́рничной. Кно́пки не́ было. Мы иска́ли её всю́ду, дёргали за все подозри́тельные шнурки́, но э́то не помога́ло. Тогда́ мы по́няли, что слу́жащих на́до вызыва́ть по телефо́ну. Мы позвони́ли к портье́ и вы́звали го́рничную. Пришла́ негритя́нка. Вид у неё был дово́льно испу́ганный. Посте́ли она́ всё-таки приготовила. При э́том она́ всё вре́мя говори́ла: «йес, сер». Пото́м[3] мы узна́ли, что в оте́лях посте́ли приготовля́ют са́ми постоя́льцы.[4]

Ильф[5] и Петро́в[6]

---
[1]*Is not at all* . . .   [2]*You pull* . . .   Future tense expressing habitual actions.   [3]*Later.*   [4]*The guests themselves.*   [5]1897-1937.   [6]1903-1942.

НЕВЕСТА

I

В те дни, когда́ в пала́те дежу́рила Лю́ба,[1] все мы бы́ли в отли́чном настрое́нии. Ла́сковая и жива́я, она́ влета́ла в пала́ту у́тром в мя́гких свои́х та́почках — неслы́шный, но ви́димый со́лнечный луч. С кра́сными от моро́за щека́ми, ду́я на замёрзшие па́льцы, она́ прижима́лась к чёрной большо́й пе́чке. И бы́ло что́-то[2] тро́гательное во всей её[3] ма́ленькой, почти́ де́тской, фигу́рке.[4] Оживлённо блесте́ли её больши́е, до́брые глаза́.

Гре́я ру́ки, она́ со ско́ростью ты́сячи слов в мину́ту болта́ла обо всём[5]: о новостя́х, кото́рые она́ прочита́ла в у́тренней газе́те, о том, что ва́рится к обе́ду на ку́хне, о вчера́шнем кино́. И утиха́ли постепе́нно сто́ны, и ли́ца больны́х проясня́лись.

Пото́м она́ прикла́дывала то́ненькие[6] па́льцы к ше́е, проверя́я, согре́лись-ли они́; прямо́й но́сик[7] её озабо́ченно мо́рщился. Она́ огля́дывала пала́ту бы́стрым взо́ром хозя́йки, сообража́ющей, с чего́[8] нача́ть день, и подходи́ла к ко́йкам.

Она́ уме́ла бы́стро и ла́сково де́лать всё — вы́мыть го́лову, не урони́в ни ка́пли воды́ на поду́шку, попра́вить повя́зку, написа́ть письмо́ тем, у кого́ не рабо́тали ру́ки и́ли глаза́, во́-время улови́ть ухудше́ние и вы́звать врача́; уме́ла боро́ться за жизнь ра́неного в час опа́сности, уте́шить и успоко́ить того́, кто, каза́лось, потеря́л поко́й.

Мы все люби́ли её, а мо́жет быть — все бы́ли влюблены́. Но ре́вности вход в на́шу пала́ту был воспрещён. И е́сли в свобо́дную мину́ту Лю́ба сади́лась о́коло

---

[1] Fam. for Любо́вь. [2] *And there was something.* [3] *In her entire* . . . [4] Dim. of фигу́ра. [5] *About everything.* [6] Dim. of то́нкие (slender). Dim. of нос (nose). [8] *Where.*

кого-нибудь из нас поиграть в карты, все знали, что ему сегодня тяжелее, чем другим.

В этот день мне было очень тяжело. Ночь я не спал. Утром, когда она вошла, я улыбнулся ей, но улыбнулся лишь губами, а не глазами. Удивительно, как эта молоденькая[1] женщина, почти девочка, чувствовала, что происходит в душе других. Она лишь взглянула на меня, но, закончив обход, подошла ко мне с колодой карт в руках. Но игра шла плохо. Во время игры её детские губы часто опускались в горькой складке,[2] всегда весёлые глаза теперь были печальны. Мы положили карты и разговорились негромко и откровенно.

Её муж, капитан-танкист, пропал без вести.[3] Месяц она не могла отыскать его след. Долгий месяц эта женщина влетала к нам, как смеющийся солнечный луч, а между тем душа в ней ныла и сердце сжималось, и по ночам она плакала в общежитии, стараясь не разбудить подруг.

Вчера она нашла близкого друга мужа, танкиста. Он взял её за руку и сказал:

— Люба, обманывать тебя не буду. Павел остался в окружении. Прорвались все, он не вернулся. — Он не дал ей[4] заплакать. — Спокойно, Люба. Он может вернуться. Понимаешь — надо ждать. Я обещаю тебе сказать, когда ждать будет больше не нужно.

Один больной застонал. Люба вскочила и легко, быстро, подошла к нему. И вновь глаза её стали прежними, и горе — своё горе — отступило перед чужим. И никто в палате не заметил, какое горе несут её тонкие, почти детские плечи.

II

Вскоре меня перевели на время в другой госпиталь. Через две недели я вернулся в знакомую палату.

---

[1]Dim. of молодая (young). [2]*Lips curled grievously.* [3]*Was missing.* [4]*Didn't let her.*

Мно́гих я уже́ не заста́л, появи́лись но́вые ра́неные, и ря́дом с собо́й я уви́дел челове́ческую фигу́ру, похо́жую на огро́мную ку́клу из бинто́в. Это был танки́ст, кото́рому обожгло́ грудь и лицо́. Всё, что на челове́ческом лице́ мо́жет горе́ть, у него́ сгоре́ло: во́лосы, бро́ви, ресни́цы, сама́ ко́жа. В бе́лой ма́рле черне́ли вы́пуклые тёмные стёкла огро́мных очко́в. Очки́ не пропуска́ли никако́го све́та, они́ лишь предохраня́ли глазны́е я́блоки от прикоснове́ния бинта́.

Пони́же бы́ло оста́влено отве́рстие для рта.

Танки́ст боро́лся со свое́й ме́дленной и до́лгой бо́лью. Перевя́зки бы́ли мучи́тельны, но он хоте́л жить.

Под у́тро я просну́лся, когда́ бы́ло ещё совсе́м темно́. Оди́н ра́неный застона́л. По тому́,[1] что на э́тот стон не появи́лась лёгкая бе́лая фигу́ра, я по́нял, что дежу́рит не Лю́ба. Вероя́тно, дежу́рила втора́я сестра́ Фе́ня, некраси́вая и немолода́я же́нщина, кото́рая бы́стро устава́ла и но́чью ча́сто засыпа́ла на сту́ле у пе́чки. Я встал, чтобы вы́йти покури́ть, и, услы́шав меня́, танки́ст попроси́л пить. Боя́сь, что я сде́лаю ему́ бо́льно, я хоте́л разбуди́ть сестру́.

— Не на́до,[2] — сказа́л он, — ничего́ . . .

Я осторо́жно на́лил ме́жду бинта́ми не́сколько глотко́в и, коне́чно, о́блил ма́рлю. Смути́вшись, я извини́лся.

— Ничего́, — повтори́л он и засмея́лся. — Это то́лько она́ уме́ет[3] . . .

— Кто она́?

— Неве́ста.

И я услы́шал необыкнове́нную по́весть любви́.

Он говори́л о же́нщине, кото́рой не ви́дел и ви́деть не мог. Он называ́л её ста́рым ру́сским ласка́тельным сло́вом „моя́ ду́шенька“.[4] Так назва́л он её в пе́рвый же день, почу́вствовав в ней осо́бенную ла́сковость и доброту́, и так продолжа́л звать её.

---

[1]*Because of the fact.* [2]*Don't bother.* [3]*She alone knows how.* [4] Ду́шенька, ду́шечка, душа́ моя́ are familiar terms of endearment.

— Ну, конечно, Люба — подумал я.

Он говорил о ней с глубокой нежностью, гордостью и страстью. Мечтая вслух, он угадывал её лицо, глаза, улыбку. Понизив голос, он признался, что знает её волосы, пушистые, лёгкие волосы: однажды он притронулся к ним, пытаясь помочь ей найти упавший на столик футляр термометра. Он говорил о её руках — нежных, сильных руках, которые он часами держал в своих, рассказывая ей о себе, о своём детстве, о боях, о взрыве танка, о своём одиночестве и о страшной жизни урода, какая его ждёт.

Он пересказывал мне все её утешения, все нежные слова надежды, всю веру в то, что он будет видеть, жить, и мне показалось, что я слышу голос самой[1] Любы. Совсем шёпотом он сказал мне, что завтра — решающий день: ему сделают операцию, после которой профессор обещал ему снять очки, и, может быть, он начнёт видеть. Он не говорил об этом „душеньке“, — а вдруг он видеть не будет?[2] Пусть она не мучается. Не удастся операция, что же?[3] Он и так[4] знает её лицо. Оно прекрасно, нежно. И ещё: она уговорила его согласиться на сложную операцию, которая вернёт ему брови, ресницы, свежую розовую кожу. Он знает, какой болью он купит себе это новое лицо, но он пойдёт на всё[5] ради своей невесты.

Да, невесты. Он повторил это слово с гордостью. Муж её погиб на фронте, совсем недавно. Она одинока, как и он, и несчастна более, чем он: он потерял только лицо, а она — любимого человека. За долгие эти ночи они всё узнали друг о друге, и любовь пришла в эту палату, где ещё так недавно он мечтал о смерти. Он хотел застрелиться, — какая жизнь ждёт его, урода?

— Она сказала: — мне всё равно, что будет с твоим лицом. Я тебя люблю, а не лицо, понимаешь ...

И он заплакал.

_____

[1]*Herself.*   [2]*What if he does not see?*   [3]*What of it?*   [4]*Without that.*   [5]*Would (will) submit to anything.*

Я отошёл от него и лёг, думая о Любе. Была-ли это действительно любовь — необъяснимая любовь высокой женской души, или нежная жалость, которая часто так похожа на любовь? Я ждал утра, чтобы в одном взгляде Любы прочитать ответ на этот вопрос, — в таких глазах всё читалось легко. С этой мыслью я заснул.

III

Проснулся я поздно. Но Любы в палате не было. Я подошёл к танкисту и спросил, как он себя чувствует.

— Прекрасно, — ответил он. — Она пошла узнать о перевязке. Слушай, только ни слова ей о профессоре. Неужели сегодня я буду видеть? Она ведь[1] красавица, ты её знаешь?

— Красавица, верно — ответил я.

Он снова заговорил о том, как сегодня он её увидит. Вдруг он замолчал и притих, слушая шаги, лёгкие шаги в тапочках.

— Она, — сказал он с глубокой нежностью. — Душенька моя . . .

Я обернулся. Но это подошла Феня. Я хотел показать ему, что он ошибся.

— Здравствуйте, Фенечка, — сказал я. — Скоро Люба придёт?

— Здравствуйте, опять к нам?[2] — спросила она. — Уехала Люба, мужа отыскала. Раненый . . .

И она подсела к танкисту.

— Коленька,[3] родной мой, — сказала она ласково. — Набирайся сил . . . перевязка сейчас . . .

Он протянул руку. Феня взяла её в свою, и другою стала тихонько[4] гладить эту большую, сильную руку воина. Глаза её, полные любви, были устремлены на чёрные очки. Я смотрел на лицо Фени, и меня

---

[1]The ведь is emphatic. [2]*You came back to us?* [3]Affectionate form of Коля which is the familiar term for Николай. [4]Dim. of тихо (gently).

поразила удивительная перемена в этом немолодом, усталом лице, на которое мы ежедневно смотрели с таким равнодушием. Теперь передо мною было прекрасное лицо простой русской женщины, полное нежности и грусти. Потом в её глазах появились слёзы. Она тихонько отвернула голову, чтобы они не капнули на его руку. Но, почуяв это лёгкое движение, он встревожился.

— Милая моя, душенька, что с тобой?[1]

И — поразительная вещь — Феня заговорила оживлённо и весело, ласково ободряя его, а слёзы лились по её лицу, и глубокое горе исказило её рот, из которого вылетали шуточные весёлые слова. Потом глаза её перешли на дверь, в которую вкатывали коляску. И я понял её слёзы. Это было предчувствие приближающейся боли.

Танкиста положили на коляску, и Феня пошла рядом, держа его руку. Я провожал их. У дверей перевязочной она осталась. Силы ей изменили,[2] она прислонилась к двери и зарыдала. Я тронул её плечо. Она подняла на меня глаза.

— Профессор сказал мне . . . Он сказал . . .

Она не могла говорить, и замолчала.

— Я знаю — ответил я. — Но не надо так волноваться. Конечно, он будет видеть.

Она замотала головой, как от боли.

— Вот и увидит меня[3] . . . Увидит, какая я[4] . . . Что он обо мне выдумал, зачем выдумал? . . . Красавица, красавица . . . Пустите меня! — вдруг почти крикнула она и прижалась ухом к двери перевязочной.

Я тоже стал прислушиваться и услышал весёлый голос профессора:

— Ну, довольно на первый раз![5] Ещё недельку[6] проведёте в темноте.

---

[1] What is wrong? [2] It was beyond her strength. [3] Then he will see me. [4] He will see how I look. [5] That will do for the first time. [6] Dim. of неделя (week).

Фе́ня стра́шно побледне́ла, и бы́стро пошла́ по коридо́ру. Бо́льше её в го́спитале никто́ не ви́дел. Пото́м узна́ли, что она́ уе́хала на ро́дину.

Леони́д Со́болев[1]

---

[1]Contemporary Russian short-story writer (1908-   ).

В СЕМЬЕ́

I

Была́ ра́нняя весна́. Доро́га, по кото́рой[1] шёл танки́ст Алексе́й Скворцо́в, ещё не совсе́м просо́хла. В не́которых места́х ещё лежа́л[2] снег; в други́х уже́ росла́ зелёная молода́я трава́.

Алексе́й подня́лся на́ го́ру, и пе́ред ним вдруг откры́лась в доли́не родна́я дере́вня. Он останови́лся от волне́ния и до́лго смотре́л свои́м еди́нственным гла́зом на знако́мые кры́ши домо́в. Он жа́дно иска́л среди́ них са́мую родну́ю. И вдруг се́рдце его́ си́льно заби́лось: там, недалеко́ от пло́щади, блести́т на со́лнце кры́ша родно́го до́ма. Алексе́й вы́тер рукаво́м слёзы на своём изуро́дованном лице́. Он шёл домо́й пря́мо из го́спиталя. Он не по́мнит, как он попа́л[3] в го́спиталь. По́мнит то́лько, как он бро́сился со свои́м та́нком на та́нки врага́; как блесну́л и ослепи́л его́ ого́нь. Чем э́то ко́нчилось он не ви́дел; э́то ему́ рассказа́ли пото́м, в го́спитале, по́сле опера́ции.

Когда́ он в пе́рвый раз[4] по́сле опера́ции посмотре́л на себя́ в зе́ркало, он не узна́л себя́: э́то бы́ло чужо́е лицо́; ни одно́й знако́мой черты́. И го́лос его́ стал чужи́м, хри́плым.

В си́льном волне́нии Алексе́й продолжа́л свой путь. Вот он спусти́лся с горы́ в родну́ю дере́вню, перешёл мо́стик[5] и ме́дленно пошёл по у́лице. В конце́ у́лицы стоя́ла гру́ппа колхо́зников: они́ о чём-то[6] говори́ли. Когда́ он подошёл к ним, не́сколько челове́к оберну́лись, посмотре́ли на него́ с выраже́нием жа́лости, и продолжа́ли разгово́р. Никто́ не узна́л его́. Алексе́й пошёл да́льше, и ско́ро уви́дел свою́ ха́ту.[7] Вот и

---

[1]*Along which.* [2]*There was.* [3]*How he ended up.* [4]*For the first time.* [5]**Dim.** of мост (bridge). [6]*About something.* [7]Ха́та for дом (house) is used only for peasant dwellings in the Ukraine and in Southern Russia.

ста́рые воро́та. Он вошёл в них и пошёл по двору́.
Навстре́чу ему́ шла стару́шка: э́то была́ его́ мать. Как
она́ постаре́ла! . . . Узна́ет-ли она́ его́ тепе́рь?

— Здра́вствуйте, — сказа́л Алексе́й свои́м си́плым
го́лосом.

— Здра́вствуйте, — отве́тила мать —. Вы к На́сте ?[1]

— И к На́сте, и к вам . . . Я . . . привёз вам покло́н
от ва́шего Алексе́я.

Глаза́ ма́тери вдруг засия́ли большо́й ра́достью,
пото́м напо́лнились слеза́ми.

— Алёша,[2] мой сын! Да где же он? Где вы его́
ви́дели?

— В го́спитале . . . Мы вме́сте сража́лись . . . Как
его́ семья́?

Стару́ха зарыда́ла.

— Вы, тётя, не убива́йтесь, — сказа́л Алексе́й. —
Он легко́ ра́нен. Он ско́ро вы́йдет из го́спиталя. А
где же . . . жена́ . . . де́ти?

— На́стя в колхо́зе. И Стёпа,[3] её сын, почти́ всегда́
с ней. А Ната́ша,[4] его́ сестри́чка,[5] моя́ вну́чка, в
ха́те. Зайди́те, пожа́луйста, отдохни́те.

Не узна́ла . . . Мать откры́ла дверь, знако́мую ему́
с де́тства, и впусти́ла его́ в дом. У окна́ он уви́дел
де́вочку. Он не узна́л её: она́ вы́росла, похуде́ла,
то́лько глаза́ ма́тери, их сра́зу узна́ешь. Забы́в всё,
он вдруг сде́лал движе́ние к ней. Де́вочка бро́силась
в у́гол и смотре́ла на него́ отту́да широ́кими от стра́ха
глаза́ми.

— Не бо́йся, ми́лая, — успока́ивала её ба́бушка.
— Дя́дя принёс тебе́ покло́н от па́пы.

— И пода́рков — сказа́л Алексе́й, сняв су́мку и
вы́нув отту́да пода́рки, кото́рые ему́ приноси́ли в
го́спиталь для его́ дете́й. Он протяну́л их к ней, но
де́вочка не брала́ их.

— Возьми́ же, де́точка,[6] э́то от па́пы!

---

[1]Fam. for Анастаси́я. [2]Fam. for Алексе́й. [3]Fam. for Степа́н. [4]Fam.
for Ната́лья. [5]Dim. of сестра́ (sister). [6]Affec. for де́тка, which, in
turn, is affec. for дитя́ (child).

А она стояла неподвижно, опустив глаза и руки.

— Что же ты так серьёзно смотришь? — сказала бабушка. — Видишь, как папа тебя любит! А ведь ты тоже его любишь и всё время вспоминаешь его! Ни на минуту не забывает его — обратилась она к Алексею — Утром, как только проснётся, просит его портрет. А ночью, перед сном, всегда его целует.

Алексей взглянул на свой портрет, который висел на стене, украшенный лентами и бумажными цветами.

— Что, похож он на свой портрет? — спросила старуха.

Алексей ничего не ответил, и поднялся, чтоб уйти.

— Куда же вы?[1]

— Пойду Нас... Настасью Михайловну повидаю... Поклон передам.

II

Проходя мимо одного двора, он вдруг услышал за забором весёлый женский смех и остановился. Этот смех он часто слышал и сквозь вой самолётов и сквозь разрывы бомб и гранат. Алексей узнал и двор. Это двор его товарища Павла. Он быстро вошёл в ворота. Настя стояла справа у ворот, а рядом с ней Павел с той же молодой весёлой улыбкой, с пустым левым рукавом. Он говорил что-то весёлое, и Настя, не замечая Алексея, продолжала смеяться. Алексей медленно направился к ней. Она взглянула на него, и, пока он подходил, улыбка на её лице сменилась серьёзным выражением с той же жалостью, с которой смотрели на него все. Он подошёл. Она подняла свои брови над глубокими карими глазами и ждала.

— На... стасья Михайловна? — спросил он.

— В чём дело?[2]

Она внимательно посмотрела ему в лицо.

— Я... привёз вам поклон и письмо.

---

[1] *But where are you going?* [2] *What is it about?*

— От кого?

— От Алексе́я, из го́спиталя.

Он ви́дел, как она́ побледне́ла.

— Что с ним?[1]

— Ничего́, выздора́вливает. Вот узна́ете из его́ письма́, кото́рое я вам привёз.

Алексе́й доста́л из карма́на письмо́, кото́рое написа́л вчера́[2] в го́спитале, и по́дал жене́. Она́ бы́стро прочита́ла его́ и положи́ла в карма́н.

— В после́днем письме́ он писа́л, что прие́дет в коро́ткий о́тпуск, а тепе́рь пи́шет, что отправля́ется на фронт. Вы с ним в го́спитале вме́сте бы́ли?

— Вме́сте. Ря́дом сража́лись, ря́дом и в го́спитале лежа́ли.

— Ря́дом сража́лись?

— Да, в одно́м . . . в одно́й та́нковой коло́нне.

К На́сте подходи́ли колхо́зники, говори́ли о дела́х. Пото́м она́ спроси́ла Алексе́я: — Вы, това́рищ, тепе́рь куда́ направля́етесь?

— Домо́й, к себе́.[3] Я то́лько останови́лся на ва́шей ста́нции, чтоб переда́ть письмо́ и покло́н.

— Вы, пожа́луйста, к нам, отдохни́те.

— Я уже́ был у вас.

— Тогда́ идёмте со мной. Я иду́ в колхо́з; по доро́ге поговори́м.

Но по доро́ге он не мог мно́го говори́ть с ней. Подходи́ли всё но́вые лю́ди.

В конто́ре колхо́за он уви́дел свой портре́т. Из ра́мы, обви́той ле́нтами, на него́ смотре́ло весёлое молодо́е лицо́ с густы́ми тёмными кудря́ми.

— Вот — сказа́ла На́стя колхо́зникам — Алёшин това́рищ, вме́сте сража́лись.

Алексе́я окружи́ли и ста́ли расспра́шивать. Бо́льше всех спра́шивал его́ това́рищ Па́вел. И Алексе́й вдруг вспо́мнил, как когда́-то он и Па́вел вме́сте уха́живали

---

[1]*What has happened to him?* [2]Вчера́ means yesterday; it should have been накану́не (the day before). [3]*Home.*

за На́стей. Алексе́й ско́ро жени́лся на ней,[1] а Па́вел до́лго ещё не́ был жена́т. По́сле сва́дьбы Алексе́я дру́жба ме́жду молоды́ми людьми́ продолжа́лась, и они́ ещё бли́же сошли́сь[2] на дру́жной колхо́зной рабо́те.

III

Алексе́й вы́шел из конто́ры колхо́за. Он шёл по у́лице, никого́ и ничего́ не замеча́я. Вот, наконе́ц, и произошла́ встре́ча, кото́рую он так ждал и кото́рой так боя́лся! Како́й встре́чи он ждал и как он её себе́ представля́л? Ча́ще всего́ представля́л, как жена́ и мать, узна́в его́, в пе́рвый моме́нт с у́жасом отшатну́т-ся... А пото́м, ей, молодо́й, остава́ться на всю жизнь с уро́дом... Сра́зу-ли открове́нно отка́жется она́ от него́, и́ли оста́нется с ним из жа́лости? Нет, э́того не бу́дет!... „Уйду́, уйду́ сам...— ду́мал он —... Заче́м я туда́ пое́ду?" И Алексе́й реши́л, что он домо́й не пое́дет. И когда́ он э́то реши́л, то почу́в-ствовал стра́шное жела́ние повида́ть семью́ и ро́дину. Он стал бы́стро собира́ться из го́спиталя домо́й. И опя́ть вста́ло перед ним го́ре жены́ и ма́тери, у́жас дете́й. И тут он оконча́тельно сказа́л себе́, что не вернётся домо́й. А на друго́й день он уже́ е́хал в по́езде... домо́й.

И вот произошло́ то, чего́ он так ждал: он вошёл в свой дом, встре́тился с семьёй. А тепе́рь на́до уйти́. Так всем бу́дет ле́гче. Тяжело́ бу́дет ма́тери ждать его́ до сме́рти, но всё-таки ле́гче, чем ви́деть его́ таки́м уро́дом. Де́ти подрасту́т, жена́ встре́тит друго́го — мо́жет быть, того́ же[3] Па́вла.

Когда́ он проходи́л ми́мо коло́дца, како́й-то ма́льчик подбежа́л к нему́:

— Дя́денька,[4] э́то вы от па́пы?

Стёпа! Как он вы́рос! — шестиле́тний ма́льчик...

— А как ты узна́л, что я... от па́пы?

---

[1] *Married her.* [2] *Became even greater friends.* [3] *That very same.* [4] *Affec. for* дя́дя (uncle).

63

—Бабушка сказала: страшный такой дядя.

— А я страшный?

— Ты папу видел? — спросил мальчик, вместо ответа.

— Да, видел.

— А скоро папа приедет домой?

— А ты хочешь его видеть?

— О, конечно, очень хочу!

— А помнишь, как ты его провожал?

— Как же![1] Конечно, помню. Я плакал, а он поднял меня высоко-высоко и всё раскачивал . . .[2]

Дома Алексей передал Стёпе подарки от отца, потом пошёл с ним в огород. Недалеко от огорода был колхозный сад. Там дети рыли ямки и садили молодые яблони. Алексей взял лопату и тоже стал копать ямки для яблонь в своём садике.[3]

Подошла мать и сказала:

— Гляжу я на тебя и всё думаю об Алёше. Ты так похож на него: такая же спина, такие же движения. У тебя семья есть?

— Есть. И мать есть.

— Как она обрадуется, когда увидит тебя! Но и слёз не мало прольёт.[4]

— А я к ней не поеду, пусть живёт спокойно.

— Как же она может жить спокойно, когда тебя с ней нет?

И старуха заплакала.

— Пойдём, милый, обедать! — сказала она, вытирая слёзы.

— А где же Настасья Михайловна?

— О, она так занята, что часто только вечером приходит домой.

— Хорошо — сказал Алексей. — Вот посажу вам на память по яблоньке,[5] потом приду.

---

[1]*Certainly.* [2]*Rocked and rocked.* [3]Dim. of сад (garden). [4]*Will shed many tears.* [5]Dim. of яблоня (apple tree). *An apple tree for each.*

64

IV

Мать ушла, а Алексей остался в огороде работать. Перед вечером он видел, как Настя вошла во двор в сопровождении Павла. Они долго разговаривали в углу двора, и до него доносился её смех. Потом Павел ушёл, а Настя вошла в дом. Вскоре прибежал Стёпа звать его обедать.

За обедом Настя расспрашивала его об Алексее, как он себя чувствует, не жалуется-ли на здоровье.

— Жалуется, — сказал Алексей — только не на здоровье.

— А на что же?

— Что пишете вы ему мало.

— Вы видите, — сказала Настя, — как мало времени у нас; некогда много писать.

— А разговаривать с Павлом есть время? — горько подумал Алексей, и сказал:

— Ну, спасибо за приют. Мне пора на станцию.

— Что же вы пойдёте так поздно?[1] — сказала Настя ласково. Переночуйте у нас, а завтра поедете.

Но Алексей стал надевать сумку. Вдруг Стёпа, ухватившись за сумку, стал его просить переночевать и ещё рассказать что-нибудь про папу.

«Вот видите! — сказала Настя — Да и я хотела бы ещё поговорить об Алёше. Пожалуйста, останьтесь. Я иду в колхоз, но скоро приду, и мы поговорим. Я не прощаюсь с вами». И она ушла, а Стёпа прижался к нему и стал просить рассказывать о папе. Скоро все пошли спать. Алексей задремал, но скоро проснулся; он слышал, как пришла Настя, и как она легла спать в соседней комнате. А потом кто-то постучал в окно. Она приотворила его. За окном послышался тихий голос Павла. Они о чём-то пошептались. Настя закрыла окно. Алексей уже не спал. Он лежал с широко раскрытыми глазами и смотрел

---

[1]*Why should you go so late?*

в тёмный потолок. Зачем он вернулся? Зачем не сгорел он в танке? Бежать, бежать сейчас же! Он привстал на постели, прислушался. Настя тоже, повидимому, не спала. Он слышал, как она ворочалась в постели. Вот вырвался из её груди вздох, как стон. Нельзя уйти незамеченным. Слышно только сонное дыхание матери и детей. Что их ждёт? И думы о детях, печальные, горькие, мрачные, как ночь, больно сжимали сердце Алексея. Наконец, весенняя ночь кончилась. Запели птицы, и скоро стало совсем светло. Теперь можно встать. В избе уже встали. Первой проснулась мать, потом Настя. Алексей вышел и поздоровался.

— Чего вы так рано встали? — сказала Настя. — Поспали бы ещё.

— Трудно, вероятно, спать в чужом доме, когда свой недалеко — сказала мать ласково.

— Мы вас подвезём до станции, — сказала Настя.

— Нет, спасибо — ответил Алексей. — Нет у вас времени подвозить меня.

— А у вас нашлось время[1] сделать[2] для нас двадцать километров? Но мне всё равно надо поехать на станцию. Ночью прибегал Паща[3] — сказала она, обращаясь к матери—сказать, что срочно вызывают в город. Вы пока закусите; скоро приедет Павел, и мы поедем.

Алексей и Настя стали быстро завтракать. Вот и позавтракали. Проснулся Стёпа.

—Ну, Стёпа, прощай, — сказал Алексей.

— Чего же вы уходите? — грустно спросил Стёпа.

—А ты думал, что дядя совсем останется? — засмеялась Настя.

— Да, — упрямо сказал Стёпа, — хоть пока папа вернётся.

— А ты расти, пока папа вернётся, — сказал Алексей.

---

[1]*You found the time.* [2]*To walk.* [3]Used here for Павлуша, which is the familiar term of Павел.

— Ну, проща́йте, Наста́сья Миха́йловна, спаси́бо за прию́т.

— Спаси́бо за хоро́шие ве́сти, спаси́бо, что потруди́лись, — сказа́ла На́стя, вски́нув на него́ свои́ глубо́кие глаза́. В них уже́ не́ было тепе́рь жа́лости: то́лько больша́я и гру́стная ла́ска. Он отверну́лся и подошёл к спя́щей де́вочке. Прильну́в к её ли́чику[1] до́лгим поцелу́ем, он сдержа́л в го́рле хрип и поверну́лся к Стёпе.

— Ну, проща́й, Стёпа, — сказа́л он, как смог,[2] и, подня́в его́ высоко́ на рука́х, стал раска́чивать, как два го́да тому́ наза́д.[3]

— Алёша! — вдруг кри́кнула На́стя стра́шным го́лосом.

Алексе́й кре́пко прижа́л Стёпу, сло́вно держа́сь за него́, и стоя́л, опусти́в го́лову. А На́стя бро́силась к нему́ и, припа́в лицо́м к груди́, крича́ла среди́ рыда́ний:

— Алёшенька![4]. . . Ты . . . ты . . . родно́й мой. О! — стона́ла она́, покрыва́я поцелу́ями его́ грудь, лицо́, ру́ки.

Стёпа то́же закрича́л и запла́кал. Мать, спотыка́ясь, вошла́ на крик и ста́ла на поро́ге, ничего́ не понима́я. Вдруг она́ то́же закрича́ла, упа́ла на зе́млю у ног Алексе́я и, обнима́я, целу́я их, говори́ла ла́сковые слова́.

— Да как же ты[5] — ти́хо шепта́ла На́стя — как же ты не призна́лся, поки́нуть хоте́л! . . .

— Не хоте́л, чтоб узна́ли, — с трудо́м шепта́л Алексе́й.

— Да кто друго́й[6] мог бы приласка́ть так свои́х дете́й, — сказа́ла На́стя с ти́хой не́жностью.

— Де́ти вы́растут без меня́. А тебе́, молодо́й, заче́м я,[7] уро́д, бу́ду меша́ть жить?[7]

На́стя вдруг отстрани́лась и, помолча́в, сказа́ла ти́хо, суро́во гля́дя ему́ в глаза́:

_____

[1]Dim. of лицо́ (face). [2]*The best he could.* [3]*As two years before.* [4]Very affec. for Алёша, which is the familiar term of Алексе́й. [5]*How could you . . .* [6]*Who else . . .* [7]*Why should I . . . spoil your life?*

«Ну, спасибо, Алёша, что так обо мне думал[1] так в меня верил[2] . . . Ты что же думал, за красоту твою я люблю тебя? Я всегда видела твою душу и любила тебя за неё. Теперь я всем покажу, какой любви и заботы ты стоишь» И она крепко прижалась к нему.

— Сыночек[3] мой — тихо плакала мать, — да что же они с тобой сделали![4] . . . А я глянула на тебя в спину — как раз как[5] мой Алёша . . .

— А я вчера за обедом, — сказала Настя — тоже . . . А ночью не могла спать . . . — И в голосе была радость, нежность.

— Папа, — сказал Стёпа, — так сколько же ты танков сбил?

Солнце уже поднялось над полем, а кто-то уже стучал в окно — звал Настю на работу.

К. Тренёв[6]

[1] *The opinion you had of me.* [2] *Had such faith in me.* [3] Dim. and affec. for сын (son). [4] *What have they done to you?* [5] *Just exactly like.* [6] Contemporary Russian short-story writer and playwright (1878-1945).

В ЛЮДЯХ[1]

ОТРЫВОК I

. . . Дама спросила меня: «Что же тебе подарить?»
Я сказал, что мне ничего не надо дарить, а не даст-ли
она мне какую-нибудь книжку?[2] Она приподняла мой
подбородок и спросила с приятной улыбкой:

— Вот как, ты любишь читать, да? Какие же
книги ты читал? — Улыбаясь, она стала ещё красивее;
я смущённо назвал несколько романов.

— Что же в них нравится тебе? — спрашивала она,
положив руки на стол.

Я объяснил ей, как умел, что жить очень трудно
и скучно, а читая книги, забываешь об этом.

— Да-а, вот как? — сказала она, вставая. — Это
недурно, это, пожалуй, верно . . . Ну, что же? Я
стану давать тебе книги, но сейчас у меня нет . . . А,
впрочем, возьми вот это . . . Прочитаешь, дам вторую
часть, их четыре . . .

Я ушёл, унося с собой «Тайны Петербурга» князя
Мещерского, и начал читать эту книгу с большим
вниманием, но с первых же страниц[3] мне стало ясно,
что петербургские «тайны» скучнее мадридских, лон-
донских и парижских.[4]

— Ну, что же, понравилось? — спросила она,
когда я возвратил ей роман Мещерского. Мне было
очень трудно ответить «нет», я думал, что это её
рассердит. Но она только рассмеялась, пошла в
спальню и вынесла оттуда маленький томик.

— Это тебе понравится.

[1]An autobiographical work by Gorki. (See note on p. 71.) [2]A very
common diminutive of книга (book). [3]From the very first pages. [4]Those of
Madrid, London, Paris.

69

Это были поэмы Пушкина.[1]   Я прочитал их все
сразу . . .

Пушкин до того удивил меня простотой и музыкой
стиха,[2] что долгое время проза казалась мне неестест-
венной. Пролог к «Руслану»[3] напоминал мне лучшие
сказки бабушки, а некоторые строки изумляли меня
своей правдой.

«Там, на неведомых дорожках,
    Следы невиданных зверей» —
мысленно повторял я чудесные строки.   Стихи за-
поминались удивительно легко, украшая всё, о чём
они говорили.   Это делало меня счастливым, жизнь
мою — лёгкой и приятной.   Какое это счастье — быть
грамотным!

Великолепные сказки Пушкина были всего ближе
и понятнее мне: прочитав их несколько раз, я уже
знал их на память; лягу[4] спать и шепчу стихи, закрыв
глаза, пока не усну . . .

Старуха хозяйка[5] ругалась: — Читаешь всё[6], а самовар четвёртый день не чищен!   Вот возьму палку . . .

Дама ещё выросла в моих глазах, — вот какие книги
она читает! . . . Когда я принёс ей книгу и с грустью
отдал, она уверенно сказала:

— Это тебе понравилось!   Ты слыхал о Пушкине?

Я что-то уже читал о поэте в одном из журналов, но
мне хотелось, чтоб она сама рассказала о нём, и я
сказал, что не слыхал.

Кратко рассказав мне о жизни и смерти Пушкина,
она спросила, улыбаясь:

— Видишь, как опасно любить женщин?

По всем книжкам, прочитанным мною, я знал, что
это, действительно, опасно, но и хорошо.   Я сказал:

---

[1]Great Russian poet (1799-1837).   [2]Ordinarily, " line "; but here,
" poetry," " poetic work."   [3]The complete title of the poem is Руслан
и Людмила.   [4]Future of лечь. Similar future forms are often used to
express repeated action in the present and in the past.   Лягу спать
= every time I go to bed.   [5]Here, " the wife of the boss."   [6]Ordinarily,
" everything "; here, " continually."

— Опа́сно, а все лю́бят! И же́нщины то́же ведь страда́ют от э́того . . .

Она́ взгляну́ла на меня́ и сказа́ла серьёзно:

— Во́т как? Ты э́то понима́ешь? Тогда́ я жела́ю тебе́ — не забыва́й об э́том!

И начала́ спра́шивать, каки́е стихи́ понра́вились мне. Я стал что́-то говори́ть ей, разма́хивая рука́ми, чита́я на па́мять. Она́ слу́шала меня́ мо́лча и серьёзно, пото́м вста́ла и прошла́сь по ко́мнате, говоря́:

— Тебе́, миле́йший зверь, ну́жно бы́ло бы учи́ться! Я поду́маю об э́том . . .

Го́рький[1]

---

[1]Great Russian novelist, short-story writer and dramatist (1868-1936).

В ЛЮДЯХ

ОТРЫВОК II

Мои обязанности в мастерской были несложны: утром, когда ещё все спят, я должен был приготовить мастерам самовар, а пока они пили чай в кухне, мы с Павлом прибирали мастерскую, отделяли для красок желтки от белков, затем я отправлялся в лавку. Вечером меня заставляли растирать краски и «присматриваться» к мастерству. Сначала я «присматривался» с большим интересом, но скоро понял, что почти все, занятые этим мастерством, не любят его и страдают мучительной скукой.

Вечера мои были свободны; я рассказывал людям о жизни на пароходе; рассказывал разные истории из книг и, незаметно для себя, занял в мастерской какое-то особенное место — рассказчика и чтеца.

Я скоро понял, что все эти люди видели и знают меньше меня; почти каждый из них с детства был посажен в тесную клетку мастерства и с той поры сидит в ней. Из всей мастерской только Жихарёв был в Москве. Все остальные бывали только в Шуе, Владимире. Когда говорили о Казани, меня спрашивали:

— А русских много там?[1] И церкви есть?[1]

Пермь[2] для них была в Сибири; они не верили, что Сибирь — за Уралом.

Иногда мне думалось, что они смеются надо мной, утверждая, что Англия — за морем-океаном, а Бонапарт[3] родом из калужских[4] дворян. Когда я рассказы-

---

[1] At one time Kazan was inhabited almost exclusively by Tartars who are Mohammedans. [2] Perm, now Molotov, is in the Ural mountains. [3] Napoleon Bonaparte. [4] *From Kaluga.*

вал им о том, что сам видел, они плохо верили мне, но все любили страшные сказки, запутанные истории; даже пожилые люди явно предпочитали выдумку — правде; я хорошо видел, что чем более[1] невероятны события, чем больше[1] в рассказе фантазии, тем[1] внимательнее слушают меня люди. Вообще, действительность не занимала их, и все мечтательно заглядывали в будущее, не желая видеть бедность и уродство настоящего...

В сундуке Давидова оказались потрёпанные рассказы Голицинского, «Иван Выжигин» Булгарина, томик барона Брамбеуса[2]; я прочитал всё это вслух, всем понравилось, а Ларионыч[3] сказал:

— Чтение отметает ссоры и шум — это хорошо!

Я стал усердно искать книг, находил их и почти каждый вечер читал. Это были хорошие вечера; в мастерской тихо, как ночью; над столами висят стеклянные шары — белые, холодные звёзды, их лучи освещают лохматые и лысые головы, приникшие к столам; я вижу спокойные, задумчивые лица, иногда раздаётся возглас похвалы автору книги или герою. Люди внимательны и кротки — непохожи на себя; я очень люблю их в эти часы, и они тоже относятся ко мне хорошо; я чувствовал себя на месте.

— С книгами у нас стало, как весной, когда зимние рамы выставят и первый раз окна на волю откроют, — сказал однажды Ситанов.

Трудно было доставать книги, записаться в библиотеку не догадались, но я всё-таки доставал книжки, выпрашивая их всюду, как милостыню. Однажды пожарный брандмейстер дал мне том Лермонтова,[4] и вот[5] я почувствовал силу поэзии, её могучее влияние на людей.

---

[1] *The more . . . the more.*   [2] All three names are now wholly unknown. [3] It used to be common among uneducated people to call one another by the patronym and to say -ыч, -ич instead of -ович. Thus, Ларионыч stands for Иван (Павел, Яков, etc.) Ларионович.   [4] Famous Russian poet and novelist (1814-1841).   [5] *Then.*

Помню, уже с первых строк «Де́мона»[1] Сита́нов загляну́л в кни́гу, пото́м — в лицо́ мне, положи́л кисть на стол и, су́нув дли́нные ру́ки в коле́ни, закача́лся, улыба́ясь.   Под ним заскрипе́л стул.

— Ти́ше, бра́тцы, — сказа́л Ларио́ныч и, то́же бро́сив рабо́ту, подошёл к столу́ Сита́нова, за кото́рым я чита́л.   Поэ́ма волнова́ла меня́ мучи́тельно и сла́дко, у меня́ срыва́лся го́лос, я пло́хо ви́дел стро́ки стихо́в, слёзы навёртывались на глаза́.   Но ещё бо́лее волнова́ло глухо́е, осторо́жное движе́ние в мастерско́й, вся она́ тяжело́ воро́чалась, и то́чно магни́т тяну́л люде́й ко мне.   Когда́ я ко́нчил пе́рвую часть, почти́ все стоя́ли вокру́г стола́, те́сно прислони́вшись друг к дру́гу,[2] обня́вшись, хму́рясь и улыба́ясь.

— Чита́й, чита́й, — сказа́л Жихарёв, наклоня́я мою́ го́лову над кни́гой.

Я ко́нчил чита́ть, он взял кни́гу, посмотре́л её ти́тул и, су́нув под мы́шку себе́, объяви́л:

— Это на́до ещё раз прочита́ть!   За́втра опя́ть прочита́ешь.   Кни́гу я спря́чу.

Отошёл, за́пер Ле́рмонтова в я́щик своего́ стола́ и приня́лся за рабо́ту.   В мастерско́й бы́ло ти́хо, лю́ди осторо́жно расходи́лись к свои́м стола́м; Сита́нов подошёл к окну́, прислони́лся лбом к стеклу́ и засты́л, а Жихарёв, сно́ва отложи́в кисть, припо́днял пле́чи, спря́тал го́лову и сказа́л:

— Де́ймона[3] я могу́ да́же написа́ть[4]: те́лом чёрен и мохна́т, кры́лья о́гненно-кра́сные, а ли́чико,[5] ру́чки,[5] но́жки[5] — синева́то-бе́лые, как снег в ме́сячную ночь.[6]

Он до са́мого у́жина беспоко́йно верте́лся на табуре́те, игра́л па́льцами и непоня́тно говори́л о де́моне, о же́нщинах и Е́ве, о ра́е . . .

Его́ слу́шали мо́лча; должно́ быть, всем, как и мне, не хоте́лось говори́ть.   Рабо́тали неохо́тно, погля́дывая

---

[1]One of the most famous of Lermontov's poems.   [2]*Against each other*.
[3]Incorrect for де́мона.   [4]*Paint*.   [5]Dim. of лицо́ (face), ру́ки (hands), но́ги (legs).   [6]*Moonlit night*. Ме́сячный is a provincial term for лу́нный.

на часы́, а когда́ проби́ло де́вять, бро́сили рабо́ту о́чень
дру́жно.

Сита́нов и Жиха́рёв вы́шли на двор, я пошёл с ни́ми.
Там, гля́дя на звёзды, Сита́нов сказа́л:

«Кочу́ющие карава́ны
    В простра́нстве бро́шенных свети́л» . . .

— Я никаки́х слов не по́мню, — заме́тил Жиха́рёв,
вздра́гивая на о́стром хо́лоде. — Ничего́ не по́мню, а
его́ ви́жу!   Удиви́тельно э́то — челове́к заста́вил
чо́рта пожале́ть?[1]   Ведь жа́лко его́, а?[2]

— Жа́лко — согласи́лся Сита́нов.

— Во́т что зна́чит — челове́к! — воскли́кнул Жиха́рёв.

В сеня́х он предупреди́л меня́:

— Ты, Макси́мыч,[3] никому́ не говори́ в ла́вке про
э́ту кни́гу, она́, коне́чно, запрещённая!

Я обра́довался: так во́т о каки́х кни́гах спра́шивал
меня́ свяще́нник на и́споведи!

У́жинали вя́ло, без обы́чного шу́ма и го́вора, как
бу́дто со все́ми случи́лось не́что ва́жное, о чём на́до
поду́мать.   А по́сле у́жина, когда́ все легли́ спать,
Жиха́рёв сказа́л мне, вы́нув кни́гу:

— Ну́-ко,[4] ещё раз прочита́й э́то!   Ме́дленно, не
торопи́сь . . .

Не́сколько челове́к мо́лча вста́ли с посте́лей, по-
дошли́ к столу́ и усе́лись вокру́г него́ разде́тые.

И сно́ва, когда́ я ко́нчил чита́ть, Жиха́рёв сказа́л,
посту́кивая па́льцами по столу́:

— Ах, де́мон, де́мон . . . вот как, брат, а?

Сита́нов нагну́лся че́рез моё плечо́, прочита́л что́-то
и засмея́лся, говоря́:

— Спишу́ себе́ в тетра́дь . . .

Жиха́рёв встал и понёс кни́гу к своему́ столу́, но
останови́лся и вдруг стал говори́ть оби́женно, вздра́ги-
вающим го́лосом:

[1]Meaning " the poet made us pity the devil."   [2]*We feel sorry for him,
don't we?*   [3]Gorki's patronym was Макси́мович.   [4]Prov. for ну́-ка (come,
brother).

— Живём, как слепы́е щеня́та, ничего́ не зна́ем, ни Бо́гу, ни де́мону не нужны́.

За́пер кни́гу и стал одева́ться, спроси́в Сита́нова:

— Ухо́дишь?

— Ухожу́.

Когда́ они́ ушли́, я лёг у две́ри на полу́, ря́дом с Па́влом Одинцо́вым. Он до́лго вози́лся, сопе́л и вдруг тихо́нько запла́кал.

— Ты что́?

— Жа́лко мне всех стра́шно, — сказа́л он, — я ведь четвёртый год с ни́ми живу́, всех зна́ю . . .

Мне то́же бы́ло жа́лко э́тих люде́й. Мы до́лго не спа́ли, шо́потом бесе́дуя о них, находя́ в ка́ждом до́брые, хоро́шие черты́ и во всех что́-то, что ещё увели́чивало на́шу жа́лость.

М. Го́рький

ПЕЛАГЕЯ

Пелагея была женщина неграмотная. Даже своей фамилии она не умела подписывать.

А муж у Пелагеи был ответственный советский работник.[1] И хотя он был человек простой, из деревни, но за пять лет жизни в городе многому научился. И не только фамилию подписывать, а чорт знает, чего он только не знал. И очень он стеснялся, что жена его была неграмотная.

«Ты бы, Пелагеюшка,[2] хоть фамилию подписывать научилась, — говорил он Пелагее — лёгкая у меня такая фамилия, из двух слогов:[3] Куч-кин, а ты не можешь . . .»

А Пелагея, бывало, рукой махнёт и отвечает:

«Зачем мне это, Иван Николаевич? Годы мои постепенно идут. На что[4] мне теперь учиться и буквы выводить?[5] Пусть лучше молодые учатся, а я и так до старости доживу».

Муж у Пелагеи был человек ужасно занятой и на жену много времени тратить не мог. Покачает[6] он головой — эх, Пелагея, Пелагея. И замолчит.

Но однажды всё-таки принёс Иван Николаевич книжку. «Вот, — говорит — Поля, новейший букварь-самоучитель,[7] составленный по последнему методу. Я — говорит — сам тебе буду показывать».

А Пелагея усмехнулась только, взяла букварь в руки, повертела[8] его и в комод спрятала. «Пусть —

---

[1] *Worker holding a responsible office.* [2] *Affec. for* Пелагея. [3] *Of two syllables.*
[4] *What for?* [5] *To form carefully.* [6] See качать. [7] *Manual of self-instruction.*
[8] See вертеть.

думает — лежи́т, мо́жет быть, пото́мкам пригоди́тся».[1]

Но вот одна́жды присе́ла Пелаге́я за рабо́ту. Пиджа́к Ива́ну Никола́евичу на́до бы́ло почини́ть, рука́в протёрся.[2]

Се́ла Пелаге́я за стол. Взяла́ иго́лку. Су́нула ру́ку под пиджа́к — шурши́т что-то.

«Не де́ньги-ли?» — поду́мала Пелаге́я.

Посмотре́ла — письмо́. Чи́стый тако́й, аккура́тный конве́рт, то́ненькие[3] бу́ковки[3] на нём, и бума́га духа́ми па́хнет. Ёкнуло у Пелаге́и се́рдце.

«Неуже́ли — ду́мает — Ива́н Никола́евич меня́ обма́нывает? Неуже́ли он перепи́ску с да́мами ведёт[4] и надо мной, негра́мотной ду́рой, смеётся?»

Погляде́ла Пелаге́я на конве́рт, вы́нула письмо́, но прочита́ть не мо́жет.

Пе́рвый раз в жи́зни пожале́ла Пелаге́я, что чита́ть она́ не уме́ет.

«Хоть — ду́мает — и чужо́е письмо́, а должна́ я знать, что в нём пи́шут. Мо́жет быть, от э́того вся моя́ жизнь переме́нится, и мне лу́чше в дере́вню е́хать, на мужи́цкие рабо́ты».

Запла́кала Пелаге́я, ста́ла вспомина́ть, что Ива́н Никола́евич бу́дто перемени́лся в после́днее вре́мя,[5] — бу́дто он стал об уса́х свои́х забо́титься и ру́ки ча́ще мыть. Сиди́т Пелаге́я, смотрит на письмо́ и пла́чет го́рькими слеза́ми. А проче́сть письма́ не мо́жет. А чужо́му челове́ку[6] показа́ть сты́дно.

По́сле спря́тала Пелаге́я письмо́ в комо́д, доши́ла[7] пиджа́к, и ста́ла ожида́ть Ива́на Никола́евича. И

---

[1] Пригоди́ться, *to be useful*. [2] See протира́ться. [3] Dim. for то́нкий and бу́ква. [4] Вести́ перепи́ску, *to correspond*. [5] *Lately*. [6] *Stranger*. [7] *Finished sewing*.

когда́ он пришёл, Пелаге́я и ви́ду не показа́ла.[1] Напро́тив того́, она́ ро́вным и споко́йным то́ном разгова́ривала с му́жем и да́же намекну́ла ему́, что она́ непро́чь бы[2] поучи́ться, и что ей чересчу́р надое́ло быть негра́мотной.   О́чень э́тому обра́довался Ива́н Никола́евич.

— Ну, и отли́чно — сказа́л он. — Я тебе́ сам бу́ду пока́зывать.

— Чтож, пока́зывай — сказа́ла Пелаге́я.   И в упо́р посмотре́ла[3] на ро́вные у́сики Ива́на Никола́евича.

Два ме́сяца Пелаге́я изо дня́ в день[4] учи́лась чита́ть. Она́ терпели́во по склада́м[5] составля́ла слова́, выводи́ла бу́квы и зау́чивала фра́зы.   И ка́ждый ве́чер вынима́ла из комо́да заве́тное письмо́ и пыта́лась прочита́ть его́.

Одна́ко э́то бы́ло о́чень не легко́.

То́лько на тре́тий ме́сяц Пелаге́я одоле́ла нау́ку.

У́тром, когда́ Ива́н Никола́евич ушёл на рабо́ту, Пелаге́я вы́нула из комо́да письмо́ и ста́ла чита́ть его́.

Она́ с трудо́м чита́ла ме́лкий по́черк, и то́лько за́пах духо́в от бума́ги подба́дривал[6] её.

Письмо́ бы́ло адресо́вано Ива́ну Никола́евичу.

Пелаге́я чита́ла:

«Уважа́емый[7] това́рищ Ку́чкин!

Посыла́ю Вам обе́щанный буква́рь.   Я ду́маю, что Ва́ша жена́ в два-три ме́сяца мо́жет одоле́ть э́ту нау́ку. Обеща́йте голу́бчик, заста́вить её э́то сде́лать.   Вну́шите ей, как, в су́щности, сты́дно быть негра́мотной ба́бой.

Сейча́с мы ликвиди́руем[8] негра́мотность по всей

---

[1]*Showed no sign.*   [2] *Has no objection.*   [3] See смотре́ть.   [4] *Day after day.*
[5]*Syllable per syllable.*   [6]See подбодри́ть.   [7]*Dear* (lit., *respected*).   [8]*Are doing away with.*

Респу́блике, а о свои́х бли́зких[1] почему́-то[2] забыва́ем. Обяза́тельно сде́лайте э́то, Ива́н Никола́евич.

С приве́том

Мари́я Бло́хина».

Пелаге́я два́жды прочита́ла письмо́ и, ско́рбно сжав гу́бы, и чу́вствуя каку́ю-то та́йную оби́ду, запла́кала.

По М. Зо́щенко.[3]

---

[1] *About our intimates.* [2] *For some reason or other.* [3] A contemporary Russian humorist (1895-   ).

МАТЬ

I

Поезд остановился на какой-то глухой станции. Я вышел на тамбур.

Проводник стоял возле вагона; скучный свет его фонаря освещал лужицу, на которой появлялись и тотчас же лопались крупные пузырьки,[1] а дальше висела сентябрьская плотная тьма.

— Что за станция?

— Чёрная грязь, — ответил проводник и сплюнул. — Бывают же названия![2]

Дважды простонал колокол. К вагону подбежала женщина в шубе,[3] с большим кошелём[4] через плечо, и нерешительно протянула руку с билетом.

— Общий рядом,[5] — недовольно проворчал проводник, не взглянув на билет.

Придерживая кошель, сползавший с плеча, женщина кинулась к соседнему вагону. Слышен был её жалующийся, растерянный голос:

— Да я показывала ему . . . Сюда послал. Ах ты, Господи!

Паровоз задышал чаще и громче. Женщина снова очутилась у нашего вагона и уцепилась за поручни, пытаясь подняться по ступенькам, высоко висевшим над землёй.

— Тут мягкий![6] — раздражённо крикнул проводник.

[1]Dim. of пузыри (bubbles). [2]*There are all kinds of names in the world.*
[3]Шуба is a fur coat. Her's was really a sheepskin. [4]A receptacle, usually made of birch-bark, which Russian peasants used to carry across the back. [5]*The coach* (car) *is the next one.* [6]Instead of first and second class cars, as in other European countries, the Russians now divide their cars into мягкий (soft seats) and твёрдый (hard seats) or общий (common).

— Ах ты, Господи! Опять не туда попала.[1] Останусь я . . . Билет-то мой правильный! Неужто[2] обманывать стану?[2] — твердила женщина.

Поезд медленно тронулся.

Проводник навёл фонарь на белую с синими полосками бумажку, зажатую в руке женщины, и смущённо сказал:

— Ну, лезь[3] . . .

— Слава тебе, Господи,[4] — вздохнула женщина, протискиваясь в вагон.

Щурясь от яркого электрического света, она сняла с плеча берестяной кошель и вытерла лицо кончиком клетчатого платка. Старчески пухлые щёки с обильными морщинами вокруг добродушных серых глаз хранили на себе прочный деревенский загар.

— Уж и не думала,[5] что поеду, — блаженно улыбнулась она.

Пассажиры с недоумением и любопытством разглядывали её, морщась от острого запаха дублёной кожи: на старухе была новая нагольная шуба лимонно-жёлтого цвета.

— Придётся к вам её поместить, — с виноватой улыбкой сказал проводник, входя в наше купе.

— Позвольте, почему же к нам? — запротестовала киноактриса с чересчур пунцовыми губами.

— Больше мест нет,[6] — буркнул проводник. — Проходи, тётка![7]

Женщина вошла в купе и, робко оглядев нас, поставила кошель на́ пол.

— Здравствуйте, милые[8] . . . Вы уж не гневайтесь[9] на меня, я где-нибудь тут присяду . . . Притомилась,[10]

---

[1]*Again the wrong place!* [2]Неужто is a popular term for неужели (could it be). *Would I try to cheat?* [3]This is a vulgar language. He should have said: войдите, пожалуйста (please come in). [4]*Thank heavens.* [5]The уж is emphatic. *I almost gave up hope.* [6]*There are no other seats.* [7]Literally, " pass, auntie." If he were addressing a city lady, he would have said: пройдите, пожалуйста. [8]*Good morning* (afternoon, evening), *dear friends.* [9]Pop. for вы меня простите. [10] Устала.

три́дцать вёрст[1] счита́ют от на́шей дере́вни до ста́нции. Председа́тель Па́вел Ива́нович говори́т: „Возьми́ коня́, Спиридо́новна“, а как я коня́ возьму́? Будь я[2] делега́тка кака́я по ва́жной причи́не,[2] а то по своему́ де́лу[3] . . .

— А куда́ же вы е́дете? — спроси́л инжене́р кру́пного ю́жного заво́да, е́хавший в о́тпуск.

— К сы́ну, ми́лый, е́ду в Москву́ . . . Написа́л мне, чтоб я непреме́нно прие́хала в го́сти. Три го́да не вида́ла. Он жени́лся без меня́, и жену́ его́ в глаза́ не вида́ла[4] . . . Тако́е тепе́рь вре́мя пошло́[5] . . . И де́тки[6] у Ва́нички[7] — па́рочка[8] . . . Хо́чется мне на вну́чков[9] погляде́ть . . .

Же́нщина присе́ла на край дива́на и уста́вилась неподви́жным взгля́дом на яркокра́сные гу́бы кино-актри́сы.

— С ви́ду тебе́ бу́дто и за три́дцать,[10] а гу́бы молоды́е, сло́вно ви́шен нае́лась, — заме́тила стару́ха.

— Дава́йте продо́лжим игру́, — как бы не слы́ша,[11] сказа́ла киноактри́са и бы́стрыми привы́чными движе́ниями перетасова́ла ка́рты.

II

Лени́во, зева́я, приняли́сь мы игра́ть деся́тую па́ртию. Когда́ дошла́ моя́ о́чередь, я вы́бросил да́му пик.

— Ах ты, Го́споди! — с доса́дой прошепта́ла стару́ха.

— Возьми́ наза́д. Деся́ткой крестей́[12] крой! Кре́сти, чай,[13] ко́зыри . . .

Я взял да́му пик и пошёл деся́ткой треф.

— А тепе́рь заходи́[14] с бубно́вого вале́та! Кида́й

---

[1]Old measure of length. Now the metric system is used. A верста́ is a little less than three-quarters of a mile. [2]Imperative for subjunctive. *If I were a delegate going on important business.* [3]*But this is a personal business.* [4]*I never saw.* [5]*Such times have come!* [6]Dim. of де́ти (children). [7]Affec. for Ва́ня, which is the familiar term for Ива́н. [8]Па́рочка (two) is here an endearing term for двое. [9]Dim. of вну́ков, or внуча́т (grandchildren). [10]*You look over thirty.* [11]*As if she did not hear.* [12]Pop. for тре́фы (clubs). [13]Pop. for не пра́вда-ли? (is it not?). [14]Incorrect for иди́ or ходи́ (play).

валéта! — скомáндовала онá и, вы́дернув кáрту из
мои́х рук, размáшисто положи́ла её на чемодáн,
служи́вший нам столóм.

Я лишь держáл кáрты в рукáх, а игрáла старýха.
Щёки её зарумя́нились, в глазáх заблестéл азáрт.

— А почемý вы взя́ли билéт не в óбщий вагóн, там же
вдвóе дешéвле? — спроси́ла киноактри́са, обмáхиваясь
надýшенным платкóм: её, ви́димо, óчень беспокóил
éдкий зáпах дублёной кóжи.

— Я, ми́лая, пéрвый раз на маши́не[1] éду, откýда мне
знать?[2] Вáничка прописáл[3] мне, чтоб я купи́ла сáмый
дорогóй билéт. Так и написáл: „Покупáйте, мамáша,
сáмый дорогóй, не и́наче, а в деньгáх не стесня́йтесь“.
Мне э́тот билéт и продáть-то не хотéли на стáнции.
Гля́нул на меня́ усáтый из окóшечка и говори́т: „У
тебя́, тётенька, и дéнег таки́х, навéрно, нет“. —
„Вáничка, — говорю́ я, — лýчше тебя́ знáет, где мне
éхать, не укáзывай.[4] А насчёт дéнег не тревóжься:
он мне две сóтни прислáл на дорóгу“.

— А что ваш сын дéлает в Москвé? — спроси́л
инженéр, разгля́дывая старýху.

— Людéй лéчит. Людéй . . . На сáмой высóкой
слýжбе. Годóв[5] пять всё по кни́жкам учи́лся. Я емý
и говорю́: «Что ты, Вáничка, себé глазá пóртишь
кни́жками?» А он мне и отвечáет: «Был я, мамáша,
слепóй, а тепéрь глазá лýчше ви́деть стáли.» Сам он
— ýмственный[6] паренёк,[7] бáтьку[8] своегó умóм перевы́-
сил.[9] Бáтька-то егó, муж мой, в пастухáх ходи́л и
вся́кую хворь[10] у скоти́нки[11] умéл распознáть. Трáвку[12]
какýю-то завáрит, припáрку постáвит — корóвке[13] и
лéгче. А Вáничка у негó в подпáсках, бывáло, всё

---

[1]Incorrect for пóездом (on a train). [2]*How could I know?* [3]Incorrect for
написáл. [4]An educated person would have said: э́то вас не касáется
(this does not concern you). [5]Incorrect for лет (years). [6]Incorrect for
спосóбный (intelligent). [7]Dim. and pop. for пáрень (lad). [8]Vulgar for
отéц (father). [9]Incorrect for превзошёл (surpassed). [10]Pop. for болéзнь
(illness). [11]Affec. for скот (cattle). [12]Dim. of травá (grass). [13]Dim. of
корóва (cow). *The cow would feel better.*

приглядывается, перенимает . . . А тебе ходить бы надо виней,[1] а не с бубен, — укоризненно сказала старуха киноактрисе, которая осталась «в дураках».

Игра расстроилась. Киноактриса отвернулась к окну.

— Ужасно жарко — сказала она, обмахиваясь платком. — И как вы можете сидеть в своей шубе?

— Тепло не делает вреда человеку, — убеждённо ответила старуха. — А я Ваничке гостинца[2] везу. Клюквы набрала на Колобошкином болоте. Там ягода крупная[3] . . . Полный кошель. Ещё Ваничка из бересты сплёл, как в подпасках ходил . . . Такой он был мастер на это дело[4] . . .

Старуха открыла кошель, доверху наполненный клюквой, и, зачерпнув горсть, любовно пересыпала с руки на руку крупные, отливавшие рубиновым цветом ягоды.

— Угощайтесь, милые, такой ягоды во всей округе[5] нет! — Она протянула киноактрисе свою крепкую руку.

— Нет, спасибо . . . Я буду спать. — Киноактриса поднялась, давая понять нам, мужчинам, чтобы мы вышли.

Мы стояли у окна в коридоре и молча ели прохладную, пахнущую мохом клюкву.

— А моя умерла . . . десять лет тому назад,[6] — вдруг тихо сказал инженер, перекатывая на ладони последнюю ягоду. И я понял, что он думает о своей матери, которой не суждено было увидеть сына, ставшего инженером.

Я смотрел на ягоды, лежавшие в руке, и воспоминания унесли меня в далёкое прошлое, когда надо мной[7] по утрам склонялось доброе, в морщинках, лицо и тёплая рука ласкала мой волосы . . .

---

[1]Pop. for пики (spades). [2]Ungrammatical for гостинец, which is the popular term for подарок (a present). [3]*Large berries.* The singular is often used to express the idea of a collective. [4]*He was such a master at this trade!* [5]Obsol. for окрестность (the surrounding places). [6]*Ten years ago.* [7]*Over me.*

Когда́ мы вошли́ в купе́, киноактри́са лежа́ла, заку́тавшись в голубо́е шёлковое одея́ло, похо́жая на ку́клу. Стару́ха попре́жнему сиде́ла в шу́бе и смотре́ла немига́ющими глаза́ми на ро́зовый абажу́р насто́льной ла́мпочки.

Я взобра́лся на своё ве́рхнее ме́сто, закры́л глаза́, но сон не приходи́л. Инжене́р то́же воро́чался, вздыха́л, — пото́м доста́л коро́бку папиро́с и вы́шел. Он до́лго не возвраща́лся.

По ше́лесту одея́ла я догада́лся, что киноактри́са то́же не спит . . .

У́тром, когда́ по́езд останови́лся под стекля́нным ку́полом перро́на, в наш ваго́н вошёл молодо́й челове́к с не́жно-де́тским румя́нцем на щека́х и доброду́шными се́рыми, как у стару́хи, глаза́ми.

— Ва́ничка! — вскри́кнула стару́ха и, обхвати́в рука́ми его ше́ю, гро́мко поцелова́ла снача́ла пра́вую, пото́м ле́вую и опя́ть пра́вую щеку́.

Молодо́й челове́к взволно́ванно вгля́дывался в лицо́ ма́тери, и волне́ние э́то передало́сь нам, — мы забы́ли, что пора́ выходи́ть из ваго́на.

Ва́ничка привы́чным мя́гким движе́нием переки́нул за плечо́ берестяно́й коше́ль и взял под руку мать.

— С Колобо́шкина боло́та . . . Я́года отбо́рная . . .

Шум толпы́ заглуши́л го́лос стару́хи. В после́дний раз мелькну́ла её лимо́нно-жёлтая шу́ба и исче́зла в торопли́вом людско́м пото́ке.

В. Ильенко́в[1]

---

[1] A contemporary short-story writer and novelist (1897-   ).

ОБЛÓМОВ
ОТРÝВОК I: ВÉЧЕР В ОБЛÓМОВКЕ[1]

(This text and the following one are typical episodes in the life of a Russian squire during the times of serfdom. They have been drawn from *Oblomov*, a famous classical novel by N. Goncharov.)

Наступáет длúнный зúмний вéчер. Мать сидúт на дивáне, поджáв под себя́ нóги; ленúво вя́жет дéтский чулóк, зевáет и по временáм чéшет спúцей гóлову.

Пóдле сидúт Настáсья Ивáновна да Пелагéя Игнáтьевна и, уткнýв носы́ в рабóту, прилéжно шьют что-нибýдь к прáзднику для Илю́ши,[2] úли для егó отцá, úли для самúх себя́.[3]

Отéц, заложúв рýки назáд, хóдит по кóмнате взад и вперёд, в совершéнном удовóльствии, úли прися́дет[4] в крéсло и, посидéв немнóго, начнёт опя́ть ходúть, внимáтельно прислýшиваясь к звýку сóбственных шагóв. Потóм поню́хает табакý, вы́сморкается и опя́ть поню́хает.

В кóмнате тýскло горúт однá свечá, и то э́то[5] допускáется тóлько в зúмние и осéнние вечерá. В лéтние мéсяцы все старáлись ложúться и вставáть без свечéй, при дневнóм свéте. Это дéлалось чáстью по привы́чке, чáстью из эконóмии.

На вся́кий предмéт, котóрый производúлся не дóма, а покупáлся, обломовцы[6] бы́ли до крáйности скупы́. Онú с удовóльствием заколю́т[7] отлúчную индéйку[8] úли дю́жину цыпля́т к приéзду гóстя, но лúшней изю́минки[9] не полóжат в кýшанье, и побледнéют,

---

[1]Village and family estate of landowner Облóмов   [2]Affec. for Илья́. [3]*For themselves.* [4]All the future tenses of this paragraph express habitual action. [5]*And even this.* [6]The inhabitants of Облóмовка. [7]Заколóть is not commonly used when applied to fowl; more commonly, зарéжут (would kill). [8]More commonly, индю́шку (turkey hen). [9]Dim. of изю́мина (raisin).

éсли тот же гость сам нальёт себе в рю́мку вина́. Впро́чем, тако́й беды́ там почти́ никогда́ не случа́лось.

Не для вся́кого[1] зажгу́т и две свечи́: све́чка покупа́лась в го́роде на де́ньги и берегла́сь, как и все поку́пны́е ве́щи, под ключо́м само́й хозя́йки. Ога́рки бе́режно счита́лись и пря́тались. Вообще́ там де́нег тра́тить не люби́ли. Обло́мовцы соглаша́лись лу́чше терпе́ть вся́кого ро́да неудо́бства, да́же привы́кли не счита́ть их неудо́бствами, чем тра́тить де́ньги.

От э́того[2] и дива́н в гости́ной давно́ уже́ весь в пя́тнах; от э́того и ко́жаное кре́сло Ильи́ Ива́новича то́лько называ́ется ко́жаным, а в са́мом де́ле оно́ — не то[3] моча́льное, не то[3] верёвочное: ко́жи-то оста́лось то́лько на спи́нке оди́н клочо́к, а остальна́я уж пять лет как[4] развали́лась в куски́ и сле́зла. От того́ же, мо́жет быть, и воро́та кри́вы, и крыльцо́ шата́ется. Но заплати́ть за что-нибу́дь, хотя́ са́мое ну́жное, вдруг две́сти, три́ста, пятьсо́т рубле́й каза́лось им чуть-ли не самоуби́йством.

Услыха́в, что оди́н из сосе́дей, молодо́й поме́щик, е́здил в Москву́ и заплати́л там за дю́жину руба́шек три́ста рубле́й, два́дцать пять рубле́й за сапоги́, со́рок рубле́й за жиле́т к сва́дьбе, стари́к Обло́мов перекрести́лся и сказа́л с выраже́нием у́жаса, что „э́того молодца́ на́до посади́ть в остро́г"[5] . . .

На кре́слах в гости́ной, в ра́зных положе́ниях, сидя́т и сопя́т обита́тели и́ли обы́чные посети́тели до́ма.

Ме́жду собесе́дниками по бо́льшей ча́сти ца́рствует глубо́кое молча́ние: все ви́дятся ка́ждый день друг с дру́гом;[6] обо всём уже́ мно́го раз говори́ли, а новосте́й извне́ получа́ется ма́ло.

Ти́хо. То́лько раздаю́тся шаги́ тяжёлых сапо́г Ильи́ Ива́новича, ещё[7] стенны́е часы́ в футля́ре глу́хо стуча́т ма́ятником, да по́рванная, вре́мя от вре́мени, руко́й

---

[1] *Not for everybody.* [2] *Because of this.* [3] *Neither exactly . . . nor.* [4] *It has been five years since.* [5] Obsol. for тюрьма́ (prison, jail). [6] *One another.* [7] Better да ещё (also).

или зубами нитка у Пелагеи Игнатьевны или у Настасьи Ивановны нарушает тишину . . .

Так иногда пройдёт[1] полчаса, разве кто-нибудь зевнёт вслух и перекрестит рот, промолвив: „Господи, помилуй". За ним зевнёт сосед, потом следующий, медленно, как будто по команде, отворяет[2] рот, и так далее,[3] заразительная игра воздуха и лёгких обойдёт всех.[4]

Или Илья Иванович подойдёт к окну, взглянет туда[5] и скажет с некоторым удивлением:

— Ещё пять часов только, а уж как темно на дворе!

— Да — ответит кто-нибудь, — в эту пору всегда темно; длинные вечера наступают.

А весной удивятся и обрадуются, что длинные дни наступают. А спросите-ка, зачем им эти длинные дни, так они и сами не знают.

И опять замолчат.

А там[6] кто-нибудь станет снимать нагар со свечи и вдруг нечаянно погасит — все встрепенутся.

— Неожиданный гость![7] — скажет непременно кто-нибудь.

Иногда на этом завяжется разговор.

— Кто же этот гость? — скажет хозяйка. Уж не Настасья-ли Фадеевна? Ах, дай-то, Господи! Да нет! она ближе[8] праздника не будет. А как бы я была рада![9] Как бы мы обнялись да наплакались с ней вдвоём! И к заутрене, и к обедне бы вместе пошли . . .

— А когда она уехала от нас? — спросит Илья Иванович — Кажется, после Ильина дня?[10]

— Что ты,[11] Илья Иванович, всегда перепутаешь!— поправит жена.

— Она, кажется, в Петровки[12] здесь была — возражает Илья Иванович.

***

[1] The future for habitual action. [2] Отворяет for открывает (opens) is ironical; the word is used for opening a gate. [3] And so on. [4] Would make the round. [5] Into it. [6] Then. [7] A common superstitious belief. [8] Pop. for раньше (sooner). [9] How happy I would be! [10] The day of Saint-Ilia. [11] How can you? [12] A short period of Lent before Saint-Peter's day.

— Ты всегда́ так![1] — с упрёком ска́жет жена́. — Спо́ришь, то́лько срами́шься . . .

— Ну как же не́ была́ в Петро́вки? Тогда́ пироги́ с гриба́ми пекли́: она́ лю́бит . . .

— Так э́то Ма́рья Они́симовна: она́ лю́бит пироги́ с гриба́ми, как э́то ты не по́мнишь? Да и Ма́рья Они́симовна не до[2] Ильина́ дня, а до Про́хора и Никано́ра гости́ла.

Они́ вели́ счёт вре́мени по пра́здникам, по времена́м го́да, по ра́зным семе́йным и дома́шним слу́чаям, не ссыла́ясь никогда́ ни на ме́сяцы, ни на чи́сла. Мо́жет быть, э́то происходи́ло ча́стью и оттого́, что, кро́ме самого́ Обло́мова, про́чие все пу́тали и назва́ние ме́сяцев, и поря́док чи́сел.

Н. Гончаро́в[3]

ОБЛОМОВ

ОТРЫВОК II: НЕОБЫКНОВЕ́ННОЕ СОБЫ́ТИЕ

Ничто́ не наруша́ло однообра́зия жи́зни Обло́мовых. Но обло́мовцы не жа́ловались на э́то однообра́зие. Друго́й жи́зни они́ себе́ не представля́ли; а е́сли бы и могли́ предста́вить, то с у́жасом отверну́лись бы от неё.

Но одна́жды э́то однообра́зие бы́ло нару́шено одни́м необыкнове́нным слу́чаем.

Когда́, отдохну́в по́сле тру́дного обе́да, все собра́лись к ча́ю, вдруг пришёл обло́мовский мужи́к, вороти́вшийся[1] из го́рода, и стал что́-то достава́ть из-за па́зухи.[2] До́лго он достава́л и, наконе́ц, вы́нул отту́да письмо́ на и́мя Ильи́ Ива́новича Обло́мова.

Все за́мерли; хозя́йка да́же измени́лась в лице́; глаза́ всех устреми́лись и носы́ вы́тянулись по направле́нию к письму́.

— Что э́то тако́е? От кого́? — произнесла́, наконе́ц, Обло́мова.

Обло́мов взял письмо́ и до́лго воро́чал его́ в рука́х, не зна́я, что с ним де́лать.

— Где ты[3] его́ взял? — спроси́л он мужика́. — Кто тебе́[3] дал?

— На дворе́, где я останови́лся в го́роде — отвеча́л мужи́к. — С по́чты приходи́ли два ра́за спра́шивать, нет-ли обло́мовских мужико́в: письмо́, говоря́т, к ба́рину[4] есть.

— Ну? . . .

---

[1]Colloq. for верну́вшийся (who returned). [2]*From beneath his shirt* (or *coat*). [3]People of the upper classes always addressed those of the lower classes by ты (instead of вы). [4]Term used in the pre-revolutionary days with the connotation of high respect. The к is superfluous.

91

Ну, я ра́ньше промолча́л; солда́т[1] и ушёл с письмо́м. Но ве́рхлевский дьячо́к вида́л меня́, он и сказа́л. Пришли́ опя́ть, ста́ли руга́ться и о́тдали письмо́, ещё пята́к[2] взя́ли. Я спроси́л, что мне де́лать с письмо́м? Так мне веле́ли ва́шей ми́лости отда́ть.

— А ты бы не брал, — серди́то заме́тила Обло́мова.

— Я не хоте́л брать. На что, говорю́, нам письмо́? Нам не на́до. Нам, говорю́, не прика́зывали брать пи́сем, я и не сме́ю. Но солда́т на́чал о́чень руга́ться; хоте́л нача́льству жа́ловаться; я и взял.

— Дура́к! — сказа́ла Обло́мова.

— От кого́ э́то мо́жет быть?[3] — заду́мчиво говори́л Обло́мов, рассма́тривая а́дрес. — По́черк как бу́дто[4] знако́мый!

И письмо́ ста́ло ходи́ть из рук в ру́ки.[5] Начали́сь дога́дки: от кого́ и о чём оно́ могло́ быть?

Илья́ Ива́нович веле́л сыска́ть[6] очки́. Их иска́ли часа́ полтора́. Он наде́л их и уже́ хоте́л[7] вскрыть письмо́.

— Подожди́, не распеча́тывай, Илья́ Ива́нович, — с боя́знью останови́ла его́ жена́: — кто его́ зна́ет, како́е оно́,[8] э́то письмо́?[8] Мо́жет быть, стра́шное,[9] беда́ кака́я-нибудь.[10] Ведь како́й наро́д ны́нче[11] стал! За́втра и́ли послеза́втра успе́ешь[12]: не уйдёт[13] оно́ от тебя́.[13]

И письмо́ с очка́ми бы́ли спря́таны под замо́к. Все заняли́сь ча́ем. Оно́ бы пролежа́ло там го́ды, е́сли бы не́ было сли́шком необыкнове́нным явле́нием и не волнова́ло умы́ обло́мовцев. За ча́ем и на друго́й день говори́ли то́лько о письме́.

Наконе́ц, не вы́терпели, и на четвёртый день, собра́вшись толпо́й, распеча́тали. Обло́мов взгляну́л на по́дпись.

---

[1]The ignorant peasant called the mailman солда́т (soldier), either because the latter wore a uniform or because the word почтальо́н was unknown to him. [2]Pop. for пять копе́ек. [3]*Whom can it be from?* [4]*Seems.* [5]*Was passed round.* [6]Colloq. for отыска́ть or найти́ (to look for, find). [7]*Was about to.* [8]*What kind of letter it is.* [9]*Containing something frightful.* [10]*Some trouble.* [11]Ны́нче is a popular term for сего́дня (today) or for тепе́рь (nowadays). [12]*Will not be too late.* [13]*It won't run away.*

— Ради́щев, — прочита́л он. — Э! Да э́то от Фили́п-
па Матве́евича!

— А! Э! Вот от кого́! — послы́шалось со всех
сторо́н. — Да как э́то он ещё жив до сих пор? Ещё
не у́мер! Ну, сла́ва Бо́гу! Что он пи́шет?

Обло́мов стал чита́ть вслух. Оказа́лось, что Фили́пп
Матве́евич про́сит присла́ть ему́ реце́пт пи́ва, кото́рое
осо́бенно хорошо́ вари́ли в Обло́мовке.

— Посла́ть, посла́ть ему́! — заговори́ли все. — На́до
написа́ть письмо́.

Так прошло́ неде́ли две.

— На́до, на́до написа́ть — тверди́л Илья́ Ива́нович
жене́. — Где реце́пт?

— А где он? — отвеча́ла жена́. — Ещё на́до сыска́ть.
Да погоди́, заче́м торопи́ться? Вот, Бог даст, придёт
пра́здник, тогда́ и напи́шешь. Не уйдёт же оно́[1] . . .

— И в са́мом де́ле,[2] в пра́здник лу́чше напишу́, —
сказа́л Илья́ Ива́нович.

На пра́зднике опя́ть зашла́ речь о письме́. Илья́
Ива́нович уж совсе́м собра́лся писа́ть. Он ушёл в
кабине́т, наде́л очки́ и сел к столу́.

В до́ме наступи́ла глубо́кая тишина́: лю́дям[3] бы́ло
прика́зано не то́пать, не шуме́ть. — Ба́рин пи́шет! —
говори́ли все таки́м ро́бко почти́тельным го́лосом,
каки́м говоря́т, когда́ в до́ме есть поко́йник.

Он то́лько бы́ло[4] написа́л: «Ми́лостивый Госуда́рь»,
ме́дленно, кри́во, дрожа́щей руко́й, как бу́дто[5] де́лал
како́е-нибу́дь опа́сное де́ло, как к нему́ яви́лась жена́.
— Иска́ла, иска́ла, — нет реце́пта, — сказа́ла она́.
— На́до ещё в спа́льне в шкафу́ поиска́ть. Да как
посла́ть письмо́?

— С по́чтой[6] на́до, — отвеча́л Илья́ Ива́нович.

— А ско́лько э́то сто́ит?

Обло́мов доста́л ста́рый календа́рь.

— Со́рок копе́ек, — сказа́л он.

---

[1]*It won't run away.* The же is emphatic. [2]*That's right.* [3]*Servants.* [4]*No
sooner.* [5]*As though.* [6]Obsol. for по́чтой or по по́чте (by mail).

— Сорок копеек на пустяки бросать! — заметила она. — Лучше подождём пока кто-нибудь поедет в город.

— И в самом деле, лучше подождать, — отвечал Илья Иванович, всунул перо в чернильницу и снял очки.

— Право, лучше, — заключил он. — Не уйдёт, успеем послать.

Неизвестно, получил-ли Филипп Матвеевич рецепт.

Н. Гончаров

ТОСКА

I

Вечер. Крупный, мокрый снег лениво кружится в воздухе и падает вниз, покрывая собою крыши, лошадиные спины, плечи, шапки. Извозчик Иона Потапов, весь белый от снега, сидит, согнувшись, неподвижно на козлах. Его лошадёнка[1] тоже бела и неподвижна. Она, вероятно, о чём-то[2] думает. Кого[3] оторвали от плуга и бросили сюда, в этот большой город, полный огней, шума и бегущих по улицам людей, тому[3] нельзя не[4] думать . . .

Иона и его лошадёнка не двигаются с места уже давно. Выехали они со двора ещё до обеда,[5] а седоков всё нет и нет.[6] Но вот на город спускается вечер, и уличный шум становится громче.

— Извозчик, на Выборгскую! — слышит Иона. — Извозчик!

Иона вздрагивает и сквозь ресницы, облепленные снегом, видит перед собою военного.

— На Выборгскую! — повторяет военный. — Да ты спишь, что-ли? На Выборгскую!

В знак согласия Иона дёргает вожжи, отчего со спины лошади и с его плеч сыплется снег. Военный садится в сани. Извозчик чмокает губами,[7] вытягивает шею, приподнимается и машет кнутом. Лошадёнка тоже вытягивает шею и нерешительно двигается с места...

— Куда едешь, чорт! — слышит Иона крик из тёмной, движущейся взад и вперёд массы.[8] — Права держи![9]

---

[1]Dim. and pejor. of лошадь (horse). [2]*About (of) something.* [3]*The one . . . he.* [4]*Cannot help.* [5]Обед is the meal that is usually taken about noon. До обеда means "before noon." [6]Emphatic for "not any." [7]*Smacks his lips.* A sound used in Russia to urge horses on. [8]*Mass of people.* [9]*Keep to the right!*

— Ты е́здить не уме́ешь! Пра́ва держи́! — се́рдится вое́нный.

Брани́тся ку́чер с каре́ты, злобно гляди́т и стря́хивает с рукава́ снег прохо́жий, перебега́вший доро́гу и налете́вший плечо́м на лошадёнку. Ио́на сиди́т на ко́злах, как на иго́лках, и во́дит глаза́ми, сло́вно не понима́ет, где он и заче́м он здесь. Вдруг он огля́дывается на седока́ и шевели́т губа́ми . . . Хо́чет что́-то сказа́ть, но из го́рла ничего́ не выхо́дит.

— Что? — спра́шивает вое́нный.

Ио́на криви́т улы́бкой рот,[1] напряга́ет своё го́рло, и ти́хо начина́ет:

— А у меня́, ба́рин, . . . сын на э́той неде́ле у́мер.

— Гм . . . Отчего́ же он у́мер?

Ио́на обора́чивается всем те́лом к седоку́ и говори́т:

— А кто же его́ зна́ет?[2] . . . Три дня полежа́л в больни́це и у́мер . . . Бо́жья во́ля.

Свора́чивай, дья́вол! — раздаётся в темноте́ — Куда́ смо́тришь? Глаза́ми смотри́![3]

— Поезжа́й, поезжа́й . . . — говори́т седо́к. — Так мы и до за́втра не доедем. Скоре́е!

Изво́зчик опя́ть вытя́гивает ше́ю, приподнима́ется и с тяжёлой гра́цией взма́хивает кнуто́м. Не́сколько раз пото́м огля́дывается он на седока́, но тот[4] закры́л глаза́, и, вероя́тно, не располо́жен слу́шать. Вы́садив его́ на Вы́боргской, он остана́вливается у[5] тракти́ра,[6] сгиба́ется на ко́злах и опя́ть сиди́т неподви́жно . . . Мо́крый снег опя́ть покрыва́ет его́ и лошадёнку. Прохо́дит час, друго́й . . .

По тротуа́ру, гро́мко стуча́ кало́шами, прохо́дят тро́е молоды́х люде́й: дво́е из них высоки́ и тонки́, тре́тий мал и горба́т.

— Изво́зчик, к Полице́йскому мосту́! — кричи́т горба́ч.[7] — Трои́х . . . двугри́венный![8]

_____

[1] *Assumes a wry smile.* [2] *Who knows? I have no idea.* [3] *Use your eyes.* [4] *The latter.* [5] *Near.* [6] Obsol. for a "cheap restaurant." [7] Pop. for горба́тый. [8] Colloq. for два́дцать (20) копе́ек.

Иóна дёргает вожжáми и чмóкает. Двугрúвенный слúшком мáло, но емý всё равнó скóлько, бýли бы тóлько[1] седокú ... Молодýе люди, толкáясь и бранясь, подхóдят к саням и все трóе лéзут на сидéние. Начинáется решéние вопрóса: комý двум сидéть,[2] а комý трéтьему стоять? Пóсле дóлгого спóра прихóдят к решéнию, что стоять дóлжен горбáтый, как сáмый мáленький.

— Ну, скорéй! — кричúт горбáч, становясь и дышá в затýлок Иóны. — Скорéй! Да и шáпка же у тебя,[3] брáтец![4] Хýже во всём Петербýрге не найтú![5]

— Гы-ы ... гы-ы ... — хохóчет Иóна. — Какáя есть ...

— Ну, ты, скорéй! Ты так всю дорóгу бýдешь éхать? Да?

— Головá ужáсно болúт ... — говорúт одúн из длúнных.[6] — Вчерá у Дукмáсовых[7] мы вдвоём с Вáськой[8] четýре бутýлки коньякý выпили.

— Не понимáю, зачéм врать! — сéрдится другóй длúнный.

— Накажú меня Бог,[9] прáвда ...

— Это такáя же прáвда, как то, что вошь кáшляет.

— Гы-ы! — улыбáется Иóна. — Ве-есёлые господá!

— Тьфу, чтоб тебя чéрти взяли![10] ... — сéрдится горбáтый — Поéдешь ты, стáрая холéра,[11] úли нет? Рáзве так éздят?[12] Удáрь-ка её кнутóм! Но, чорт! Хорошéнько её удáрь!

Иóна чýвствует за своéй спинóй вертящееся тéло горбачá. Он слýшит егó рýгань, вúдит людéй, и чýвство одинóчества начинáет мáло-помáлу отлегáть от грудú. Горбáч ругáется до тех пор, покá не

---

[1]*So long as there are.* [2]*Which two shall sit.* [3]*What a cap!* [4]Fam. for брат (brother). [5]*One would not find a worse one.* Петербýрг, later Петрогрáд, are the former names of Leningrad. [6]*Lanky.* Длúнный for высóкий is incorrect when applied to people. It is here used ironically. [7]*At the home of Dukmassovs.* [8]*The two of us, Vaska and I.* Вáська is familiar and popular for Василий. [9]*God strike me.* Common popular swearing. [10]*May the devil take you.* [11]Abusive language. [12]*Is this the way to drive?*

разража́ется ка́шлем. Дли́нные начина́ют говори́ть о
како́й-то Наде́жде Петро́вне. Ибна огля́дывается на
них. Дожда́вшись[1] коро́ткой па́узы, он огля́дывается
ещё раз и бормо́чет:

— А у меня́ на э́той неде́ле . . . сын у́мер!

— Все помрём — вздыха́ет горба́ч, вытира́я по́сле
ка́шля гу́бы. — Ну, погоня́й, погоня́й! Господа́, я не
могу́ да́льше так е́хать! Когда́ он нас довезёт?

— А ты его́ немно́го подбодри́ . . . в ше́ю!

— Ста́рая холе́ра, слы́шишь? И́ли тебе́ плева́ть на
на́ши слова́? И Ибна бо́льше[2] слы́шит, чем[2] чу́вствует
зву́ки уда́ров в ше́ю.

— Гы-ы . . . — смеётся он. — Весёлые господа́ . . .
дай Бог здоро́вья![3]

— Изво́зчик, ты жена́т? — спра́шивает дли́нный.

— Я-то? Гы-ы . . . ве-есёлые господа́! Тепе́рь у
меня́ одна́ жена́ — сыра́я земля́ . . . Моги́ла, то есть![4]
Сын-то вот у́мер, а я жив . . . Стра́нное де́ло, смерть
две́рью оши́блась . . . Вме́сто того́, что́бы ко мне
притти́, она́ к сы́ну . . .

И Ибна обора́чивается, что́бы рассказа́ть, как у́мер
его́ сын, но тут горба́ч легко́ вздыха́ет и заявля́ет, что,
сла́ва Бо́гу, они́, наконе́ц, прие́хали. Получи́в двугри́-
венный, Ибна до́лго гляди́т вслед молоды́м лю́дям,
исчеза́ющим в тёмном подъе́зде. Опя́ть он одино́к и
опя́ть наступа́ет для него́ тишина́ . . . Ути́хшая
ненадо́лго тоска́ появля́ется вновь и да́вит грудь ещё
с бо́льшей си́лой. Глаза́ Ибны трево́жно бе́гают по
то́лпам, бы́стро дви́гающимся по о́бе сто́роны у́лицы:
не найдётся-ли из э́тих ты́сяч хоть оди́н, кото́рый
вы́слушал бы его́? Но то́лпы бегу́т, не замеча́я ни его́,
ни его́ тоски́ . . . Тоска́ грома́дная, не зна́ющая грани́ц.
Ло́пни[5] грудь Ибны и вы́лейся[5] из неё тоска́, так она́ бы,
ка́жется, весь свет залила́, но тем не ме́нее её не ви́дно.

---

[1]*Having waited* (until there was . . .). [2]*Rather . . . than* . . . [3]A popular expression for " thank you." [4]*The grave, I mean.* [5]*Were his chest to
burst open.* The imperative is often used for the subjunctive.

II

Иóна вúдит двóрника и решáет заговорúть с ним.

— Мúлый, котóрый тепéрь час?

— Десятый[1] . . . Чегó же ты стал здесь? Проезжáй!

Иóна отъезжáет на нéсколько шагóв, изгибáется и отдаётся тоскé . . . Обращáться к лю́дям он считáет ужé бесполéзным. Но не прохóдит и пятú минýт,[2] как[3] он выпрямля́ется, встря́хивает головóй, слóвно почýвствовал óструю боль, и дёргает вóжжи . . .

— Ко дворý,[4] — дýмает он — Ко дворý!

И лошадёнка, тóчно поня́в егó мы́сли, начинáет бежáть. Спустя́ часá полторá, Иóна сидúт ужé óколо большóй, гря́зной пéчи. На пéчи, на полý, на скáмьях храпúт нарóд. Дýшно . . . Иóна глядúт на спя́щих и жалéет, что так рáно вернýлся домóй . . .

— И на овёс не зарабóтал[5] — дýмает он. — Оттогó-то[6] вот и тоскá. Человéк, знáющий своё дéло . . . котóрый[7] и сам сыт, и лóшадь сытá,[8] всегдá спокóен . . .

В однóм из углóв поднимáется молодóй извóзчик и, сóнный, идёт к ведрý с водóй.

— Пить захотéл? — спрáшивает Иóна.

— Да, пить!

— Так . . . А у меня́, брат, сын ýмер . . . Слыхáл? на э́той недéле в больнúце . . .

Иóна смóтрит, какóй эффéкт произвелú егó словá, но не вúдит ничегó. Молодóй укры́лся с головóй и ужé спит. Старúк вздыхáет и чéшется . . . Как[9] молодóму хотéлось пить, так емý хóчется говорúть. Скóро бýдет недéля, как ýмер сын, а он ещё не говорúл ни с кем[10] . . . Нýжно поговорúть обо всём . . . Нáдо рассказáть, как заболéл сын, как он мýчился, что

---

[1]Literally, " the tenth " (hour). Until very recently, in Russia the common people, few of whom possessed a watch or a clock, were not in the habit of measuring time with precision. [2]*Hardly five minutes had passed.* [3]*That.* [4]Двор = yard; here, ко дворý means " to the inn." [5]*I have not even earned enough to buy oats.* In Russia of that time, oats and hay constituted the only feed for horses. [6]*That's the cause.* [7]*Who.* [8]Ungrammatical. Should be: и лóшадь котóрого сытá. [9]*Just as.* [10]*With no one.*

99

говори́л пе́ред сме́ртью, как у́мер . . . Ну́жно описа́ть
по́хороны и пое́здку в больни́цу за оде́ждой поко́йника.
В дере́вне оста́лась до́чка Ани́сья . . . И про неё[1]
ну́жно поговори́ть . . . Да ма́ло-ли о чём[2] он мо́жет
тепе́рь поговори́ть? Слу́шатель до́лжен о́хать, вздыха́ть . . . А с ба́бами[3] говори́ть ещё лу́чше. Те хоть и
ду́ры,[4] но пла́чут от двух слов.

— Пойду́ ло́шадь погляжу́, — ду́мает Ио́на. —
Спать ещё успе́ю.

Он одева́ется и идёт в коню́шню, где стои́т его́ ло́-
шадь. Ду́мает он об овсе́, о се́не, о пого́де . . . Про
сы́на, когда́ оди́н, ду́мать он не мо́жет . . . Поговори́ть
с кем-нибу́дь[5] о нём мо́жно, но самому́ ду́мать и ри-
сова́ть себе́ его́ о́браз невыноси́мо жу́тко . . .

— Жуёшь? — спра́шивает Ио́на свою́ ло́шадь, ви́дя
её блестя́щие глаза́. — Ну, жуй, жуй . . . Е́сли на
овёс не зарабо́тали, се́но есть бу́дем . . . Да . . . Стар
уж стал я е́здить . . . Сы́ну бы[6] е́здить, а не мне . . .
То настоя́щий изво́зчик был . . . Жил бы то́лько[7] . . .

Ио́на молчи́т не́которое вре́мя и продолжа́ет:

— Так-то[8] брат, кобы́лочка[9] . . . Нет Кузьмы́
Ио́ныча . . . Приказа́л до́лго жить[10] . . . Тепе́рь,
ска́жем, у тебя́ жеребёночек,[11] и ты э́тому жеребёночку
родна́я мать . . . И вдруг, ска́жем, э́тот са́мый жеребёночек приказа́л до́лго жить . . . Ведь жа́лко?[12]

Лошадёнка жуёт, слу́шает и ды́шит на ру́ки своего́
хозя́ина. Ио́на увлека́ется и расска́зывает ей всё . . .

А. Чéхов

---

[1]*About her.* [2]*There is no lack of things.* [3]*Women.* The term was used by
people of the upper classes and by peasants when speaking of married
women of the peasant class. [4]*Stupid.* А ба́ба was not supposed to have
any brains. [5]*With somebody.* [6]*The son should.* [7]*If he only were alive.* [8]*That's
how it is.* [9]Dim. of кобы́ла (mare). [10]Literally, *he bade us live long.* A
formula commonly used, in conversation, for announcing a death. [11]Dim.
of жеребёнок (colt). [12]*It would be sad, wouldn't it?*

100

ОГОНЬКИ

Как-то давно,[1] тёмным осе́нним ве́чером, случи́лось мне плыть по угрю́мой сиби́рской реке́. Вдруг на поворо́те реки́, впереди́, под тёмными гора́ми мелькну́л огонёк.

Мелькну́л я́рко, си́льно, совсе́м бли́зко . . .

— Ну, сла́ва Бо́гу! — сказа́л я с ра́достью. — Бли́зко ночле́г!

Гребе́ц поверну́лся, посмотре́л че́рез плечо́ на ого́нь и опя́ть апати́чно налёг на вёсла.

— Далеко́!

Я не пове́рил: огонёк так и стоя́л, выступа́я вперёд из тьмы.

Но гребе́ц был прав: оказа́лось, действи́тельно, далеко́.

Сво́йство э́тих ночны́х огне́й — приближа́ться, побежда́я тьму, и сверка́ть, и обеща́ть, и мани́ть свое́ю бли́зостью. Ка́жется, ещё два-три уда́ра весло́м, — и путь ко́нчен . . . Но нет, далеко́! . . .

И до́лго мы ещё плыли́ по тёмной, как черни́ла,[2] реке́. Уще́лья и ска́лы выплыва́ли, надвига́лись и уплыва́ли, а огонёк всё стоя́л впереди́, перелива́ясь и маня́, — всё так же бли́зко и всё так же далеко́[3] . . .

Мне ча́сто вспомина́ется тепе́рь и э́та тёмная река́, и э́тот живо́й огонёк. Мно́го огне́й и ра́ньше и по́сле мани́ли не одного́ меня́ свое́ю бли́зостью. Но жизнь течёт всё в тех же[4] угрю́мых берега́х, а огни́ ещё далеко́. И опя́ть прихо́дится налега́ть на вёсла . . .

Но всё-таки . . . всё-таки впереди́ — огни́! . . .

Короле́нко[5]

---

[1]*Once, a number of years ago.* [2]*Ink.* Used only in the plural. [3]*Just as near and just as far.* [4]*Between the same.* [5]Russian novelist and short-story writer (1853-1921).

ДЕНЬ РОЖДЕНИЯ

I

Учреждение, в котором работал Иван Дмитриевич, было шумное. Целый день толкались посетители. Часто скандалили. Больному сердцу Ивана Дмитриевича приходилось иногда трудно. Его стол стоял у окна, за которым открывалась широкая зимняя панорама.

Сегодня надо закончить срочную работу. Вчера было долгое заседание, а третьего дня Иван Дмитриевич получил извещение, что его единственный сын Митя[1] убит.

Вот как сложился этот роковой день: Иван Дмитриевич в числе других пакетов машинально распечатал и этот. Но когда он стал читать вынутую из него бумагу, её буквы сделались вдруг красными. В комнате в это время было шумно, скандалил с сотрудницей какой-то человек в пёстрой шапке, но вдруг стало совсем тихо и пёстрая шапка куда-то уплыла.

Иван Дмитриевич сделал усилие, и всё стало на своё место. Шум в комнате постепенно восстановился.

На Ивана Дмитриевича никто внимания не обратил, все были заняты своими делами. Потом кто-то подошёл к нему за справкой. Он заглянул в книги, дал справку, и это было так странно: ничто не изменилось ни в людях, ни в обстановке. Та же многолетняя темнозелёная стена в пятнах перед глазами, то же замёрзшее окно справа.

И вдруг хлынула невыносимая скорбь. Тихо простонав от боли, Иван Дмитриевич поднял голову от стола и уставился глазами в потолок. Ежов, за-

---

[1]Dim. of Дмитрий.

ве́дующий ка́драми, подошёл к нему́ и что-то сказа́л.
Ива́н Дми́триевич не слыха́л. Ежо́в, челове́к невыноси́мо весёлый, хи́тро прищу́рил ма́ленький чёрный глаз и гро́мко сказа́л:

— Замечта́лся, дя́дя[1] Ва́ня?[2] О ком? О Шма́риной, небо́сь? Вот расскажу́ Ма́рье Никола́евне!

Ежо́в захохота́л и пихну́л Ива́на Дми́триевича в бок.
Ива́н Дми́триевич перевёл на него́ глаза́. Ма́рья Никола́евна . . . О, да как же ей сказа́ть?

Она́ пе́ред э́тим не́сколько дней была́ больна́. Заболе́ла как раз[3] под Но́вый год[4] и то́лько вчера́ вста́ла и вы́шла на рабо́ту. До э́того[5] о́ба они́ бы́ли всё вре́мя в та́йной друг от дру́га[6] трево́ге: давно́ от Ми́ти письма́ не́ было. Нет его́ и сейча́с.[7] А тут подхо́дит тако́й знамена́тельный день: че́рез неде́лю Ми́те исполня́ется два́дцать лет.

Два́дцать лет . . . День рожде́ния Ми́ти — са́мый заве́тный и ра́достный день в году́. К нему́ всегда́ задо́лго гото́вились все тро́е.[8] Роди́тели гото́вили пиро́г, угоще́нье, имени́нный пода́рок. А Ми́тя в свою́ о́чередь — обо́им[9] по како́му-нибудь ма́ленькому сюрпри́зу. А вот уж второ́й год э́тот день прихо́дится пра́здновать без Ми́ти. Одна́ко, он так уж устра́ивал, что когда́ они́ и приглашённые го́сти сади́лись за стол, ря́дом с имени́нным пирого́м лежа́ло как раз накану́не полу́ченное письмо́ Ми́ти. Разуме́ется, письмо́ прочи́тывалось вслух и не́сколько раз за ве́чер: то[10] к сло́ву приходи́лось,[11] то[10] но́вый гость подходи́л.

Ста́рый люби́мый друг Ива́на Дми́триевича, Кири́лл Ильи́ч, всегда́ мо́лча выслу́шивал э́то письмо́, оттопы́рив чуть тро́нутые седино́й усы́,[12] и сма́хивал па́льцем слезу́ с серди́то вы́пученных се́рых глаз. Пото́м растеря́нно огля́дывал и́ми стол, чтоб разби́ть что-

---

[1]A courteous popular manner of addressing a middle-aged man. [2]Dim. of Ива́н. [3]Just. [4]On the eve of New Year's day. [5]Before that. [6]One from the other. [7]There is none yet. [8]The three of them. [9]To both of them. [10]Now . . . now. [11]It was called for by the conversation. [12]Slightly graying mustache.

нибу́дь на сча́стье.[1]   Он привы́к э́тим выража́ть свою́ и́скренюю ра́дость с пе́рвых же имени́н Ми́ти.   Но тепе́рь стесня́лся э́то де́лать: посу́да — това́р дефици́тный.

Вот и сейча́с Ма́рья Никола́евна гото́вится к ми́тиному дню.   И трево́жно ждёт письма́ . . .

Ива́н Дми́триевич взгляну́л на кру́глые стенны́е часы́:[2] два часа́.   Че́рез три часа́ он придёт домо́й. Ма́рья Никола́евна уже́ бу́дет до́ма ждать его́ с обе́дом.[3] Он войдёт и вонзи́т ей нож[4] . . .

Ива́н Дми́триевич отдыша́лся и принялся́ за рабо́ту. Пото́м по́днял глаза́ на часы́ — четы́ре часа́.   Вре́мя бежи́т катастрофи́чески.

Вот и заня́тия конча́ются.   Е́сли бы чем-нибу́дь их задержа́ть[5] . . .   Не бу́дет-ли по́сле них како́го-нибу́дь собра́ния? . . .   Но заня́тия ко́нчились, собра́ния нет. Сотру́дники расхо́дятся и покида́ют его́ в стра́шную мину́ту одного́.   Ива́н Дми́триевич задержа́лся в ко́мнате как то́лько мог.[6]

Вот он оста́лся оди́н.   Подня́лся из-за стола́ и, как подко́шенный,[7] упа́л голово́й на стол, дав во́лю рыда́ниям.[8]

Он вы́шел по́сле всех и напра́вился домо́й.   Пришло́сь проходи́ть ми́мо городско́го са́да с зава́ленными сне́гом скаме́йками, с заколо́ченным зда́нием ле́тнего теа́тра.

Ива́н Дми́триевич сверну́л в сад, прошёл к площа́дке, где скаме́йки неда́вно бы́ли очи́щены и тепе́рь то́лько слегка́ присы́паны сне́гом.   Он сел на одну́ из них, огляде́лся.   Бо́же мой,[9] как всё э́то давно́ знако́мо и до́рого!   Ведь[10] вот на той почерне́вшей скаме́йке он когда́-то объясня́лся Ма́рье Никола́евне в чу́вствах.

[1]*For good luck.*   An old superstitious belief: breaking inadvertently of a table-ware is a portent of something happy about to happen. [2]*Clock.* With this meaning the word is used only in the plural.   [3]Normally the time of обе́д (dinner) is about noon, but in some places it is much later. [4]Literally, *thrust a knife through* (her heart).   Metaphor for "tell her the horrible news."   [5]*If only it were possible somehow to retard them.*   [6]*As long as he could.* [7]*As if mowed down.* [8]*Sobbed freely.* [9]*Heavens!*   [10]The ведь is used for emphasis.

Цвели́ кашта́ны[1] больши́ми све́тлыми кистя́ми, сло́вно зажжённые в честь их канделя́бры. Сла́дко ве́яло аро́матом трав и прохла́дой от реки́. А пото́м на э́той же ска́мейке под ли́пой они́ ча́сто сиде́ли вме́сте, и ря́дом стоя́ла коля́сочка[2] с Ми́тей. А пото́м мелька́ли го́ды — Ми́тя бе́гал здесь ма́льчиком и ходи́л взро́слый . . . Высо́кий, стро́йный, с рассе́янным, чуть гру́стным взгля́дом.

Жизнь текла́, как ей и ну́жно бы́ло течь — год за го́дом, и ка́ждый год меня́ли дере́вья свою́ листву́. Меня́лись скро́мные жела́ния и мечты́. И неда́вно ещё[3] ле́том, проходя́ па́рком, Ива́н Дми́триевич вспо́мнил всё, что бы́ло с ним свя́зано, и вдруг опя́ть стал мечта́ть: ко́нчится война́, и его́ Ми́тя, так же, как и он когда́-то, пройдёт по э́той алле́е с люби́мой де́вушкой. Пото́м под э́той са́мой тени́стой ли́пой бу́дет стоя́ть коля́сочка, опя́ть они́ с Ма́рьей Никола́евной бу́дут сиде́ть у коля́сочки и ра́доваться болта́ющимся, перевя́занным ни́точками[4] ручо́нкам и ножо́нкам.[5] И жизнь их, пересели́вшись в другу́ю, безме́рно дорогу́ю жизнь, потечёт уже́ не бу́рным и сверка́ющим пото́ком, а ти́хим, но глубо́ким и ра́достным. Тепе́рь всё сра́зу оборва́лось . . . Иссяк пото́к, вы́сохло русло́, и умерло́ всё круго́м. А сейча́с он придёт домо́й и принесёт смерть в се́рдце жены́. За что?

Ива́н Дми́триевич зна́ет, как уме́ет она́ встреча́ть го́ре, глубоко́ пря́ча его́ в се́рдце и находя́ там слова́ успокое́ния и ободре́ния. Так бы́ло всегда́, так и тепе́рь: трево́жась вме́сте до́лгим молча́нием Ми́ти, она́ сказа́ла на-дня́х:

— Что ж, лю́ди по года́м не получа́ют пи́сем, а ины́е и совсе́м.[6] Не в на́шей во́ле[7] . . . Чему́ случи́ться — рук не подло́жишь.[8]

---

[1]Кашта́н (chestnut) is both the tree and the fruit. [2]Affec. for коля́ска (baby carriage). [3]*Only recently.* [4]*Bound tight by thin threads.* This is a metaphor. It is used to describe the deep and narrow furrows on the plump arms and legs of a baby. [5]*Darling little hands and feet.* Affec. for the diminutives ру́чки и но́жки. [6]*Not at all.* [7]*We can do nothing about it.* [8]An old provincial fatalistic proverb meaning " that which is to happen cannot be warded off."

Признаться, такое успокоение не понравилось тогда Ивану Дмитриевичу, хотя отчасти и извинительно: Мария Николаевна не совсем оправилась от новогодней болезни.

II

Сегодня утром они, расходясь на работу, обменялись несколькими словами насчёт приготовления к митиному дню, да, против обыкновения, не сошлись в одном вопросе. Обычно в этот день звали гостей. Теперь Мария Николаевна никого не хотела звать: не такое сейчас время.[1] Иван Дмитриевич был другого мнения: время именно такое, что надо хоть в среде близких людей отдохнуть душой.[2] Но Мария Николаевна ещё не оправилась от болезни, ей не под силу хлопоты.[3] Пришлось уступить. Только Кирилла Ильича решили позвать.

Иван Дмитриевич не долго сидел на скамейке, но когда он вышел в ворота сада и повернул по улице к своему дому, почувствовал, что между утром, когда он, идя на службу, проходил мимо этих ворот, и этой минутой легло долгое роковое время. Сидя на скамейке, он постарел на много-много лет.

Итти до квартиры нужно было несколько кварталов. Обычно он проходил их незаметно. Сейчас это оказалось неожиданно трудно и сложно. Он шёл какой-то чужой, заплетающейся походкой, несколько раз останавливался, тяжело дыша, как будто[4] нёс непосильный груз. Встречные оглядывались на него. А когда из-за угла показался коричневый трехоконный домик[5] с низеньким досчатым забором, из-за которого выглядывали белые шапки[6] давно посаженных им яблонь, он решил: нельзя ей сказать сегодня . . .

[1] *These are not proper times for guests.* [2] *To ease our anxiety.* [3] *Is not strong enough to bother.* [4] *As if.* [5] Dim. of дом (house). [6] *Hats.* A metaphor for верхушки (tops).

Мо́жет быть, за́втра, а ещё лу́чше — пусть пройдёт
ми́тин день. Не на́до его́ отнима́ть. А там — дожи-
вём, ви́дно бу́дет.[1] Пусть же оста́нется ей в жи́зни
хоть оди́н све́тлый день. Хоть при́зрак счастли́вого
дня. А сказа́ть — ещё успе́ется.[2] Не́куда спеши́ть.
Пожа́луй, да́же Кири́ллу Ильичу́ не сле́дует говори́ть;
челове́к впечатли́тельный, вы́даст себя́.

Непоси́льная но́ша сра́зу ста́ла ле́гче, и он вошёл в
дом, да́же не́сколько бодря́сь,[3] и смог взгляну́ть в
бле́дное, вы́тянувшееся лицо́ Ма́рьи Никола́евны.
Тут то́лько[4] порази́ло его́ и бо́льно кольну́ло, как
исхуда́ла и постаре́ла она́! Да́же всегда́ сия́ющие
си́ние глаза́ поме́ркли. Как не заме́тил он э́того ра́нь-
ше? До боле́зни, впро́чем, э́то не так броса́лось в
глаза́.[5] А тут ещё[6] она́ взяла́ вече́рнюю рабо́ту.
Бы́стро пообе́дав, ушла́. Так и пошли́ тяжёлые дни.[7]
И чем бли́же[8] подходи́л ми́тин день, темясне́е[8]
чу́вствовал Ива́н Дми́триевич, что э́то бу́дет са́мый
тяжёлый в жи́зни день. Пожа́луй, тако́й тяжёлый,
что он не знал, как его́ пережи́ть. Как он под-
ни́мет бока́л за здоро́вье[9] Ми́ти? ... Где взять сил? ...

Ду́малось — к тому́ вре́мени боль хоть немно́го при-
ути́хнет, а она́ не утиха́ет, стано́вится ещё остре́й.
Мо́жет быть, оттого́, что он но́сит её оди́н? Невыноси́-
мо молча́ние, когда́ от бо́ли кри́кнул бы на весь мир . . .
Пошёл ве́чером к Кири́ллу Ильичу́. До́лго и мо́лча
пла́кали они́ в одино́кой ко́мнате. Кири́лл Ильи́ч
согласи́лся, что до ми́тиного пра́здника не на́до
обру́шивать го́ре на мать.

Не к спе́ху!

На столе́ у Кири́лла Ильича́ стоя́л портре́т Ми́ти.

— Вы́литая Мару́ся![10] — сказа́л Ива́н Дми́триевич и

---

[1] *Later, well, we shall see when we come to it.* The literal meaning of дожи́ть
is " to live till . . ." [2] *There always will be time.* Успе́ться, the reflexive
form of успе́ть, is very uncommon. [3] *Endeavoring to look cheerful.* [4] *Only
then.* [5] *Was not so noticeable.* [6] *To make things worse.* [7] *Thus painful days
followed each other.* [8] *The closer . . . the clearer.* [9] *How will he drink the
health of . . .* [10] *The living image of* Мару́ся (affec. for Мари́я).

го́рько усмехну́лся. — Говоря́т, е́сли сын похо́ж на мать — бу́дет сча́стлив.

— Не слыха́л, — серди́то тара́ща[1] глаза́, сказа́л Кири́лл Ильи́ч, — не зна́ю, а вот е́сли сын похо́ж на таку́ю, как Мари́я Никола́евна, мать, то большо́е сча́стье для роди́телей. Э́то я вида́л.

Серди́то вы́сморкался и продолжа́л:

— А на тебя́ он ра́зве не́ был похо́ж? Никогда́ ни одного́ сло́ва непра́вды.

— Э́то уж[2] у него́ с де́тства, — ти́хо отве́тил Ива́н Дми́триевич.

— Пра́вильно воспита́ли — сказа́л Кири́лл Ильи́ч.

— Уж[2] и не зна́ем, кто кого́ воспи́тывал: ино́й раз, быва́ло, не сде́ржишься и прилгнёшь.[3] А он мо́лча подни́мет от кни́ги вот э́ти стро́гие глаза́, — и покрасне́ешь, как шко́льник, пра́во. А уж он над свои́м заду́мался.[4] Ча́сто спроси́ть хоте́лось: «Над чем, Ми́тя, всё заду́мываешься?» А уж тако́й не́жный был. К ма́тери осо́бенно. К ней он и бли́же,[5] а то́же ма́ло раскрыва́лся.[5] О люби́мой нау́ке, о наро́дной душе́ всегда́ мно́го говори́л, а о свое́й душе́ — ма́ло.

Ива́н Дми́триевич до́лго мо́лча смотре́л на портре́т: глаза́ широко́ откры́ты, а гу́бы пло́тно сжа́ты. И никогда́ уже́ не раскро́ются. И никогда́ он не узна́ет, о чём ду́мал и мечта́л его́ сын.

А день рожде́ния приближа́лся. Предстоя́ло пронести́ сквозь него́ ужа́сную та́йну. Никогда́ не́ было у него́ тайн от жены́ . . . О, как хоте́лось, чтоб э́тот стра́шный день не ско́ро ещё[6] пришёл! Но он пришёл о́чень ско́ро.

III

У́тром Ива́н Дми́триевич и Мари́я Никола́евна не́жно поздра́вили друг дру́га с рожде́нием сы́на. Торопя́сь,

---

[1]Colloq. for широко́ открыва́я. [2]The уж is emphatic. [3]*I would tell a little lie.* From лгать. [4]*Absorbed in his own thoughts.* [5]*Although he was closer to her, he was not more communicative* (with her). [6]The ещё is emphatic.

быстро ушли́ на рабо́ту: пе́рвое тя́жкое испыта́ние прошло́ благополу́чно. Не́ было, пра́вда, обы́чной ра́дости в запа́вших глаза́х Ма́рьи Никола́евны, — письма́ к имени́нам[1] всё нет,[2] — всё же[3] в них затепли́лась торже́ственная, хоть и гру́стная ла́ска.

А когда́ пога́с коро́ткий зи́мний день и пришло́ са́мое тяжёлое — ве́чер, Ива́н Дми́триевич зашёл за Кири́ллом Ильичём: чу́вствовал, одному́ не под си́лу войти́ в дом, сесть за пра́здничный стол.

И вот они́ пришли́ домо́й. Ива́н Дми́триевич ещё раз поздра́вил жену́, прикосну́вшись к её бле́дным губа́м.

Кири́лл Ильи́ч поздра́вил, вручи́л буке́тик[4] цвето́в, торопли́во похвали́л хоро́шую, мя́гкую зи́му.

Вы́пили за имени́нника, за ро́дину и фронт. И э́то сошло́ благополу́чно. Всё как бу́дто бы́ло по-ста́рому.[5] Над столо́м горе́ла ла́мпа, затенённая ста́рым голубы́м абажу́ром, че́рез ко́мнату разо́стлана была́ пра́здничная ковро́вая доро́жка. Пе́ред портре́том Ми́ти стоя́л буке́тик цвето́в. На дворе́ была́ све́тлая ночь, и лу́нный свет сквозь кисе́йные занаве́ски ложи́лся на́ пол.

Сиде́ли за столо́м, ми́рно бесе́довали, и как-то так выходи́ло,[6] что о Ми́те почти́ не говори́ли. Ива́н Дми́триевич ча́сто встава́л из-за стола́, чтобы в чём-нибу́дь помо́чь жене́.

Раз он ступи́л ного́й на пересека́вшую доро́жку лу́нную полосу́ и вдруг застона́л от бо́ли и, согну́вшись, как бу́дто получи́л уда́р[7] под грудь, опусти́лся на ближа́йший стул. Жена́ и гость бро́сились к нему́, а он, закры́в лицо́ рука́ми и кача́я голово́й, пла́кал, как ребёнок, и жа́лобно лепета́л:

— Не́ту, не́ту бо́льше Ми́теньки[8] . . . Не пройдёт по доро́жке . . .

---

[1]*Birthday.* The word has no singular. [2]*Still has not come.* [3]*Nevertheless.* [4]Dim. of буке́т. [5]*Everything seemed to be as of old.* [6]*Somehow it so happened.* [7]*As if he had been hit.* [8]Ми́тенька *is no longer.* Ми́тенька is an affectionate form of Ми́тя, which is the familiar name for Дми́трий.

Опомнился и, пересиливая боль в груди, бросился успокаивать Марью Николаевну. Но она уже стояла перед ним с лекарством в рюмке, не вытирая слёз, стекавших по впалым щекам, и шептала ласково:

— Будет, будет, Ваня.[1]

Кирилл Ильич стоял у окна, вытирал усы, а они всё были мокрые.[2]

Иван Дмитриевич сказал тихо:

— Уже неделя,[3] как получил ... всё не мог[4] ...

А Мария Николаевна молчала. Потом достала из глубины комода распечатанное письмо.

— Вот — сказала она, — письмо от Мити ... последнее. Под Новый год[5] получила. Велел прочесть тебе после ... Тут всё написано.

Иван Дмитриевич взял письмо и хотел читать. Но оно так затрепетало у него в руках, что он передал его Кириллу Ильичу, и тот, надев очки, начал читать вслух. Читал он очень неровно: местами твёрдо, раздельно, а местами слова у него вдруг комкались всхлипываньем. Тогда он встряхивал серебряной головой, протирал очки и снова читал громко, чётко, даже сердито:

«Дорогая моя мама!

Прочитай это письмо сначала одна. Почему — дальше скажу.

Я тебе пишу в светлые дни наших побед.

Сейчас в палату, где я лежу, радостно смотрит солнце. Кругом всё бело — стены, потолок, постели, халаты. За окнами[6] — тоже: над белой крышей вьётся и уходит к небу белый дым. И почему-то[7] сегодня с утра[8] вспоминаются белые яблони у нас в садике.[9] Каждая жилка[10] в них налита была жизнью,

---

[1]*Enough crying*, Ваня. Ваня is the familiar name for Иван. [2]*But it was wet just the same.* [3]*It has been a week.* [4]*I could not* ... [5]*On the eve of New Year's day.* [6]*Outside.* [7]*For some reason.* [8]*Since early in the morning.* [9]Dim. of сад (garden). [10]Dim. of жила (nerve, vein).

и каждая завязь несла новую жизнь. А они стояли, нагнув тяжёлые ветви к земле, словно грустя о чём-то.

А вот[1] лёгкий дым, весёлыми клубами улетает сейчас к небу . . . Да к чему же это я?[2] Это я — о жизни и смерти.

Второй год я работаю на поле смерти. Много раз выходил ей навстречу . . . И вот встретились — и не разойтись. Я буду писать кратко: она торопит. И несвязно: она мешает. Но о смерти потом. Поговорим, мамочка,[3] о живом. О жизни. О светлых мечтах.

У меня много было заветных мечтаний. Но знаю: если бы я прошёл самый длинный путь, который отмерен человеку, не осуществилась бы и малая доля их. Неудачи и горькие разочарования в себе и в людях ожидали меня на моём пути. Ты и папа знаете, как требователен был я к себе и к людям.

Но вы едва ли знали, какая у меня была заветная мечта: непременно совершить такое дело, чтобы имя моё произносилось в стране с благодарностью. Чтоб непременно гордая радость осенила оставшийся вам путь.

Но мне двадцать лет,[4] и я уже видел, что мечта моя неосуществима. Я средний человек, каких[5] миллионы. Дело, которое я избрал и не мог не избрать, потому что любил его больше всего, — история, философия не сулили[6] ни подвигов, ни славы, по крайней мере близкой. Это тем более[7] грустно, что непоправимо.

И вот счастье само пришло ко мне. Я совершил подвиг, за который родина будет любить и благословлять меня после моей смерти; которым вы, мои родные, будете гордиться до вашей смерти.

Родные мои, я пишу это не ради утешения.[8] Это письмо — исповедь моего любящего сердца. Оно полно сейчас радости. Оно скоро перестанет биться.

---

[1]Now. [2]But where does all this come in? [3]Affec. for мама. [4]I am twenty years old. [5]Such as there are. [6]Obsol. and colloq. for обещали (promised). [7]The more. [8]Not in order to alleviate your grief.

Но и послѐдние удѐры его бѝдут полнѝ большѐго, как сѐлнце, счѐстья за вас, за рѐдину. Пусть же и вѐше сѐрдце бѝдет полнѐ им всю жизнь . . .

Знѐю, роднѝе моѝ, сначѐла пронзѝт его ѐстрое гѐре и не пѝстит в негѐ рѐдость. Я боѝсь за сѐрдце пѐпы и потомѝ пишѝ тебѐ пѐрвой, бѐлее сѝльной: ты подготѐвь его. Дѐлго и гѐрько вы бѝдете плѐкать и тосковѐть по мне.[1] Не нѐдо,[2] мой слѐбые, безмѐрно любѝмые. Печѐль вѐша озаренѐ бѝдет моѐй слѐвой.

Вам напѝшут подрѐбно о моѐм пѐдвиге, вам укѐжут тѐчно мою могѝлу. Скѐро вы придѐте на неѐ. Плѐкать на могѝле сѝна — гѐрькое прѐво всех родѝтелей, а рѐдоваться и гордѝться ѐю — высѐкое прѐво ѝзбранных.

Горячѐ любѝл я роднѝю свою зѐмлю[3] и чудѐсные вѐды нѐшей большѐй рекѝ, кѐждую мѐленькую трѐвку на землѐ. Я запечатлѐл ѐту любѐвь крѐвью, котѐрую вы мне дѐли.

Как мнѐго хотѐлось бы ещѐ сказѐть! Но мне ужѐ трѝдно. Отдохнѝ . . .

Вот и отдохнѝл. Сестрѐ[4] хотѐла отобрѐть у меня чернѝла,[5] но смутѝлась и вернѝла. Сѝлы моѝ ухѐдят; но рѐдость моѐ не ухѐдит.

Я ещѐ немнѐжко[6] побесѐдую с вѐми. Скѐро стемнѐет. В сѝмерках[7] я бѝду дѝмать тѐлько о вас. Я жѝво представлѐю себѐ всѐ, что вас окружѐет. И изразцѐвую печь, и любѝмые твоѝ цветѝ, и стѐрый дивѐн с гнѝтой спѝнкой. Как я любѝл на нѐм сѝмерничать с тобѐй на рассвѐте жѝзни![8] . . . Да, ещѐ:[9] приближѐется день моегѐ рождѐния. Я знѐю, задѐлго рѐньше его придѐт день моѐй смѐрти. Но ты, мѐма, скажѝ о ней пѐпе пѐсле моѝх именѝн. Пусть емѝ остѐнется ещѐ одѝн день прѐжней рѐдости. Пусть проведѐт его со мной, ещѐ живѝм . . .

---

[1] *You will miss me.* [2] *Don't.* [3] *My native land.* [4] *The nurse.* [5] Used only in the plural. [6] Colloq. for немнѐго (a little while). [7] *In the* (evening) *twilight.* Used only in the plural. [8] *At the dawn of (my) life.* [9] *Yes, something else.*

Прощайте, мои дорогие. Передайте прощальный привет[1] друзьям нашим и первому нашему верному . . .»

Дальше Кирилл Ильич не мог читать. Дочитала Марья Николаевна.

— Вот и пришёл к нам Митенька наш, — сказала она, пряча письмо. — Теперь уже навеки . . . не расстанемся.[2]

Луна зашла. Кончился митин день. А зимняя ночь ещё долга, и долго сидели они трое, тихо разговаривая, словно боясь разбудить кого-то, да так,[3] не ложась,[4] встретили утро.

К. Тренёв

---

[1]*Convey my farewell greetings.* [2]*We shall never separate.* [3]*Thus.* [4]*Without going to bed.*

ПЕ́СНЯ О СО́КОЛЕ

(This symbolic story by Maxim Gorki is one of the best known in Russian literature. In beautiful rhythm, it expresses the admiration of the great writer for the free spirit and valiance of the hero for whom unrestricted freedom is an imperative need and who finds happiness in fighting for it, and his contempt for the philistine whose only ambition in life is undisturbed bodily comfort.)

I

Высоко́ в го́ры вполз уж и лёг там в сыро́м уще́лье, сверну́вшись в у́зел и гля́дя в мо́ре.

Высоко́ в не́бе сия́ло со́лнце, а го́ры зно́ем дыша́ли в не́бо, и би́лись во́лны внизу́ о ка́мень . . .

А по уще́лью, во тьме и бры́згах, пото́к стреми́лся навстре́чу мо́рю, гремя́ камня́ми . . .

Весь в бе́лой пе́не, седо́й и си́льный, он ре́зал го́ру и па́дал в мо́ре, серди́то во́я.

Вдруг в то уще́лье, где уж сверну́лся, пал с не́ба со́кол с разби́той гру́дью, в крови́ на пе́рьях . . .

С коро́тким кри́ком он пал на зе́млю и би́лся гру́дью в бесси́льном гне́ве о твёрдый ка́мень . . .

Уж испуга́лся, отпо́лз прово́рно, но ско́ро по́нял, что жи́зни пти́цы две-три мину́ты[1] . . .

Подпо́лз он бли́же к разби́той пти́це и прошипе́л он ей пря́мо в о́чи:[2]

— Что, умира́ешь?

— Да, умира́ю! — отве́тил со́кол, вздохну́в глубо́ко. — Я сла́вно по́жил! . . . Я зна́ю сча́стье! . . . Я хра́бро би́лся! . . . Я ви́дел не́бо . . . Ты не уви́дишь его́ так бли́зко! . . . Эх, ты, бедня́га! . . .

— Ну, что же — не́бо?[3] — пусто́е ме́сто . . . Как мне[4] там по́лзать? Мне здесь прекра́сно[5] . . . тепло́ и сы́ро!

---

[1]*Has only two or three minutes to live.* [2]*Eyes* (pl. of о́ко). In everyday language глаз, глаза́ alone are used. [3]*Well, what is there about the sky?* [4]*How could I?* [5]*I feel fine here.*

Так уж ответил свободной птице и усмехнулся в душе над нею за эти бредни.[1]

И так подумал: „Летай иль ползай,[2] конец известен: все в землю лягут, всё прахом будет . . ."

Но сокол смелый вдруг встрепенулся, привстал немного и по ущелью повёл очами.

Сквозь серый камень вода сочилась, и было душно в ущелье тёмном и пахло гнилью.

И крикнул сокол с тоской и болью, собрав все силы: „О, если б[3] в небо хоть раз подняться! . . . Врага прижал бы я . . . к ранам груди и . . . захлебнулся б моей он кровью! . . . О, счастье битвы! . . ."

А уж подумал: „Должно быть, в небе и в самом деле пожить приятно, коль[4] он так стонет! . . ."

И предложил он свободной птице: „А ты подвинься на край ущелья и вниз бросайся. Быть может, крылья тебя поднимут, и поживёшь ещё немного в своей стихии".

И дрогнул сокол и, гордо крикнув, пошёл к обрыву, скользя когтями по слизи камня.

И подошёл он, расправил крылья, вздохнул всей грудью, сверкнул очами и — вниз скатился.

И сам, как камень, скользя по скалам, он быстро падал, ломая крылья, теряя перья.

Волна потока его схватила и, кровь омывши,[5] одела в пену, умчала в море.

А волны моря с печальным рёвом о камень бились . . . И трупа птицы не видно было[6] в морском пространстве . . .

II

В ущелье лёжа, уж долго думал о смерти птицы, о страсти к небу.

---

[1]*Foolish thoughts.* The word has no singular. [2]*Whether you fly or crawl.* Иль is a popular and also a poetic term for или. [3]*If only I could.* [4]Коль or коли are popular terms for если (if). [5]Poet. for обмывши. Here, however, the ordinary word is смыла (washed off). [6]*Could not be seen.*

И вот взгляну́л он в ту даль, что ве́чно ласка́ет о́чи мечто́й о сча́стье.

„А что он ви́дел, уме́рший со́кол, в пусты́не э́той, без дна и кра́я?[1] Заче́м таки́е, как он, уме́рши, смуща́ют ду́шу свое́й любо́вью к полётам в не́бо? Что им там я́сно?[2] А я ведь[3] мог бы узна́ть всё э́то, взлете́вши в не́бо хоть ненадо́лго".

Сказа́л и сде́лал.[4] В кольцо́ сверну́вшись, он пря́нул[5] в во́здух и у́зкой ле́нтой блесну́л на со́лнце.

Рождённый по́лзать — лета́ть не мо́жет![6] . . . Забы́в об э́том, он пал на ка́мни, но не уби́лся, а рассмея́лся . . .

„Так вот в чём[7] пре́лесть полётов в не́бо! Она́ — в паде́ньи! . . . Смешны́е пти́цы! Земли́ не зна́я, на ней тоску́я, они́ стремя́тся высо́ко в не́бо и и́щут жи́зни в пусты́не зно́йной. Там то́лько пу́сто. Там мно́го све́та, но нет там пи́щи и нет опо́ры живо́му те́лу. Заче́м же го́рдость? Заче́м уко́ры?

Зате́м, чтоб е́ю прикры́ть безу́мство свои́х жела́ний и скрыть за ни́ми свою́ него́дность для де́ла жи́зни? Смешны́е пти́цы! . . . Но не обма́нут тепе́рь уж бо́льше меня́ их ре́чи! Я сам всё зна́ю! Я ви́дел не́бо . . . Взлете́л в него́ я, его́ изме́рил, позна́л паде́нье, но не разби́лся, а то́лько кре́пче в себя́ я ве́рю. Пусть те,[8] что зе́млю люби́ть не мо́гут, живу́т обма́ном. Я зна́ю пра́вду. И их призы́вам я не пове́рю. Земли́ творе́нье — землёй живу́ я".[9]

И он сверну́лся в клубо́к на ка́мне, гордя́сь собо́ю.

Блесте́ло мо́ре всё в я́рком све́те, и гро́зно во́лны о бе́рег би́лись.

В их льви́ном ре́ве греме́ла пе́сня о го́рдой пти́це, дрожа́ли ска́лы от их уда́ров, дрожа́ло не́бо от гро́зной пе́сни:

Безу́мству хра́брых поём мы сла́ву![10]

---

[1]*Bottomless and endless.* [2]*What do they see there?* [3]*But then, I* . . . [4]*Said and done.* [5]Obsol. for взметну́ться (to fling up). [6]*He who was created to crawl cannot fly.* [7]*So that's wherein.* [8]*Let those.* [9]*Being a creature of the earth, I live by it.* [10]*We sing the glory of the madness of the brave.*

Безу́мство хра́брых — вот му́дрость жи́зни! О, сме́лый со́кол! В бою́ с врага́ми истёк ты кро́вью . . . Но бу́дет вре́мя — и[1] ка́пли кро́ви твое́й горя́чей, как и́скры, вспы́хнут во мра́ке жи́зни и мно́го сме́лых серде́ц зажгу́т безу́мной жа́ждой свобо́ды, све́та!

Пуска́й ты у́мер![2] . . . Но в пе́сне сме́лых и си́льных ду́хом всегда́ ты бу́дешь живы́м приме́ром, призы́вом го́рдым к свобо́де, к све́ту!

Безу́мству хра́брых поём мы пе́сню! . . .

М. Го́рький

---

[1] *When.* [2] *It is true, you died.*

МАФУСАЙЛ

Пьеса в одно́м а́кте П. Яльцева

Де́йствующие ли́ца:

ГРО́МОВ, Михаи́л Васи́льевич, слу́жащий.

ЗИ́НА,[1] его́ жена́.

МАТВЕ́Й, их прия́тель.

КА́ТЯ,[2] дома́шняя рабо́тница.

Ко́мната Гро́мовых. Везде́ большо́й беспоря́док: на сту́льях разбро́сано пла́тье, бельё. На столе́ стоя́т буты́лки; на таре́лках я́блоки и виногра́д. Матве́й пьёт вино́. Гро́мов посреди́ ко́мнаты разбира́ет чемода́н. На нём[3] о́чень пёстрая руба́шка; рукава́ её высоко́ засу́чены: э́то сде́лано для того́, что́бы обрати́ть внима́ние други́х на великоле́пный зага́р.

ГРО́МОВ. Ну, а как у нас в отде́ле?[4] Расска́зывай.

МАТВЕ́Й. Весь отде́л тепе́рь . . .

ГРО́МОВ. Нет, ты не представля́ешь, что э́то за ро́скошь, Матве́й! Го́ры! Мо́ре! А расти́тельность! Кака́я расти́тельность, Матве́й! Где мы тут ви́дим па́льмы? В рестора́не? А там они́ про́сто на у́лицах расту́т, ей Бо́гу! Ну, нет слов, чтоб переда́ть всю э́ту красоту́.

МАТВЕ́Й. Слов, действи́тельно, нет. Одни́ восклица́ния.

ГРО́МОВ. А ты всё тако́й же[5] ске́птик! На юг тебя́ на́до посла́ть![6] Побли́же к со́лнцу! . . . Так что ж у нас в отде́ле?

МАТВЕ́Й. Тепе́рь наш отде́л . . .

ГРО́МОВ. А как тебе́ нра́вится вино́?

МАТВЕ́Й. Прия́тное.

---

[1] Fam. for Зинаи́да. [2] Fam. for Екатери́на. [3] *He wears.* [4] *How are things in our department?* [5] *You still are the same.* [6] *They should send you south.*

Гро́мов. «Прия́тное!» Ты неве́жа, Матве́й! Нату-ра́льный барза́к! Чу́вствуешь буке́т? А кре́пость! По́сле пе́рвой рю́мки кру́жится голова́,[1] по́сле второ́й забыва́ешь со́бственное и́мя, а тре́тья рю́мка ва́лит с ног.[2] Вот, брат, како́е вино́! Ты пей!

Матве́й. Да мы уж буты́лку вы́пили.

Гро́мов. Что ж?[3] Втору́ю возьмём. Ма́ло второ́й[4] — тре́тью откро́ем . . . Так каки́е же но́вости в отде́ле?

Матве́й. Но́вости у нас . . .

Гро́мов. Да, провёл я там ме́сяц, а впечатле́ний хва́тит на всю жизнь. Но гла́вное-то я тебе́ ещё не расска́зывал. Ме́жду на́ми,[5] коне́чно . . .

Матве́й. Ну, ну?

Гро́мов. Встре́тились мы на кроке́тной площа́дке. Блонди́нка. Голубы́е глаза́. Фигу́ра беспод́обная. Сло́во за́ слово.[6] Пошли́ к мо́рю. Завя́зывается интере́сный разгово́р. Ты зна́ешь, я э́то уме́ю.[7] Где слу́жите? Како́й окла́д? . . . Ах, Матве́й! Е́сли бы ты встре́тил э́ту же́нщину, ты бы мог счита́ть себя́ поги́б-шим челове́ком.

Матве́й. Но с тобо́й, одна́ко, э́того не случи́лось.[8]

Гро́мов. Ты слу́шай! Сиди́м мы на обры́ве. Там где-то далеко́-далеко́ сверка́ет мо́ре; сади́тся со́лнце, и меня́ охва́тывает лири́ческая грусть. Блонди́нки э́то лю́бят. «Вот — говорю́ — умрём, а мо́ре бу́дет шуме́ть всё так же.[9] И други́е бу́дут наслажда́ться э́той красото́й». Здо́рово?[10]

Матве́й. Гм.

Гро́мов. Ну, а да́льше — сам зна́ешь, как быва́ет в таки́х слу́чаях. Днём пляж, ве́чером прогу́лки. По́мню, одна́жды — великоле́пный ве́чер. Не́бо усе́яно звёздами. Где-то игра́ют на гита́ре, пою́т. А мы идём, идём . . .

Матве́й. И далеко́ зашли́?[11]

---

[1]*You get giddy.* [2]*Knocks you down.* [3]*What about it?* [4]*If two are not enough.* [5]*Between you and me.* [6]*We exchange a few words.* [7]*I am good at that.* [8]*This, however, did not happen to you.* [9]*In the same way.* [10]*Great stuff, isn't it?* [11]*And how far did you go?* (And did you get far?)

Гро́мов. Увы́! Когда́ встреча́ются двое молоды́х люде́й, да ещё[1] в тако́й ска́зочной обстано́вке, кто посме́ет бро́сить в них ка́мень?

Матве́й. Камня́ми броса́ть в вас не бу́ду, но как отнесётся к э́тому Зи́на?[2]

Гро́мов. Зи́на? Стра́нный вопро́с! Неуже́ли я[3] бу́ду расска́зывать об э́том жене́? За кого́ ты меня́ принима́ешь?

Матве́й. Но всё же[4] . . .

Гро́мов. Смотрю́ я на тебя́, Матве́й, и удивля́юсь. В про́шлом — рабо́чий[5]; име́ешь вы́сшее образова́ние, но отку́да у тебя́ э́та у́зость![6] Не понима́ю! Ты поду́май, в како́е вре́мя мы живём! О нас пе́сни петь бу́дут!

Матве́й. Пе́сни вся́кие быва́ют[7].

Гро́мов. Нет, на́до мы́слить ши́ре, Матве́й. Мы же но́вые лю́ди. Я, наприме́р, не похо́ж на своего́ отца́ . . .

Матве́й. Оте́ц у тебя́ был и краси́в, и умён.

Гро́мов. Е́сли я люблю́ жену́, так мо́жно-ли придава́ть значе́ние[8] каки́м-то случа́йным встре́чам? Вздор! Пустяки́!

Матве́й. А зна́ешь, про таки́х уж и сейча́с[9] пе́сни пою́т. Эстра́дники-куплети́сты.

Гро́мов. Ты не шути́, брат. У меня́ на э́тот счёт твёрдые взгля́ды. Бо́льше всего́ ненави́жу ревни́вых же́нщин и соба́к.

Матве́й. Ла́дно. За твоё здоро́вье. (*Пьёт.*)

Гро́мов. Но где же Зи́на? Ушла́ на де́сять мину́т . . .

Матве́й. Она́ вчера́ по́сле слу́жбы весь ве́чер прибира́ла, а ты — ишь, наброса́л тут.[10]

Гро́мов. Да, действи́тельно . . . Ну, ничего́! Так расскажи́ мне, наконе́ц, каки́е же но́вости в отде́ле?

Вхо́дит Ка́тя.

---

[1] *And in addition.* [2] *What will Zina think about it?* [3] *Would I.* [4] *But yet . . .*
[5] *You were a workman.* [6] *How does it happen that you are so narrow-minded?*
[7] *There are all sorts of songs.* (There are songs and songs.) [8] *How can one attach importance.* [9] *About such people, even now . . .* [10] *Look what a mess you made!*

КА́ТЯ. Селёдку, Михаи́л Васи́льевич, к обе́ду пригото́вить?

ГРО́МОВ. Обяза́тельно! С карто́шечкой,[1] с лучко́м[1] и со́усом. Чтоб она́ в со́усе пла́вала. Понима́ешь?

МАТВЕ́Й. А что э́то, Катю́ша,[2] у вас не ви́дно[3] Мафусаи́ла?

КА́ТЯ. Да уж тре́тий день не пока́зывается. И куда́ он пропа́л? Кто его́ зна́ет? (Ушла́).

ГРО́МОВ. Мафусаи́л? Это ещё что тако́е?[4]

МАТВЕ́Й. А, ерунда́!

ГРО́МОВ. Гм . . . по-тво́ему[5] ерунда́? Так, так . . . Но всё-таки любопы́тно,[6] како́й же он из себя́?[7]

МАТВЕ́Й. Невзра́чный, но у́мница.

ГРО́МОВ. Так. О́чень любопы́тно!

МАТВЕ́Й. Зи́на оста́лась одна́, скуча́ла . . .

ГРО́МОВ. Понима́ю . . . Что э́то за и́мя — Мафусаи́л?

МАТВЕ́Й. Ей нра́вится, мне то́же.

ГРО́МОВ. И тебе́ то́же? Да, мельча́ют лю́ди, перево́дятся друзья́.

МАТВЕ́Й. Э, есть о чём говори́ть![8] Вы́пьем.

ГРО́МОВ. Пей оди́н. У меня́ от э́той ме́рзости желу́док не в поря́дке.

МАТВЕ́Й. Будь здоро́в![9]

ГРО́МОВ. Безобра́зие! Ушла́ на де́сять мину́т, и — вот изво́ль! Обе́дать пора́. Я с утра́ не ел.[10]

МАТВЕ́Й. Споко́йно, дорого́й мой. Зага́р у тебя́ хоро́ший, а не́рвы плохи́е.

ГРО́МОВ. Матве́й!

С то́ртом в рука́х вхо́дит Зи́на.

ЗИ́НА. Зажда́лись?[11] А я торт иска́ла. На́до же поба́ловать муженька́.[12] Твой люби́мый, с кре́мом.

---

[1]Dim. of карто́фель (potatoes), and of лук (onion). The forms denote his strong predilection for these foods. [2]Fam. for Екатери́на. [3]*You do not see.* [4]*What's that?* [5]*You think.* [6]*I am curious . . . just the same.* [7]*How does he look?* [8]*What is there to talk about?* [9]*Your health!* [10]*I didn't have anything to eat since this morning.* [11]*You got tired waiting?* Colloq. for уста́ли ждать? [12]Affec. for му́жа (husband).

Громов. Благодарю.

Зина. Ты что хму́ришься? Уста́л? Сейча́с покормлю́ тебя́, и ложи́сь спать . . . Ах ты, как загоре́л! Пра́вда, он хорошо́ вы́глядит, Матве́й?

Матве́й. О́чень.

Громов. Ита́к, Мафуса́ил исче́з.

Зина. Ми́ша . . .

Громов. Но почему́ же? Матве́й — свой челове́к.[1] Ты не поду́май, что э́то ре́вность. Бо́же сохрани́! Но я удивлён.

Зина. Глу́по ревнова́ть . . .

Громов. Как э́то случи́лось? Ну, что же ты молчи́шь?[2] Я тебя́ по-това́рищески спра́шиваю . . . Отвеча́й?

Зина. Я сиде́ла на бульва́ре, он подошёл ко мне — познако́мились . . .

Громов. На бульва́ре? Фу, кака́я га́дость![3]

Зина. Зна́ю, что э́то нехорошо́, но он был тако́й одино́кий, пошёл со мной, и я его́ приюти́ла.

Громов. Она́ его́ приюти́ла! И ты мо́жешь об э́том так про́сто говори́ть? Изумля́юсь!

Зина. Я, коне́чно, понима́ла, что тебе́ бу́дет неприя́тно,[4] когда́ ты узна́ешь . . .

Громов. Нет, нет! Ну, как мо́жно![5] Я но́вый челове́к[6] . . .

Матве́й. Разуме́ется! Не похо́ж на отца́. Да что там оте́ц![7] На самого́ себя́ не похо́ж!

Громов. Тебе́ смешно́? Ну, сме́йся, сме́йся! И э́того челове́ка я счита́л свои́м дру́гом! Де́ньги у него́ в долг брал!

Зина. Не ду́мала я, что ты устро́ишь сканда́л из-за како́й-то ерунды́.

Громов. Ах, по-ва́шему, э́то ерунда́? Ну, зна́ешь,

---

[1]*Is not an outsider.* [2]*Why don't you say anything?* [3]*Faugh, how disgusting!* [4]*You will not like it.* [5]*Never in the world.* [6]*I am a new man.* This implies " I belong to a new society which is above such bourgeois feelings as jealousy." [7]*Why speak of father?*

122

мо́жет быть, я меща́нин, но тако́го открове́нного цини́зма, прости́те, не понима́ю.

Зи́на. Глу́по, Михаи́л, из пустяка́ де́лать дра́му! Он был о́чень делика́тен, всегда́ знал своё ме́сто. Как же други́е . . .

Гро́мов. Плева́ть мне на други́х.[1] Мне нужна́ здоро́вая семья́, и таки́х шу́ток я не потерплю́![2]

Зи́на. Нет, э́то ужа́сно . . . А ведь я так ждала́ тебя́,[3] скуча́ла . . .

Гро́мов. Ты слы́шишь? Она́ ждала́ меня́! Ложь!

Зи́на. Матве́й, голу́бчик, успоко́й его́!

Гро́мов. Хорошо́. Е́сли так, то я могу́ быть с тобо́й открове́нным. Да-с. Я на ю́ге то́же развлека́лся, как уме́л. Э́та очарова́тельная блонди́нка сохрани́т обо мне, я ду́маю, са́мые лу́чшие воспомина́ния . . .

Зи́на. Михаи́л![4]

Гро́мов. Кста́ти, вот её ка́рточка. (Вынима́ет бума́жник). Снима́лись на пля́же. В действи́тельности она́ гора́здо интере́снее.

Зи́на. И неуже́ли ты . . .

Гро́мов. Всё, всё я́сно! . . . Матве́й, могу́ я на вре́мя перее́хать к тебе́?

Матве́й. Нет, не мо́жешь.

Гро́мов. Вот как![5] Почему́ же?

Матве́й. Не терплю́ в до́ме живо́тных.

Гро́мов. Что?!

Вхо́дит Ка́тя.

Ка́тя. Зинаи́да Серге́евна, там Мафуса́ил пришёл.

Гро́мов. А-а! А-а! Пришёл! Веди́ его́ сюда́!

Зи́на. Да, да, приведи́те его́.

Гро́мов. Почему́ я беспарти́йный? Был бы у меня́

---

[1] *I am not interested in what others are doing.* Vulgar for что мне до други́х?
[2] *Shall not stand for.* [3] *I have been waiting for you so anxiously.* [4] Here Михаи́л denotes indignation.   Normally she called him either Ми́ша or Михаи́л Васи́льевич. [5] *Really?*

123

револьвер, и . . . о, что бы я с ним сде́лал! Стра́шно поду́мать, что бы я с ним сде́лал!

МАТВЕ́Й. Ну, возьми́ себя́ в ру́ки.[1]

ГРО́МОВ. Нет! Таки́е прохво́сты не сме́ют жить.

КА́ТЯ *вво́дит лохма́тую соба́чку. Молча́ние.*

КА́ТЯ. Вот он.

ГРО́МОВ. Но э́то . . . Это же соба́ка!

КА́ТЯ. Зинаи́да Серге́евна о́чень беспоко́илась: «Михаи́л Васи́льевич — говори́т — соба́к не лю́бит». Он хоро́ший, ла́сковый.

ГРО́МОВ. Зи́на! . . .

ЗИ́на. Не подходи́.

ГРО́МОВ. Матве́й!

МАТВЕ́Й. Отста́нь![2]

ГРО́МОВ. Почему́?! Не понима́ю! . . .

ЗА́НАВЕС

---

[1] *Take hold of yourself.* [2] *Leave me alone!*

НОВОСЕЛЬЕ

Комедия-шутка в одном действии

К. Кривошеин

Действующие лица :

СЕРАФИМА МИХАЙЛОВНА, домохозяйка, лет 60.[1]
ВЕРА НИКОЛАЕВНА, 23 года.
АНДРЕЙ ВАСИЛЬЕВИЧ, 27 лет.

Комната. Посредине диван. Слева стол, стулья.

АНДРЕЙ ВАСИЛЬЕВИЧ (*Курит, собирается уходить*). Ну, кажется, всё[2] . . . Да, деньги![3] Чтобы с собой не таскать, положу-ка их, сюда . . . (*Прячет деньги в книгу, лежащую на столе. Заметил на столе пудреницу.*) Что это такое?[4] Пудреница! Опять эта хозяйка! Вечно она свои вещи здесь оставляет! . . . Что за манера![5] (*Зовёт*) Серафима Михайловна!

Входит СЕРАФИМА МИХАЙЛОВНА.

СЕРАФИМА МИХАЙЛОВНА. Андрей Васильевич! Вы ещё не ушли?

АНДРЕЙ ВАСИЛЬЕВИЧ. Нет, не ушёл.

СЕРАФИМА МИХАЙЛОВНА. Вы бы поторопились . . . на работу опоздать можно.

АНДРЕЙ ВАСИЛЬЕВИЧ. Ничего, успею. Вы мне скажите, что это такое опять?

СЕРАФИМА МИХАЙЛОВНА. Пудреница! Это моей племянницы. Она занималась здесь у вас в комнате и забыла . . . Такая рассеянная, право . . . (*Прячет пудреницу в карман*).

---

[1]*About 60.* [2]*I think that's all.* [3]*Oh yes, the money!* [4]*What's this?* [5]*What a bad habit!*

АНДРЕ́Й ВАСИ́ЛЬЕВИЧ. Чем же она́ здесь занима́лась?

СЕРАФИ́МА МИХА́ЙЛОВНА. А э́ту . . . как её[1] . . . матема́тику учи́ла. Вы не серди́тесь, Андре́й Васи́льевич, са́ми зна́ете,[2] в тесноте́ живём . . . Ра́зве ра́ньше-то, при му́же, я так жила́? . . . Го́споди, Бо́же мой . . . и до́мик[3] свой был, и ку́рочки,[3] и огоро́дик[3] . . . Вы не опозда́йте, Андре́й Васи́льевич, вы бы шли . . .[4]

АНДРЕ́Й ВАСИ́ЛЬЕВИЧ. Что вы так беспоко́итесь? Успе́ю. Да . . . вот что[5] . . . я всё забыва́ю вас спроси́ть, не попа́ла-ли к вам ло́жечка сере́бряная.[6] Это ло́жечка мое́й сестры́, на́до ей отда́ть, мне уже́ не́сколько раз напомина́ли . . .

СЕРАФИ́МА МИХА́ЙЛОВНА. Ло́жечка? Ло́жечку я найду́, Андре́й Васи́льевич . . . Вы опозда́ете, че́стное сло́во, опозда́ете . . .

АНДРЕ́Й ВАСИ́ЛЬЕВИЧ. Не опозда́ю, я вам говорю́, — я на трамва́е пое́ду.

СЕРАФИ́МА МИХА́ЙЛОВНА. Э́ти трамва́и так ме́дленно хо́дят . . .

АНДРЕ́Й ВАСИ́ЛЬЕВИЧ. Ну так я на тролле́йбус ся́ду.

СЕРАФИ́МА МИХА́ЙЛОВНА. Тролле́йбусы лома́ются, Андре́й Васи́льевич. У них ша́рики пло́хо рабо́тают. И пото́м у вас часы́ отстаю́т, я давно́ заме́тила.

АНДРЕ́Й ВАСИ́ЛЬЕВИЧ. Часы́ я по ра́дио проверя́ю. Неда́вно сигна́л был.

СЕРАФИ́МА МИХА́ЙЛОВНА. Это что пища́ло неда́вно? Вы не ве́рьте, э́то не ра́дио, э́то сосе́дкин Пе́тька[7] пища́л — до того́, бесёнок,[8] похо́же пищи́т, всех сбива́ет. Это вы не по ра́дио, э́то вы по Пе́тьке часы́ ста́вили, че́стное сло́во!

АНДРЕ́Й ВАСИ́ЛЬЕВИЧ. В са́мом де́ле?[9] Тогда́ действи́тельно на́до[10] спеши́ть. До свида́ния, Серафи́ма Миха́йловна!

---

[1]*What is it called?* [2]*You know.* [3]Dim. of дом (house), ку́ры (chickens), огоро́д (vegetable garden). [4]*You had better go.* [5]*Here is something I want to tell you.* [6]*Perhaps a silver teaspoon has somehow found its way to you?* The regular construction is сере́бряная ло́жечка. [7]Dim. and fam. for Пётр. [8]Dim. of бес (devil). [9]*Really?* [10]*Then I really must.*

Серафи́ма Миха́йловна. До свида́ния, Андре́й Васи́льевич, бу́дьте здоро́вы . . .[1]

Андре́й Васи́льевич *ухо́дит.*

Фу-у, сла́ва тебе́, Го́споди . . . вы́катился![2] Опя́ть идёт! Да что же э́то тако́е?[3]

Андре́й Васи́льевич *вхо́дит.*

Что вы, Андре́й Васи́льевич?
Андре́й Васи́льевич. Портфе́ль забы́л.
Серафи́ма Миха́йловна. Вот он, ваш портфе́ль. Иди́те скоре́е, Андре́й Васи́льевич!
Андре́й Васи́льевич. Иду́, иду́, Серафи́ма Миха́йловна . . . Ло́жечку не забу́дьте . . . До свида́ния!
Серафи́ма Миха́йловна. Бу́дьте здоро́вы, иди́те с Бо́гом![4]

Андре́й Васи́льевич *ухо́дит.*

Чтоб ты пропа́л! Все не́рвы мне издёргал! Вот наказа́ние-то, Го́споди! Взяла́ грех на́ душу, и сама́ не ра́да. Тре́тьего дня[5] прихо́дит ко мне э́тот Андре́й Васи́льевич. „У вас — говори́т — сдаётся ко́мната. Я, говори́т, одино́кий, на заво́де рабо́таю“. Договори́лись мы с ним. То́лько он ушёл[6] — э́та[7] прихо́дит . . . Ве́ра Никола́евна. „Я, говори́т, одино́кая, на заво́де рабо́таю, в ночно́й сме́не, под выходно́й к ма́ме уезжа́ю за́ город[8] . . .“ Как она́ мне э́то сказа́ла, меня́ ро́вно кто в бок толкну́л[9] — дай-ка,[10] ду́маю, я ей ко́мнату сдам: он — в дневно́й, она́ — в ночно́й сме́не, аво́сь, не встре́тятся. А дохо́д двойно́й! Сдала́, а тепе́рь бою́сь. Не дай Бог, узна́ют, что тогда́ де́лать?

Вхо́дит Ве́ра Никола́евна.

---

[1]*Good luck* (lit. " good health ") *to you!* but most uncommon. Should be ушёл. [2]Lit. *he rolled out.* Picturesque [3]*What a misfortune!* [4]*Farewell.* [5]*The day before yesterday.* [6]*Just as he left. as though someone shoved in my side* (flank). [7]*This one.* [8]*Out of town.* [9]*Just* [10]*Let me.*

127

А-а . . . Вёра Николаевна, добро пожаловать!

ВЕРА НИКОЛАЕВНА (*Кладёт шляпку на стол*). Доброе утро, Серафима Михайловна! Зачём вы сюда стол переставили?

СЕРАФИМА МИХАЙЛОВНА. Ах, простите, убирала, пол подметала. Ведь[1] он у вас на этой стороне стоит. (*Передвигает стол на другую сторону. Про себя*).[2] Кто их разберёт?[3] она тут ставит, он там . . .

ВЕРА НИКОЛАЕВНА (*Находит на столе забытый Андреем Васильевичем портсигар*). А это что такое?[4]

СЕРАФИМА МИХАЙЛОВНА. А-а . . . Это мой племянник заходил, занимался, извините, здесь у вас в комнате . . . (*Прячет портсигар в карман*.) Сами знаете, Вёра Николаевна, в тесноте живём. Раньше, бывало, свой домик, огородик, огурчики . . .[5]

ВЕРА НИКОЛАЕВНА. Вы меня простите, Серафима Михайловна, я очень устала после работы, мне надо отдохнуть. (*Ложится на диван*.)

СЕРАФИМА МИХАЙЛОВНА. Отдыхайте, матушка[6] Вёра Николаевна, отдыхайте, голубчик, я пойду. (*Уходит*.)

ВЕРА НИКОЛАЕВНА. Как она мне надоела со своими курочками . . . (*Зевает*.) Курочки, огородик . . . курочки, племянники . . . огородики . . . (*Засыпает*.)

АНДРЕЙ ВАСИЛЬЕВИЧ (*Входит, замечает Вёру Николаевну*). Это что за явление? Смотри-ка, спит . . . Ах, это племянница . . . та, что математикой занимается . . . До чего беспардонная публика! Чувствует себя, как дома. А стол опять не на месте! (*С шумом двигает стол*.)

ВЕРА НИКОЛАЕВНА (*Просыпается*). А . . . Что? . . . Кто? . . . (АНДРЕЙ ВАСИЛЬЕВИЧ *оборачивается*.) Андрей Васильевич!

АНДРЕЙ ВАСИЛЬЕВИЧ. Вёра Николаевна! (*Оба поражены*.)

---

[1]*Didn't I know.* [2]*To herself.* [3]*How is one to know their tastes?* [4]*What is this?* [5]Dim. of огурцы (cucumbers). [6]*My dear* (when addressing a woman).

ВЕ́РА НИКОЛА́ЕВНА. Вот прия́тный сюрпри́з!

АНДРЕ́Й ВАСИ́ЛЬЕВИЧ. Вот не ожида́л! А я снача́ла да́же не узна́л. Прости́те, пожа́луйста!

ВЕ́РА НИКОЛА́ЕВНА. Я немно́жко уста́ла, прилегла́.

АНДРЕ́Й ВАСИ́ЛЬЕВИЧ. Ничего́, ничего́, не стесня́йтесь. Как вы нашли́?

ВЕ́РА НИКОЛА́ЕВНА. Что?

АНДРЕ́Й ВАСИ́ЛЬЕВИЧ. Э́то скро́мное жили́ще.

ВЕ́РА НИКОЛА́ЕВНА. Мне на слу́жбе сказа́ли.

АНДРЕ́Й ВАСИ́ЛЬЕВИЧ. Цыплёнкин, да? Я ему́ а́дрес дал.

ВЕ́РА НИКОЛА́ЕВНА. Зна́чит, э́то вы а́дрес да́ли? Большо́е спаси́бо.

АНДРЕ́Й ВАСИ́ЛЬЕВИЧ. За что же?[1]

ВЕ́РА НИКОЛА́ЕВНА. Тепе́рь таки́е затрудне́ния с кварти́рами. Вы устро́ились?

АНДРЕ́Й ВАСИ́ЛЬЕВИЧ. Да. Уже́ три дня . . .

ВЕ́РА НИКОЛА́ЕВНА. И я три дня.

АНДРЕ́Й ВАСИ́ЛЬЕВИЧ. А как вам нра́вится ва́ша ко́мната?

ВЕ́РА НИКОЛА́ЕВНА (*Огля́дывая ко́мнату*). Ничего́, жить мо́жно.[2]

АНДРЕ́Й ВАСИ́ЛЬЕВИЧ (*Огля́дывая ко́мнату*). Моя́ то́же неплоха́я. Тепе́рь мы бу́дем заходи́ть друг к дру́гу.[3]

ВЕ́РА НИКОЛА́ЕВНА. Обяза́тельно.

АНДРЕ́Й ВАСИ́ЛЬЕВИЧ. Но вы по́сле ночно́й сме́ны . . . Спать хоти́те . . .

ВЕ́РА НИКОЛА́ЕВНА. У меня́ сон прошёл.

АНДРЕ́Й ВАСИ́ЛЬЕВИЧ. Пра́во, спи́те[4] . . . чего́ тут стесня́ться . . . Я посижу́, почита́ю . . .[5]

ВЕ́РА НИКОЛА́ЕВНА. Что вы,[6] как мо́жно?[7] Мы бу́дем чай пить!

АНДРЕ́Й ВАСИ́ЛЬЕВИЧ. Ча́ю хоти́те? Прости́те, я сейча́с . . .

ВЕ́РА НИКОЛА́ЕВНА. Куда́ же вы?[8] Э́то моё де́ло . . .

---

[1] *What for?* [2] *Livable.* [3] *We shall visit each other.* [4] *Do sleep.* [5] *I shall sit a while, read.* [6] *What do you mean?* [7] *Never in the world.* [8] *Where are you going?*

Андре́й Васи́льевич. Хоти́те хозя́йничать? Ну-ну...[1]

Ве́ра Никола́евна. Сейча́с пригото́влю. (*Ухо́дит.*)

Андре́й Васи́льевич. Кака́я самостоя́тельная! То́лько пришла́,[2] и уже́ ориенти́ровалась — зна́ет, где что[3] ... куда́ итти́ ... что де́лать. Хозя́йка, хозя́йка,[4] ей Бо́гу. Вот э́то же́нщина! Гла́вное, сама́ пришла́, зна́чит, интересу́ется ... Я давно́ заме́тил ... Вчера́, когда́ мы бы́ли на конце́рте, я бо́льше на неё погля́дывал, чем на сце́ну. Ну, коне́чно, она́ обрати́ла внима́ние.

Серафи́ма Миха́йловна (*Вхо́дит, остолбене́ла от испу́га*). А...а.. Андре́й Васи́льевич?!

Андре́й Васи́льевич. Что с ва́ми?[5]

Серафи́ма Миха́йловна. Вы уже́ верну́лись?

Андре́й Васи́льевич. Как ви́дите.

Серафи́ма Миха́йловна. А ... племя́нницу мою́ не встреча́ли?

Андре́й Васи́льевич. Племя́нницу? Нет.

Серафи́ма Миха́йловна (*Про себя́*). Сла́ва тебе́, Го́споди ... Ушла́, должно́ быть ... А-а-а...а почему́ вы так ра́но?

Андре́й Васи́льевич. Перевёлся в ночну́ю сме́ну. (*Серафи́ме Миха́йловне ду́рно.*) Да что с ва́ми тако́е?[5]

Серафи́ма Миха́йловна. Го́споди ... како́е несча́стье ... Но́чью рабо́тать бу́дете?

Андре́й Васи́льевич. Я сам захоте́л. Давно́ добива́лся.

Серафи́ма Миха́йловна. Шли бы вы погуля́ть,[6] Андре́й Васи́льевич! Пого́да така́я хоро́шая ... до́ждик[7] идёт[7] ... (*Уви́дев шля́пку, хвата́ет её и идёт к две́ри*).

Андре́й Васи́льевич. Что э́то вы взя́ли?

Серафи́ма Миха́йловна. Ничего́, так.

Андре́й Васи́льевич. Посто́йте, посто́йте, э́кая[8] вы, всё из ко́мнаты уно́сите. Заче́м шля́пку взя́ли?

---

[1]*Well.* [2]*Just arrived.* [3]*Where things are.* [4]*A good housewife.* [5]*What is wrong with you?* [6]*Why wouldn't you take a walk?* [7]*Dim.* of дождь (rain). *It is raining nicely.* [8]*Pop. for "What a woman you are!"*

Серафи́ма Миха́йловна. А шля́пка-то чья?

Андре́й Васи́льевич. Да не ва́ше де́ло-чья.[1] Поло-
жи́те . . . У меня́ тут го́стья. Вы лу́чше ло́жечку мою́
найди́те, слы́шите?

Серафи́ма Миха́йловна. Слы́шу, слы́шу, Го́споди!
Что же э́то бу́дет?[2] Цари́ца небе́сная . . . (Ухо́дит.)

Андре́й Васи́льевич. Совсе́м из ума́ вы́жила ста-
ру́ха![3] Ба-а! А мо́жет быть, Ве́ра Никола́евна и есть
э́та са́мая племя́нница![4] Ну, коне́чно, как я не со-
образи́л! . . . Вот почему́ она́, как у себя́ до́ма![5]

Вхо́дит Ве́ра Никола́евна.

Ве́ра Никола́евна. Ну вот, чай сейча́с бу́дет гото́в.
То́лько извини́те,[6] кро́ме суха́риков, ничего́ нет.[7]

Андре́й Васи́льевич. Ба́тюшки, в са́мом де́ле . . .
что же э́то я?[8] Я схожу́, доста́ну чего́-нибудь к ча́ю.

Ве́ра Никола́евна. Не на́до, заче́м?

Андре́й Васи́льевич. Как не на́до?[9] (*Берёт кни́гу,
вынима́ет часть де́нег.*) Я че́рез пять мину́т вер-
ну́сь[10] . . . Магази́н ря́дом, на углу́. (*Ухо́дит.*)

Ве́ра Никола́евна. Интере́сно! Я ду́мала, он в
са́мом де́ле[11] так любе́зен, а он, ока́зывается, на мои́
де́ньги хо́чет купи́ть . . . Расчётлив . . . Но он мне
нра́вится. Про́шлый раз в конце́рте мы бо́льше
болта́ли, чем слу́шали му́зыку . . . Я так и зна́ла,[12]
что он придёт . . . На́до бу́дет на днях новосе́лье
устро́ить . . . Ско́лько тут де́нег оста́лось? (*Счита́ет.*)
Отку́да же сто́лько де́нег?[13] Это, пра́во, не мои́ . . .
Что же э́то зна́чит? Неуже́ли э́то он де́ньги в кни́ге
оста́вил? Но заче́м?

Вхо́дит Серафи́ма Миха́йловна, *несёт ло́жечку.*

[1] *It is none of your business whose it is.* [2] *What will come of this?* [3] *The old
woman is completely senile.* [4] *But perhaps* Ве́ра Н. *is the very niece.* [5] *That's why
she feels at home here.* [6] *I apologize; I am sorry.* [7] *Dim. of* суха́рь *(dried
slices of bread). Besides some* суха́рь, *there is nothing in the house.* [8] *Dear me!
That's true. What is the matter with me?* [9] *What do you mean, not necessary?*
[10] *I shall be back in five minutes.* [11] *Really.* [12] *I was sure.* [13] *Where does all this
money come from?*

Увидáв Вéру Николáевну, ронЯет лóжечку нá пол.

СЕРАФИ́МА МИХА́ЙЛОВНА. Вы тут?

ВÉРА НИКОЛА́ЕВНА. Конéчно, где же мне быть?

СЕРАФИ́МА МИХА́ЙЛОВНА. Аминь-аминь, рассЫ́пься[1] . . . А мне почýдилось .

ВÉРА НИКОЛА́ЕВНА. Что вам почýдилось?

СЕРАФИ́МА МИХА́ЙЛОВНА. Вы тут моегó . . . п-п-племЯ́нника не ви́дели?

ВÉРА НИКОЛА́ЕВНА. Нет, не ви́дела. А вы мою́ пýдреницу не ви́дели?

СЕРАФИ́МА МИХА́ЙЛОВНА. Пýдреницу? . . . У менЯ́ онá,[2] Вéра Николáевна, у менЯ́ . . . Убирáла, нечáянно в кармáн сýнула. (*Отдаёт.*)

ВÉРА НИКОЛА́ЕВНА. Почемý опЯ́ть стол не на мéсте? Сам он, чтó ли, по кóмнате бéгает?[3]

СЕРАФИ́МА МИХА́ЙЛОВНА. Вот чудесá-то, Гóсподи! (*Хватáется за стол.*)

ВÉРА НИКОЛА́ЕВНА. Остáвьте уж, лáдно.

СЕРАФИ́МА МИХА́ЙЛОВНА. И всё-то вы дóма сиди́те . . . А погóда такáя чудéсная, дóждик идёт . . . (*Вдруг вскри́кивает, замéтив портфéль на стýле; сади́тся на негó*). Ой, дýрно . . . головá закружи́лась[4] .

ВÉРА НИКОЛА́ЕВНА. Иди́те к себé,[5] прилЯ́гте.

СЕРАФИ́МА МИХА́ЙЛОВНА *идёт, тáщит украдкой портфéль.*

Что вы там унóсите? Вы всегдá всё из кóмнаты унóсите.

СЕРАФИ́МА МИХА́ЙЛОВНА. Да нет, ничегó . . . так . . . (*Ухóдит.*)

ВÉРА НИКОЛА́ЕВНА. Сумасшéдшая старýха! (*Смóтрит в зéркало.*) На когó я похóжа! (*Пýдрится.*)

АНДРÉЙ ВАСИ́ЛЬЕВИЧ (*Вхóдит со свёртками и бутЫ́лкой винá.*) Есть! Пожáлуйста. Как из пýшки!

---

[1] An exorcism. [2] I have it. [3] Does it run around by itself? [4] I am dizzy. [5] Go into your room(s).

ВЕ́РА НИКОЛА́ЕВНА. Да́же вино́!

АНДРЕ́Й ВАСИ́ЛЬЕВИЧ. Обяза́тельно. По слу́чаю новосе́лья.

ВЕ́РА НИКОЛА́ЕВНА. Вот то́лько рю́мок у меня́ нет.[1]

АНДРЕ́Й ВАСИ́ЛЬЕВИЧ. У меня́ есть. (*Идёт к две́ри, замеча́ет ло́жечку на полу́.*) А-а . . . вот она́, ло́жечка! Ока́зывается,[2] на полу́ валя́ется. (*Кладёт ло́жечку в карма́н и ухо́дит.*)

ВЕ́РА НИКОЛА́ЕВНА. Рю́мки у него́ здесь есть . . . Ло́жечку в карма́н положи́л. Что э́то зна́чит? Ах, да ведь он, мо́жет быть и есть тот са́мый[3] племя́нник! Коне́чно, он. Тепе́рь всё поня́тно![4]

АНДРЕ́Й ВАСИ́ЛЬЕВИЧ (*Вхо́дит с рю́мками*). Пе́рвый тост, Ве́ра Никола́евна, за новосе́лье! (*Разлива́ет вино́.*)

ВЕ́РА НИКОЛА́ЕВНА. Идёт! (*Пьют.*)

АНДРЕ́Й ВАСИ́ЛЬЕВИЧ. Позво́льте, за како́е новосе́лье мы пи́ли — за ва́ше и́ли за моё?

ВЕ́РА НИКОЛА́ЕВНА. За то и друго́е.[5]

АНДРЕ́Й ВАСИ́ЛЬЕВИЧ. Нет, за ва́ше. А тепе́рь вы́пьем за моё. Ла́дно? (*Разлива́ет вино́.*)

ВЕ́РА НИКОЛА́ЕВНА. Ла́дно. (*Пьют.*)

АНДРЕ́Й ВАСИ́ЛЬЕВИЧ. А тепе́рь . . .

ВЕ́РА НИКОЛА́ЕВНА. Тепе́рь возьми́те . . . (*Подаёт ему́ кни́гу.*) Вы забы́ли ва́ши де́ньги.

АНДРЕ́Й ВАСИ́ЛЬЕВИЧ. Я не забы́л. Я всегда́ в кни́гу кладу́.

ВЕ́РА НИКОЛА́ЕВНА. Да? Стра́нно . . . И с кни́гой хо́дите?

АНДРЕ́Й ВАСИ́ЛЬЕВИЧ. Заче́м же?[6] Кни́га до́ма.

ВЕ́РА НИКОЛА́ЕВНА. Но э́ту принесли́ . . .

АНДРЕ́Й ВАСИ́ЛЬЕВИЧ (*Внима́тельно на неё смо́трит*). Вино́, ка́жется, не сли́шком кре́пкое.

ВЕ́РА НИКОЛА́ЕВНА. Нет, не о́чень.

АНДРЕ́Й ВАСИ́ЛЬЕВИЧ. Ве́ра Никола́евна! Раз уж

---

[1]*Only I have no wineglasses.* [2]*It turns out that . . .* [3]*But maybe he is the very . . .* [4]*Now everything is clear.* [5]*For both.* [6]*Why, no.*

вы ко мне пришли,[1] я буду с вами откровенен. Я уверен, что вы разделите мой чувства.

ВЕ́РА НИКОЛА́ЕВНА *смеётся*.

Чему́ вы смеётесь?

ВЕ́РА НИКОЛА́ЕВНА. А тому́, что вино́ на вас де́йствует.[2]

АНДРЕ́Й ВАСИ́ЛЬЕВИЧ. Ниско́лько.

ВЕ́РА НИКОЛА́ЕВНА. Ну как же?[3] Вы говори́те: «Вы ко мне зашли́.» А не вспо́мните-ли, где вы нахо́дитесь?

АНДРЕ́Й ВАСИ́ЛЬЕВИЧ (*Внима́тельно смо́трит на неё, пото́м берёт буты́лку, чита́ет ярлы́к*). Ничего́ не понима́ю![4] Напи́сано «Шамхо́рское»...А мо́жет быть, э́то како́е-нибудь заграни́чное. В го́лову ударя́ет!

ВЕ́РА НИКОЛА́ЕВНА. В чью го́лову ударя́ет?

АНДРЕ́Й ВАСИ́ЛЬЕВИЧ: Вообще́...Зна́ете что?[5] Дава́йте ещё вы́пьем![6]

ВЕ́РА НИКОЛА́ЕВНА. Дава́йте! (*Пьют.*)

АНДРЕ́Й ВАСИ́ЛЬЕВИЧ. Ве́ра Никола́евна! А я вот возьму́[7] и воспо́льзуюсь[7] тем, что вино́ тако́е восхити́тельное...

ВЕ́РА НИКОЛА́ЕВНА. Как же вы воспо́льзуетесь?

АНДРЕ́Й ВАСИ́ЛЬЕВИЧ. А я сейча́с...возьму́ и...вас по-по-по...

ВЕ́РА НИКОЛА́ЕВНА. Что вы по-по-по-по?

АНДРЕ́Й ВАСИ́ЛЬЕВИЧ. Вас по-по-по...поцелу́ю.

ВЕ́РА НИКОЛА́ЕВНА. А ну́-ка по-по-по...попро́буйте!

АНДРЕ́Й ВАСИ́ЛЬЕВИЧ (*Целу́ет её*). Ве́ра Никола́евна! Выходи́те за меня́ за́муж!

ВЕ́РА НИКОЛА́ЕВНА. Вы э́то говори́те потому́, что вино́ восхити́тельное, и́ли потому́, что стро́го обду́мали?

АНДРЕ́Й ВАСИ́ЛЬЕВИЧ. Ей-Бо́гу, обду́мал! И о́чень серьёзно.

---

[1]*Since you came to me.* [2]*Is affecting you.* [3]*How else?* [4]*I do not begin to understand.* [5]*You know.* [6]*Let us have another drink.* [7]Возьму́ и before a verb suggests sudden and unexpected action. *I shall take advantage of ...*

ВЕ́РА НИКОЛА́ЕВНА.   В тако́м слу́чае, я согла́сна.

АНДРЕ́Й ВАСИ́ЛЬЕВИЧ.   Дорога́я!   Я так и знал![1]
Раз вы са́ми ко мне пришли́ . . .

ВЕ́РА НИКОЛА́ЕВНА.   Опя́ть!   Кто к кому́ пришёл[2]:
я к вам, и́ли вы ко мне?

АНДРЕ́Й ВАСИ́ЛЬЕВИЧ.   (*Внима́тельно на неё смо́трит*)
Вы — племя́нница?

ВЕ́РА НИКОЛА́ЕВНА.   Что?   Чья племя́нница?

АНДРЕ́Й ВАСИ́ЛЬЕВИЧ.   Впро́чем, э́то не ва́жно.[3]   Я
сам зна́ю, чья вы племя́нница.   Ве́рочка,[4] дава́й на
„ты“![5]

ВЕ́РА НИКОЛА́ЕВНА.   Хорошо́.

АНДРЕ́Й ВАСИ́ЛЬЕВИЧ.   Тепе́рь мы мо́жем поменя́ть
две ко́мнаты в ра́зных райо́нах на две вме́сте.

ВЕ́РА НИКОЛА́ЕВНА.   Пра́вильно.   Ты где живёшь?

АНДРЕ́Й ВАСИ́ЛЬЕВИЧ.   Что?

ВЕ́РА НИКОЛА́ЕВНА.   Я спра́шиваю, где ты живёшь?

АНДРЕ́Й ВАСИ́ЛЬЕВИЧ (*Опя́ть берёт буты́лку, встря́хи-
вает её, смо́трит на свет*).   Чего́ они́ сюда́ подмеша́ли?
Про́сто удиви́тельно.   Я, Ве́рочка, живу́ здесь, в э́той
са́мой ко́мнате.   Полчаса́ наза́д . . .   Но ты о́чень
уста́ла, ночь не спала́, а вино́ восхити́т . . .

ВЕ́РА НИКОЛА́ЕВНА.   Ми́лый!   В э́той ко́мнате и́менно
живу́ я.   Уже́ три дня.[6]   А полчаса́ наза́д ты пришёл
ко мне в го́сти.   Я не зна́ю, от вина́ и́ли от любви́,[7]
но у тебя́ кру́жится голова́ и . . .

АНДРЕ́Й ВАСИ́ЛЬЕВИЧ (*Вска́кивает, кричи́т*).   Серафи́ма
Миха́йловна!

Вхо́дит СЕРАФИ́МА МИХА́ЙЛОВНА.

СЕРАФИ́МА МИХА́ЙЛОВНА (*Уви́дев свои́х жильцо́в вме́-
сте, вскри́кивает*).   Ба́тюшки!   Попа́лась!   (*Пыта́ется
скры́ться за дверь.*)

---

[1] *I was sure of it.*   [2] *Who came to whom.*   [3] *But this is unimportant.*   [4] Affec.
for Ве́ра.   [5] *Let us say thou to each other.*   This is a mark of intimacy.
[6] *It has been three days now.*   [7] *From the wine or from love.*

135

Андре́й Васи́льевич. (*Заде́рживая её*). Нет уж, подожди́те![1] Скажи́те, Серафи́ма Миха́йловна, где вы живёте?

Серафи́ма Миха́йловна. То есть как?[2]

Андре́й Васи́льевич. А так.[3] Где живёте?

Серафи́ма Миха́йловна. Хм . . . Изве́стно, на Красноарме́йской.

Андре́й Васи́льевич. Но́мер како́й?

Серафи́ма Миха́йловна. Шестьдеся́т два.

Андре́й Васи́льевич. То́чно. А я где живу́?

Серафи́ма Миха́йловна. Тьфу!

Андре́й Васи́льевич. Бу́дьте добры́, отвеча́йте.

Серафи́ма Миха́йловна. Да тут же.[4]

Андре́й Васи́льевич. То́чно. А э́та преле́стная де́вушка где живёт?

Серафи́ма Миха́йловна (*Всхли́пывает*). Де́тки мои́ родны́е,[5] прости́те меня́, стару́ху . . . польсти́лась на ли́шние де́ньги . . . Оди́н в дневно́й, друга́я в ночно́й . . . всё наде́ялась — не встре́титесь . . .

Ве́ра Никола́евна. А мы встре́тились!

Андре́й Васи́льевич. И как встре́тились!

Ве́ра Никола́евна. На всю жизнь![6]

Серафи́ма Миха́йловна. Так вы что же[7] . . . мо́жет быть . . .

Аднре́й Васи́льевич. Во-во-во . . . догова́ривайте!

Серафи́ма Миха́йловна. Ба́тюшки! Жени́х и неве́ста?

Андре́й Васи́льевич. То́чно! Вы́пейте рю́мочку![8]

Серафи́ма Миха́йловна. Ай да я![9] Ай да стару́ха! Ведь так угада́ла! Неда́ром посло́вица говори́т: „за двумя́ за́йцами пого́нишься . . . ха, ха . . . обо́их пойма́ешь!"[10] (*Пьёт.*)

---

[1]*No, wait a minute.* [2]*What do you mean?* [3]*Just so.* [4]*But . . . right here.* [5]*My dear children.* [6]*For life.* [7]*You are* . . . [8]Dim. of рю́мку. *Drink a glass of wine.* [9]*What a clever woman I am!* [10]The proverb says: „За двумя́ за́йцами пого́нишься, ни одного́ не пойма́ешь" = "He that hunts two hares at once, will catch neither," rather than обо́их пойма́ешь which means "will catch both."

Андре́й Васи́льевич.   Нет уж,[1] Серафи́ма Миха́й-
ловна, обо́их не пойма́ете.   Ведь тепе́рь[2] мы вме́сте
бу́дем жить, а цену́ вам бу́дем плати́ть одну́. *be sensible*

Серафи́ма Миха́йловна.   Сми́луйтесь, голу́бчики!
Дво́е ведь . . .   Трудне́е за ва́ми ходи́ть . . .   Вы
хоть полторы́-то цены́ да́йте!

Ве́ра Никола́евна.   Ла́дно, дади́м ей полторы́ цены́!

Серафи́ма Миха́йловна.   Поко́рно благодарю́![3]

Андре́й Васи́льевич.   Вот и выхо́дит „за двумя́
за́йцами погони́шься, полтора́ за́йца пойма́ешь!"

ЗА́НАВЕС

---

[1] *No.*   [2] *Since now.*   [3] Obsol. for большо́е спаси́бо.   *Thank you very much.*

УПРАЖНЕ́НИЯ

СОСЕДКА

I

I. ВОПРОСЫ

1. О како́м собы́тии говори́т ма́льчик?

2. Почему́ па́па и ма́ма крича́т на прислу́гу?

3. О чём они́ спо́рят?

4. Куда́ ма́льчик ушёл?

5. Почему́ оте́ц говори́т, чтоб он взял кни́гу и чита́л?

6. Когда́ ма́льчик ста́нет занима́ться?

7. Что де́лали два бра́та, когда́ оте́ц ушёл из са́да?

8. Кака́я пти́ца пла́вала на о́зере?

9. Где бы́ло э́то о́зеро?

10. Кто показа́лся на доро́жке са́да?

11. А за ней?

12. Что де́вочка де́лала у о́зера?

13. Что она́ де́лала на ла́вочке?

14. Как она́ игра́ла с соба́чкой?

15. Что она́ ду́мала о себе́?

16. Как ма́льчик называ́ет её?

II. КРА́ТКОЕ ИЗЛОЖЕ́НИЕ ТЕ́КСТА

Ма́льчик, с ма́мой, па́пой и бра́тьями перее́хали на но́вую кварти́ру. Ма́ма и па́па спо́рили, крича́ли на прислу́гу, и ма́льчик побежа́л в свою́ ко́мнату. Он откры́л окно́ и зале́з на подоко́нник, но ма́ма и па́па сказа́ли, чтоб он закры́л окно́. Ма́льчик ушёл в сад. Пото́м пришёл его́ бра́тик. Ма́льчики отыска́ли в забо́ре ще́ли и ста́ли смотре́ть в сосе́дний сад. Там бы́ло о́чень краси́во: цветы́, о́зеро, и на о́зере пла́вал ле́бедь. На доро́жке са́да показа́лась соба́чка, а за не́ю де́вочка. Де́вочка се́ла на ла́вочку, плела́ вено́к из цвето́в и пе́ла. Пото́м она́ ста́ла говори́ть с соба́чкой: она́ говори́ла ей, что она́ краса́вица. Ма́льчики засмея́лись и сказа́ли, что де́вочка коке́тка.

I. ВОПРО́СЫ

1. Что ма́льчик учи́л одна́жды?

2. Где он был в э́то вре́мя?

3. Что он вдруг услыха́л?

4. Что упа́ло к его́ нога́м?

5. Кто бро́сил э́тот мя́чик?

6. Кто сказа́л де́вочке, где её мя́чик?

7. Почему́ де́вочка не хоте́ла сказа́ть ма́льчику, как её зову́т?

8. Как ма́льчик узна́л, что её зову́т Ни́ной?

9. Как де́вочка назвала́[1] ма́льчика?

10. А как он назва́л её?

II. КРА́ТКОЕ ИЗЛОЖЕ́НИЕ ТЕ́КСТА

Одна́жды ма́льчик сиде́л в саду́ и учи́л грамма́тику. Вдруг к его́ нога́м упа́л мя́чик. Э́то был мя́чик де́вочки. Ма́льчик посмотре́л в щёлку забо́ра и уви́дел, что де́вочка и́щет мя́чик. Он сказа́л ей, что мя́чик у него́. Когда́ де́вочка попроси́ла его́ бро́сить ей мя́чик, он спроси́л, как её зову́т. Но де́вочка не хоте́ла сказа́ть, как её зову́т, потому́ что они́ бы́ли незнако́мы. Мать де́вочки услы́шала, что де́вочка с кем-то разгова́ривает, и спроси́ла: „Ни́на, с кем ты разгова́риваешь?" Ни́на отве́тила, что како́й-то мальчи́шка взял её мя́чик и не отдаёт. Ма́льчик сказа́л де́вочке, что она́ коке́тка, и они́ поссо́рились.

I. ВОПРО́СЫ

1. Когда́ гимнази́ст встре́тил де́вочку?

2. Как он узна́л, что она́ княжна́?

3. Ско́лько лет бы́ло ма́льчику?

4. Заче́м он урони́л сире́нь у до́ма де́вочки?

5. Что де́вочка сде́лала с цвета́ми?

[1] *Called.*

6. Что тогда сделал мальчик?

7. Когда девочка подняла цветы?

8. Почему в этот день в саду Нины было шумно и весело?

9. Как девочки узнали, что мальчик в саду?

10. Что вдруг упало на дорожку сада?

11. Где мальчик был вечером?

II. КРАТКОЕ ИЗЛОЖЕНИЕ ТЕКСТА

Мальчик шёл в гимназию и увидел Нину. Возвращаясь из гимназии, он увидел медную дощечку на двери дома Нины, и узнал, что она княжна. Он бросил около её дома две ветки сирени, но Нина не взяла цветов; она даже наступила на них ногами. Мальчик сделал из сирени букет, перевязал его ленточкой и привязал записку: „Княжне Нине Николаевне Кекуановой от графа С.В.“ Вечером Нина подняла букет и прочитала записку.

Был праздничный день, и у Нины в саду было шумно и весело: девочки играли в крокет. Мальчик хотел, чтобы девочки знали, что он в саду, и запел. К его ногам упал мячик, и Нина попросила его бросить ей мячик. Они познакомились, и вечером гимназист играл с девочками в крокет в саду Нины.

IV

I. ВОПРОСЫ

1. Что сказала княгиня, когда она узнала, что гимназисту четырнадцать лет?

2. Что мать обещала купить гимназисту, если он выдержит экзамен?

3. Какую фуражку хотел мальчик?

4. Какие брюки хотела мать купить для гимназиста?

5. А какие хотел он?

6. Чего добился мальчик?

7. Как осмотрел гимназиста брат, когда он пришёл домой в новом костюме?

8. Куда звали гимназиста, когда его не было дома?

9. Почему́ мать не хоте́ла, чтоб ма́льчик наде́л но́вый костю́м?

10. Почему́ бра́ту гимнази́ста нельзя́ пойти́ игра́ть в сад Ни́ны?

II. КРА́ТКОЕ ИЗЛОЖЕ́НИЕ ТЕ́КСТА

Ни́на предста́вила ма́льчика свое́й ма́тери, и та то́же называ́ла его́ гра́фом.

Гимнази́ст сдал экза́мен по латы́ни и перешёл в четвёртый класс. Мать обеща́ла купи́ть ему́ но́вый костю́м, и он хоте́л яви́ться к Ни́не во всём но́вом. Он пошёл с ма́терью покупа́ть костю́м и фура́жку. Они́ до́лго иска́ли, но ма́льчик доби́лся того́, что всё бы́ло по его́ вку́су.

Когда́ он пришёл домо́й, брат сказа́л ему́, что его́ зва́ли в сад Ни́ны. Брат то́же хоте́л пойти́ туда́, но мать сказа́ла, что он ещё мал и что ему́ там не́чего де́лать. Она́ э́тим разозли́ла его́.

V

I. ВОПРО́СЫ

1. Кто сказа́л де́вочкам, что гимнази́ст не граф?

2. Что сде́лал гимнази́ст, когда́ он верну́лся в свой сад?

3. Что сде́лал тогда́ его́ брат?

4. Почему́ ма́льчик не мог отпере́ть две́ри, когда́ оте́ц хоте́л войти́?

5. Как роди́тели наказа́ли гимнази́ста?

6. Чего́ тепе́рь о́чень боя́лся гимнази́ст?

7. Что он де́лал, чтоб не встре́титься с Ни́ной?

8. Опиши́те после́днюю встре́чу гимнази́ста с Ни́ной.

9. Почему́ ему́ не отве́тили, когда́ он снял фура́жку?

10. Почему́ гимнази́ст рад, что не жени́лся на Ни́не?

II. КРА́ТКОЕ ИЗЛОЖЕ́НИЕ ТЕ́КСТА

Гимнази́ст, в но́вом костю́ме, пошёл к Ни́не игра́ть в кроке́т. Во вре́мя игры́, когда́ де́вочки называ́ли его́ гра́фом, бра́тик гимнази́ста рассказа́л де́вочкам, что гимнази́ст не граф. Гимнази́ст бы́стро вы́шел из са́да Ни́ны, стащи́л бра́та с забо́ра и поби́л его́. Брат пожа́ловался роди́телям. Тепе́рь ма́льчик чу́вствовал себя скверно среди родных, потому что они дразнили его.

Он очень боялся встретиться с Ниной, и обходил её дом. Но однажды он её встретил. Она ехала в коляске с матерью. Он снял фуражку, но ему не ответили. Нина ужасная кокетка, и гимназист говорит, что он рад, что не женился на ней.

МИША

I

I. ВОПРОСЫ

1. Что думал Миша о своей маме?

2. Что он думал о папе?

3. Почему Мише не позволяли в тот день играть на улице?

4. Что папа дал Мише?

5. Что Миша будет делать?

6. Почему папа не хотел долго говорить с Мишей?

7. Почему Миша обиделся на папу?

8. Почему Миша не идёт к маме?

9. Почему он не идёт в кухню?

10. Как Миша почувствовал себя,[1] когда он написал стихи?

11. Почему он не мог зайти в кабинет папы?

12. Почему Миша думает, что мама и папа несправедливы с ним?

II. КРАТКОЕ ИЗЛОЖЕНИЕ ТЕКСТА

Была плохая погода, шёл дождь, и маленькому Мише не позволяли играть на улице. Мама и папа Миши были заняты. Мише было скучно, и он надоедал папе. Папа дал ему тетрадь и сказал, чтоб он записывал в ней всё, что с ним случится интересного. Миша будет вести дневник.

Миша начал вести дневник, но ему было скучно, и он опять пошёл к папе. Папа сказал, чтоб он писал стихи. Миша написал стихи и побежал к маме. Но мама была занята: она считала бельё. Она сказала Мише, чтоб он не мешал ей. Миша вернулся к себе в комнату и написал ещё стихи. Он побежал к папе, чтоб прочитать ему стихи, но папа заперся на ключ. Миша обиделся. Он опять вернулся в свою комнату, сел за стол и написал, что папа и мама несправедливы с ним; что они оба милые, но не знают, как с ним обращаться.

---

[1]*Felt.*

I. ВОПРОСЫ

1. Почему́ Ми́ша написа́л стихи́ про пти́чку?

2. Почему́ па́па говори́т, что учи́тельнице на́до игра́ть в ку́клы?

3. Что сказа́ла учи́тельница, когда́ она́ прочита́ла стихи́ Ми́ши?

4. Почему́ Ми́ша оби́делся?

5. Что сде́лала учи́тельница, когда́ Ми́ша отказа́лся[1] занима́ться?

6. Каки́м го́лосом па́па говори́л с Ми́шей?

7. При како́м вопро́се Ми́ши ма́ма вы́бежала из ко́мнаты?

8. Что па́па сказа́л Ми́ше о кри́тике?

9. Почему́ Ми́ша хоте́л пропусти́ть уро́к?

10. Почему́ па́па и Ми́ша должны́ извини́ться пе́ред учи́тельницей?

11. Почему́ не на́до говори́ть учи́тельнице, что она́ курно́сая?

12. Почему́ Ми́шу мо́жно звать весну́щатым?

II. КРА́ТКОЕ ИЗЛОЖЕ́НИЕ ТЕ́КСТА

Ми́ша подошёл к окну́ и уви́дел на карни́зе пти́чку. Он до́лго смотре́л на неё. Пото́м он написа́л стихи́ про пти́чку и был о́чень дово́лен собо́й. Он стал писа́ть про па́пу. Он писа́л, что па́па заставля́ет его́ писа́ть стихи́, но он не хо́чет писа́ть; что ему́ не интере́сно. Ми́ше ста́ло о́чень гру́стно. Когда́ пришла́ его́ молода́я учи́тельница, Ми́ша капри́зничал с ней и не хоте́л занима́ться. Он написа́л в дневнике́, что па́па зовёт учи́тельницу „курно́сая“ и говори́т, что ей ещё на́до игра́ть в ку́клы. Учи́тельница э́то прочита́ла и оби́делась. Она́ сказа́ла ма́ме, что Ми́ша не хо́чет занима́ться. Ма́ма взяла́ дневни́к Ми́ши и показа́ла па́пе. Па́па позва́л Ми́шу. Ми́ша сказа́л па́пе, что он капри́зничает, потому́ что никто́ не обраща́ет на него́ внима́ния, и что учи́тельница надоеда́ет ему́. Пото́м па́па и Ми́ша извини́лись пе́ред учи́тельницей в том, что они́ говори́ли и писа́ли о ней не о́чень хоро́шие ве́щи.

---

[1] *Refused.*

ЛЮБОПЫ́ТНЫЙ СЛУ́ЧАЙ

I

I. ВОПРО́СЫ

1. Где рабо́тал Фёдор Кирю́шин?

2. От чего́ его́ здоро́вье пострада́ло?

3. Что дире́ктор заво́да реши́л сде́лать?

4. Что одна́жды получи́лось для Кирю́шина?

5. Отку́да э́то получи́лось?

6. Почему́ Кирю́шин не посла́л ничего́ ма́тери?

7. Кому́ он посла́л посы́лку?

8. Где жила́ его́ сестра́?

9. Что она́ де́лала?

10. Где был её муж?

11. Что Кирю́шин посла́л сестре́ в посы́лке?

12. Почему́ А́нна Па́вловна не зна́ла, от кого́ была́ посы́лка?

II. КРА́ТКОЕ ИЗЛОЖЕ́НИЕ ТЕ́КСТА

Инжене́р Фёдор Кирю́шин рабо́тал на заво́де в Ленингра́де. Одна́жды он получи́л из Москвы́ хоро́шую посы́лку. Он хоте́л подели́ться посы́лкой с ма́терью, но не знал, где его́ мать. Он посла́л посы́лку сестре́ в Каза́нь. Он написа́л сестре́ дли́нное и подро́бное письмо́ и отнёс его́, вме́сте с посы́лкой, в штаб а́рмии. Его́ прия́тель обеща́л ему́ отпра́вить посы́лку и письмо́ сестре́ Кирю́шина в Каза́нь. Когда́ лётчик принёс А́нне Па́вловне посы́лку, она́ не зна́ла, от кого́ посы́лка, потому́ что там не́ было письма́.

II

I. ВОПРО́СЫ

1. Кому́ А́нна Па́вловна посла́ла шокола́д?

2. Где жила́ её мать?

3. Ско́лько пли́ток шокола́ду она́ отпра́вила ма́тери?

4. Где лётчик Руднёв застал мать Анны Павловны?

5. Что старушка делала?

6. Кому она отправила шоколад?

7. Сколько плиток она ему отправила?

8. Что она послала сыну вместе с шоколадом?

9. Что сделал Кирюшин, когда он вскрыл посылку?

10. Почему он смеялся?

II. КРАТКОЕ ИЗЛОЖЕНИЕ ТЕКСТА

Анна Павловна долго ломала голову над вопросом, от кого посылка. Потом она решила,[1] что шоколад ей прислала знакомая киноактриса, которая брала у неё уроки английского языка. Анна Павловна послала шоколад матери. Старичок из Ленинграда сказал матери Кирюшина, что её сын живёт в нужде, и старушка-мать послала шоколад сыну.

Кирюшин получил посылку матери. Когда он вскрыл её, он громко рассмеялся, потому что увидел плитки знакомого шоколада.

---

[1] *Decided.*

АПТЕ́КАРША

I. ВОПРО́СЫ

1. Почему́ апте́карша не спит?

2. Что она́ де́лает?

3. Что де́лает её муж?

4. Где нахо́дится апте́ка?

5. Что апте́карша вдруг слы́шит?

6. Что говори́т до́ктор про апте́каршу?

7. Почему́ офице́р хо́чет зайти́ в апте́ку?

8. Что де́лает апте́карша, когда́ она́ слы́шит звоно́к?

9. Что офице́ры покупа́ют снача́ла?

10. Что они́ покупа́ют пото́м?

11. О чём апте́карша про́сит офице́ров?

12. Что она́ де́лает, когда́ покупа́тели ухо́дят?

13. Что де́лает до́ктор?

14. А Обтёсов?

15. Кто слы́шит звоно́к Обтёсова?

16. Почему́ апте́карша пла́чет?

II. КРА́ТКОЕ ИЗЛОЖЕ́НИЕ ТЕ́КСТА

Ночь. В ма́леньком городке́ все спят. Но молода́я жена́ апте́каря не спит. Она́ сиди́т у окна́ и смо́трит в по́ле. Ей о́чень ску́чно.

Вдруг она́ ви́дит две фигу́ры и слы́шит разгово́р двух мужчи́н. Э́то до́ктор и офице́р. Они́ захо́дят в апте́ку: они́ ду́мают, что, мо́жет быть, уви́дят хоро́шенькую апте́каршу. Они́ покупа́ют мя́тных лепёшек, пото́м зе́льтерской воды́, пото́м вина́. Они́ не хотя́т уходи́ть из апте́ки: им ве́село. Апте́карше то́же уже́ не ску́чно; ей о́чень ве́село.

Че́рез не́которое вре́мя покупа́тели ухо́дят, а апте́карша бежи́т в спа́льню. Ско́ро она́ опя́ть слы́шит звоно́к. Но муж её то́же слы́шит звоно́к и идёт в апте́ку. Офице́р покупа́ет у него́ на пятна́дцать копе́ек мя́тных лепёшек. Апте́карша го́рько пла́чет: она́ о́чень несча́стна.

ПÓСЛЕ БÁЛА

I

I. ВОПРÓСЫ

1. От чегó переменѝлась вся жизнь Ивáна Васѝльевича?

2. Какáя былá Вáренька в мóлодости?

3. Что чáсто дéлал Ивáн Васѝльевич, когдá он был студéнтом?

4. Где он был в послéдний день мáсляницы?

5. Почемý он не пил на балý?

6. А что он там дéлал?

7. Почемý все любовáлись Вáренькой?

8. Что сдéлали все, когдá полкóвник и Вáренька кóнчили танцовáть мазýрку?

9. Почемý полкóвник отказáлся от ýжина?

10. Почемý Ивáн Васѝльевич не мог спать в ту ночь?

11. С кем он тогдá жил?

12. Почемý брат не пошёл с ним на бал?

13. Что дéлал брат, когдá Ивáн Васѝльевич вернýлся с бáла?

14. Что сдéлал Ивáн Васѝльевич?

II. КРÁТКОЕ ИЗЛОЖÉНИЕ ТÉКСТА

Ивáн Васѝльевич сказáл, что егó жизнь переменѝлась от однóй нóчи. Когдá все спросѝли, что случѝлось, он рассказáл слéдующее:[1]

Однáжды, когдá он был студéнтом, он был на балý у одногó óчень богáтого человéка. Он тогдá был сѝльно влюблён в Вáреньку Б., и на балý мнóго танцовáл с ней.

Хозя́йка дóма попросѝла отцá Вáреньки, красѝвого, высóкого полкóвника, танцовáть мазýрку с Вáренькой. Полкóвник отказáлся, но потóм взял рýку дóчери и стал танцовáть с ней. Онѝ танцовáли óчень красѝво, и все смотрéли на них. Когдá онѝ кóнчили, все грóмко зааплодѝровали.

---

[1] *The following.*

151

Когда́ го́сти пошли́ у́жинать, полко́вник от у́жина отказа́лся. Он сказа́л, что ему́ на́до за́втра ра́но встава́ть, и уе́хал.

По́сле ба́ла Ива́н Васи́льевич прие́хал домо́й. Ва́ренька, уезжа́я, дала́ ему́ пёрышко от ве́ера и перча́тку, и он всё вре́мя смотре́л на них и ду́мал о ней. Он был так сча́стлив, что не мог спать. Он наде́л шине́ль и вы́шел на у́лицу.

I. ВОПРО́СЫ

1. Что уви́дел Ива́н Васи́льевич, когда́ он вы́шел в по́ле?

2. Что он услыха́л?

3. Как стоя́ли солда́ты?

4. Как был оде́т[1] челове́к, кото́рый приближа́лся к нему́?

5. К чему́ он был привя́зан?

6. Кто шёл ря́дом с ним?

7. Что де́лали у́нтер-офице́ры, когда́ тата́рин опроки́дывался наза́д?

8. Что они́ де́лали, когда́ он па́дал наперёд?

9. Кто был высо́кий вое́нный, кото́рый шёл о́коло него́?

10. Почему́ полко́вник бил солда́та?

11. Что сде́лал полко́вник, когда́ он уви́дел Ива́на Васи́льевича?

12. Что сде́лал Ива́н Васи́льевич?

13. Что вспомина́л по́сле э́того Ива́н Васи́льевич, когда́ он смотре́л на Ва́реньку?

14. Что случи́лось с его́ любо́вью?

II. КРА́ТКОЕ ИЗЛОЖЕ́НИЕ ТЕ́КСТА

Ива́н Васи́льевич пошёл к до́му, где жила́ Ва́ренька. Э́тот дом был о́коло большо́го по́ля. Когда́ он вы́шел в по́ле, он увида́л в конце́ его́ что-то большо́е, чёрное и услыха́л зву́ки фле́йты и бараба́на. Пото́м он уви́дел мно́го чёрных люде́й. Э́то бы́ли солда́ты в чёрных мунди́рах. Они́ стоя́ли двумя́ ряда́ми и не двига-

---

[1] *Dressed.*

лись. Позади их стояли барабанщики и флейтист. Это татарина гоняли за побег. Татарин шёл между двумя рядами солдат, и с обеих сторон на него сыпались удары. Не отставая от него, шёл высокий военный. Это был полковник Б., отец Вареньки. Когда полковник увидел, что один солдат не достаточно сильно ударил татарина, он стал бить его по лицу. Полковник увидел Ивана Васильевича; он нахмурился и отвернулся. Иван Васильевич поторопился уйти домой. Его любовь к Вареньки с этого дня пошла на убыль. Когда он смотрел на неё, он вспоминал её отца на площади, и ему становилось неловко и неприятно. Он стал реже видаться с нею, и любовь его сошла на нет.

ЧÁРЫ

I. ВОПРÓСЫ

1. Кто расскáзывает э́ту истóрию?

2. Где началáсь истóрия пéрвой любви́?

3. Как был освещён[1] зал?

4. Кто появи́лся на эстрáде?

5. Как называ́ли скрипачá?

6. О чём чáсто ду́мала дéвушка, гля́дя на егó гóрдый прóфиль?

7. Что онá знáла из книг?

8. Что дéвушка сдéлала однáжды?

9. Получи́ла-ли она отвéт на своё письмó?

10. Почему́ перепи́ска дéвушки с арти́стом прекрати́лась?

11. Кто стал чáсто приезжáть к дéвушке на дáче?

12. Что генерáл привози́л ей?

13. Что онá реши́ла?

II. КРÁТКОЕ ИЗЛОЖÉНИЕ ТÉКСТА

Наи́вная дéвушка, тóлько что окóнчившая институ́т, приéхала с мáтерью на бал. На э́том балу́ игрáл краси́вый скрипáч. Он óчень понрáвился дéвушке, и онá написáла ему́ письмó. Онá читáла в кни́гах, что все вели́кие лю́ди óчень одинóки, и реши́ла, что он тóже одинóк. Скрипáч отвéтил на её письмó, и мéжду ни́ми завязáлась перепи́ска. Но скóро дéвушка уéхала на дáчу, и перепи́ска прекрати́лась.

I. ВОПРÓСЫ

1. Отку́да дéвушка возвращáлась однáжды?

2. Что онá услы́шала, когдá онá проходи́ла ми́мо однóй дáчи?

3. Когó онá потóм уви́дела?

---

[1] *Lighted.*

4. Где он сиде́л?

5. Кто был у него́ на коле́нях?

6. Кто стоя́л про́тив него́?

7. Что де́лала же́нщина?

8. Как она́ была́ оде́та?[1]

9. Что де́лали де́ти?

10. Ско́лько дете́й там бы́ло?

11. Кто ещё сиде́л о́коло кру́глого стола́?

12. Что де́лала стару́шка?

13. Что де́лал арти́ст, гля́дя на ма́ленького ребёнка?

14. Как измени́лось[2] лицо́ арти́ста, когда́ он уви́дел де́вушку?

15. Что сде́лала де́вушка?

16. Что она́ сде́лала че́рез полго́да?

II. КРА́ТКОЕ ИЗЛОЖЕ́НИЕ ТЕ́КСТА

Одна́жды де́вушка, с ма́терью и генера́лом, возвраща́лась с прогу́лки. Она́ отста́ла от них. Вдруг она́ услы́шала знако́мый го́лос, кото́рый её взволнова́л. Она́ ста́ла прислу́шиваться и наблюда́ть. Она́ уви́дела арти́ста. Он сиде́л о́коло стола́; на коле́нях у него́ был ма́ленький ребёнок. Жена́ арти́ста вари́ла варе́нье, а че́тверо дете́й толпи́лись о́коло та́за и обли́зывали ло́жки с варе́ньем. Ребёнок, кото́рый сиде́л на коле́нях отца́, вскри́кивал и пуска́л ртом пузыри́. Арти́ст улыба́лся и вытира́л мо́крые гу́бы и рот ребёнка гря́зной тря́пкой. Арти́ст уви́дел де́вушку, и лицо́ его́ покры́лось густо́й кра́ской. Де́вушка бро́силась бежа́ть. Че́рез полго́да она́ ста́ла жено́й кавалери́йского генера́ла.

---

[1] *Dressed.*   [2] *Changed.*

ОТРЫВОК ИЗ „ОДНОЭТАЖНАЯ АМЕРИКА"

I. ВОПРОСЫ

1. Куда вошли Ильф и Петров?

2. Что лежало под стеклом прилавка?

3. Во что была завёрнута каждая сигара?

4. Что было надето поверх бумаги?

5. Сколько стоили сигары?

6. Что было напротив входа в вестибюль?

7. Как раскрывались дверцы лифтов?

8. Кто высовывался из лифта?

9. Что сделали мужчины, когда в лифт вошла женщина?

10. В каких лифтах надо снимать шляпы?

11. Что Ильф и Петров искали, войдя в номер?

12. Зачем они искали кнопку звонка?

13. Как надо вызывать служащих в американских отелях?

14. А в русских?

15. Кто приготовляет постели в американских отелях?

16. А в русских?

II. КРАТКОЕ ИЗЛОЖЕНИЕ ТЕКСТА

Ильф и Петров вошли в очень просторный мраморный вестибюль гостиницы. Потом они вошли в лифт, и он помчался кверху. На двадцать седьмом этаже они вышли из лифта и направились к своему номеру. Войдя в номер, они принялись отыскивать включатель, но включателей нигде не было. Наконец, они нашли: они дёрнули за короткую тонкую цепочку, и электричество зажглось. Постели не были приготовлены на ночь, и они стали искать кнопку звонка, чтобы позвонить горничной. Потом они узнали, что в отелях постели приготовляют сами постояльцы.

НЕВЕСТА

I

I. ВОПРОСЫ

1. В какое время года это было?

2. Почему вы так думаете?

3. Что делала Люба прежде чем[1] подойти к койкам?

4. Когда Люба садилась около кого-нибудь поиграть в карты?

5. Где был муж Любы?

6. Знали-ли больные, что Любе тяжело?

7. Что она делала по ночам?

8. Что она узнала о своём муже?

9. От кого она это узнала?

10. Что он обещал ей сказать?

11. Что прервало[2] рассказ Любы?

II. КРАТКОЕ ИЗЛОЖЕНИЕ ТЕКСТА

Когда Люба дежурила в палате, все были в отличном настроении. Она была ласковая и живая, и все любили её. Муж Любы, капитан-танкист, пропал без вести, и Люба месяц не могла отыскать его след. Вчера близкий друг мужа, танкист, сказал Любе, что муж её остался в окружении. Он сказал ей, что муж может вернуться и что надо ждать. Он обещал сказать ей, когда ждать больше не нужно будет.

II

I. ВОПРОСЫ

1. Куда перевели на время рассказчика?[3]

2. Кого он увидел рядом с собой, когда он вернулся?

3. Почему танкист был похож на куклу из бинтов?

4. Что рассказчик услыхал, когда он проснулся утром?

5. Как он знал, что в то утро дежурила не Люба?

---

[1] Before. [2] Interrupted. [3] Narrator.

6. Почему́ он хоте́л разбуди́ть сестру́, когда́ ра́неный попроси́л пить?

7. Как ра́неный называ́л же́нщину, о кото́рой он расска́зывал?

8. Почему́ он её никогда́ не вида́л?

9. Каки́е во́лосы бы́ли у неё?

10. Как он э́то знал?

11. Почему́ сле́дующий день был реша́ющий?

12. Где был муж „ду́шеньки"?

II. КРА́ТКОЕ ИЗЛОЖЕ́НИЕ ТЕ́КСТА

Расска́зчика перевели́ в друго́й го́спиталь, но он ско́ро верну́лся в знако́мую пала́ту. Ря́дом с собо́й он уви́дел челове́ческую фигу́ру, похо́жую на огро́мную ку́клу из бинто́в. Э́то был ра́неный танки́ст. Под у́тро расска́зчик просну́лся, и танки́ст попроси́л пить. Танки́ст рассказа́л ему́, что у него́ есть неве́ста; он называ́л её „ду́шенька". Он сказа́л, что за́втра реша́ющий день: он, мо́жет быть, начнёт ви́деть по́сле опера́ции. Он та́кже рассказа́л, что муж „ду́шеньки" поги́б на фро́нте.

III

I. ВОПРО́СЫ

1. Почему́ расска́зчик ду́мал, что неве́ста танки́ста была́ Лю́ба?

2. Что Фе́ня сказа́ла танки́сту, когда́ она́ вошла́?

3. Почему́ она́ пла́кала?

4. Как Фе́ня провожа́ла танки́ста в перевя́зочную?

5. Почему́ она́ не вошла́ с ним?

6. Что профе́ссор сказа́л танки́сту по́сле перевя́зки?

7. Почему́ Фе́ня побледне́ла, когда́ она́ э́то услыха́ла?

8. Что она́ сде́лала?

II. КРА́ТКОЕ ИЗЛОЖЕ́НИЕ ТЕ́КСТА

У́тром расска́зчик подошёл опя́ть к танки́сту. Танки́ст опя́ть говори́л ему́ о свое́й неве́сте, и о том, что она́ краса́вица. Ско́ро пришла Феня и сказала, что сейчас будет перевязка. Она села около танкиста и стала гладить его руку. В глазах её были слёзы, и лицо было полно нежности и грусти.

Когда танкиста положили на коляску, Феня пошла с ним рядом, держа его за руку. Она не вошла в перевязочную, а остановилась у дверей. Она услыхала, как профессор сказал танкисту, что через неделю он будет видеть. Феня страшно побледнела, и быстро ушла. Больше её в госпитале не видели.

В СЕМЬЕ

I. ВОПРОСЫ

1. Куда шёл Алексей Скворцов?

2. Откуда он шёл?

3. В какое время года это было?

4. Что Алексей увидел, когда он поднялся на гору?

5. Почему колхозники не узнали Алексея?

6. Кого Алексей встретил во дворе своего дома?

7. Узнала-ли старуха сына?

8. Где была в это время жена Алексея?

9. Что сделала дочь Алексея, когда он хотел подойти к ней?

10. Взяла-ли девочка подарки?

11. Где Алексей увидел свой портрет?

12. Был-ли Алексей похож на свой портрет?

II. КРАТКОЕ ИЗЛОЖЕНИЕ ТЕКСТА

Была ранняя весна. Танкист Алексей Скворцов шёл из госпиталя домой. Его лицо было изуродовано на войне, и теперь он не мог узнать себя в зеркале. Даже голос его стал чужим.

Когда Алексей подошёл к группе колхозников, они его не узнали. Когда он вошёл в ворота своего дома, он встретил мать; она тоже не узнала его. Он сказал ей, что он был с её сыном Алексеем в госпитале; что сын её легко ранен, и скоро выйдет из госпиталя. Он сказал также, что он привёз ей поклон от Алексея. Потом он спросил, где Настя. Мать сказала, что Настя в колхозе, и попросила его войти в дом. Он увидел девочку, свою дочь, и хотел подойти к ней. Но девочка боялась его.

Он вышел из дома и пошёл к Насте, в колхоз.

I. ВОПРОСЫ

1. Где Алексей нашёл[1] свою жену?

---
[1] *Found.*

2. Что она́ де́лала?

3. Почему́ На́стя побледне́ла?

4. Кто написа́л письмо́, кото́рое Алексе́й дал На́сте?

5. Когда́ и где он его́ написа́л?

6. Почему́ Алексе́й не мог мно́го говори́ть с На́стей по доро́ге в колхо́з?

7. Что Алексе́й сказа́л На́сте про Алексе́я?

8. Что сде́лали колхо́зники, когда́ они́ услыха́ли, что Алексе́й — друг Алексе́я?

9. Что вспо́мнил Алексе́й, когда́ он говори́л с Па́влом?

II. КРА́ТКОЕ ИЗЛОЖЕ́НИЕ ТЕ́КСТА

Когда́ Алексе́й проходи́л ми́мо двора́ своего́ това́рища Па́вла, он услыха́л весёлый смех На́сти. Он бы́стро вошёл в воро́та. На́стя и Па́вел стоя́ли во дворе́; Па́вел говори́л что-то весёлое, а На́стя смея́лась. Когда́ Алексе́й подошёл к ним, На́стя не узна́ла его́, и смотре́ла на него́ с жа́лостью. Алексе́й сказа́л ей, что он привёз ей покло́н и письмо́ от Алексе́я.

На́стя и Алексе́й пошли́ в колхо́з. В конто́ре колхо́за На́стя сказа́ла, что Алексе́й сража́лся вме́сте с Алексе́ем. Колхо́зники окружи́ли его́ и ста́ли расспра́шивать. Бо́льше всех расспра́шивал его́ Па́вел. Алексе́й вспо́мнил, что он и Па́вел когда́-то вме́сте уха́живали за На́стей. Алексе́й жени́лся на На́сте, но дру́жба молоды́х люде́й продолжа́лась.

III

I. ВОПРО́СЫ

1. Когда́ Алексе́й уви́дел своего́ сы́на?

2. Ско́лько лет бы́ло ма́льчику?

3. Что Стёпа спроси́л у него́?

4. Почему́ Стёпа узна́л, что Алексе́й был „от па́пы"?

5. Что Стёпа по́мнил о па́пе?

6. Куда́ Алексе́й пошёл пото́м со Стёпой?

7. Что он там де́лал?

8. Почему́ Алексе́й сказа́л ма́тери, что он „домо́й“ не пое́дет?

9. Что на э́то отве́тила стару́ха?

II. КРА́ТКОЕ ИЗЛОЖЕ́НИЕ ТЕ́КСТА

Алексе́й шёл по у́лице и ду́мал о встре́че с жено́й и ма́терью. Он встре́тился с семьёй, а тепе́рь на́до уйти́. Тяжело́ бу́дет ма́тери и жене́, но лу́чше, чем жить с уро́дом.

На у́лице к нему́ подбежа́л ма́льчик. Э́то был его́ сын Стёпа. Стёпа не узна́л отца́. Они́ вме́сте пошли́ домо́й.

Алексе́й вы́шел в сад и стал копа́ть я́мки для я́блонь. Пришла́ мать Алексе́я и позвала́ его́ у́жинать.

IV

I. ВОПРО́СЫ

1. Почему́ Алексе́й оста́лся переночева́ть до́ма?

2. Хорошо́-ли он спал ту ночь?

3. Что он слы́шал но́чью?

4. О чём он ду́мал?

5. Весёлые-ли то бы́ли ду́мы?

6. Что сказа́л Стёпа, когда́ Алексе́й стал проща́ться с ним?

7. Как На́стя узна́ла Алексе́я?

8. За что На́стя лю́бит Алексе́я?

9. Что сде́лала мать, когда́ она́ узна́ла сы́на?

10. Что спроси́л Стёпа у отца́?

II. КРА́ТКОЕ ИЗЛОЖЕ́НИЕ ТЕ́КСТА

Пе́ред ве́чером верну́лась На́стя, и Стёпа прибежа́л звать Алексе́я обе́дать. По́сле обе́да Алексе́й хоте́л уйти́, но Стёпа стал проси́ть его́ оста́ться и рассказа́ть ещё что-нибу́дь про па́пу. На́стя то́же проси́ла его́ оста́ться переночева́ть, и Алексе́й оста́лся.

Ско́ро все пошли́ спать. Алексе́й не мог спать. Он ду́мал о де́тях и о жене́. Э́то бы́ли печа́льные, го́рькие ду́мы.

У́тром На́стя сказа́ла Алексе́ю, что она́ с Па́влом подвезу́т его́ до ста́нции. Они́ бы́стро поза́втракали, и Алексе́й стал проща́ться с женой и детьми. Он поднял Стёпу и стал раскачивать его, как два года тому назад. И тогда Настя узнала Алексея, потому что никто другой не мог так приласкать своих детей.

В ЛЮДЯХ (I)

I. ВОПРОСЫ

1. Что спроси́ла да́ма у Го́рького?

2. Что Го́рький попроси́л у неё?

3. Каки́е кни́ги назва́л Го́рький, когда́ да́ма спроси́ла, что он чита́л?

4. О чём забыва́л Го́рький, когда́ он чита́л?

5. Каку́ю кни́гу да́ма дала́ Го́рькому?

6. Понра́вились-ли Го́рькому „Та́йны Петербу́рга“?

7. Почему́?

8. Каку́ю кни́гу дала́ ему́ да́ма пото́м?

9. Понра́вился-ли Го́рькому Пу́шкин?

10. Что напомина́л ему́ проло́г к „Русла́ну“?

11. Тру́дно-ли бы́ло Го́рькому запомина́ть стихи́ Пу́шкина?

12. Почему́ стару́ха хозя́йка руга́лась?

13. Почему́ Го́рький сказа́л да́ме, что он не слыха́л о Пу́шкине?

14. Что сказа́ла да́ма, когда́ Го́рький прочита́л на па́мять стихи́ Пу́шкина?

II. КРА́ТКОЕ ИЗЛОЖЕ́НИЕ ТЕ́КСТА

Да́ма спроси́ла Го́рького, что ему́ подари́ть. Он отве́тил, что дари́ть ничего́ не на́до, но попроси́л дать ему́ каку́ю-нибудь кни́гу. Да́ма дала́ ему́ „Та́йны Петербу́рга“, но ему́ э́та кни́га не понра́вилась. Она́ была́ ску́чная. Пото́м да́ма дала́ ему́ то́мик поэ́м Пу́шкина. Стихи́ Пу́шкина о́чень понра́вились Го́рькому. Они́ о́чень легко́ запомина́лись.

Когда́ Го́рький принёс да́ме кни́гу Пу́шкина, она́ спроси́ла, каки́е стихи́ ему́ понра́вились. Он чита́л на па́мять стихи́, и да́ма сказа́ла, что ему́ ну́жно бы́ло бы учи́ться.

В ЛЮДЯХ (II)

I. ВОПРОСЫ

1. О чём Горький рассказывал людям по вечерам?

2. Как они слушали чтение Горького?

3. Как Горький доставал книги?

4. Как всем понравился „Демон"?

5. Кто написал эту поэму?

6. Почему у Горького срывался голос, когда он читал?

7. Где стояли все, когда он кончил читать первую часть?

8. Как они стояли?

9. Что сделал Жихарёв, когда Горький кончил читать?

10. Что все сделали, когда пробило девять часов?

11. Как все ужинали?

12. Что Горький делал после ужина?

13. Почему Павел плакал?

II. КРАТКОЕ ИЗЛОЖЕНИЕ ТЕКСТА

Утром Горький должен был приготовить мастерам самовар. Он с Павлом прибирали мастерскую, затем он отправлялся в лавку. По вечерам он рассказывал мастерам о жизни на пароходе и разные истории из книг. Потом он стал им читать. Все любили слушать его чтение и слушали очень внимательно. Но было трудно доставать книги. Однажды он достал поэму Лермонтова „Демон". Когда он начал читать эту поэму, он почувствовал силу поэзии и её влияние на людей.

165

ПЕЛАГÉЯ

I. ВОПРÓСЫ

1. Скóлько лет муж Пелагéи жил в гóроде?

2. Где он жил рáньше?

3. Приятно-ли емý бы́ло, что его женá неграмотная?

4. Что муж принёс однáжды Пелагéе?

5. Что Пелагéя сдéлала с кни́гой?

6. За какýю рабóту присéла однáжды Пелагéя?

7. Что онá нашлá в кармáне пиджакá?

8. Чем пáхла бумáга?

9. Почемý Пелагéя не прочитáла письмá?

10. Легкó-ли бы́ло Пелагéе научи́ться читáть?

11. Скóлько мéсяцев онá учи́лась?

12. Скóлько раз Пелагéя прочитáла письмó?

13. Что онá сдéлала, когдá кóнчила читáть егó?

II. КРÁТКОЕ ИЗЛОЖÉНИЕ ТÉКСТА

Пелагéя никогдá нигдé не учи́лась. Онá былá неграмотная. Муж Пелагéи óчень стеснялся, что его женá былá неграмотная. Он мнóго раз проси́л её научи́ться хоть фами́лию свою подпи́сывать, но Пелагéя откáзывалась. Однáжды Ивáн Николáевич принёс буквáрь и сказáл, что он сам бýдет покáзывать ей, как читáть. Но Пелагéя опять отказáлась, и спрятала буквáрь в комóд. Однáжды Пелагéя сéла починять пиджáк Ивáна Николáевича, и нашлá в кармáне пиджакá письмó, но прочéсть егó не моглá. Онá óчень пожалéла, что не умéет читáть, и сказáла мýжу, что онá непрóчь поучи́ться; что ей надоéло быть неграмотной. Муж обрáдовался, и стал покáзывать женé, как читáть. Пелагéя два мéсяца учи́лась читáть, и на трéтий мéсяц, наконéц, научи́лась. Онá вы́нула письмó и стáла читáть егó. Письмó бы́ло от Мари́и Блóхиной. Онá проси́ла Николáя Ивáновича застáвить Пелагéю учи́ться; внуши́ть ей, как сты́дно быть неграмотной бáбой.

Пелагéя двáжды прочитáла письмó и заплáкала.

МАТЬ

I

I. ВОПРÓСЫ

1. В какóе врéмя дня жéнщина пришлá на стáнцию?

2. В какóе врéмя гóда э́то бы́ло?

3. Почемý проводнúк дýмал, что её мéсто в óбщем вагóне?

4. Как онá былá одéта?

5. Почемý онá устáла?

6. Почемý онá отказáлась поéхать на стáнцию?

7. Кудá онá éхала? Зачéм?

8. Что жéнщина сказáла киноактрúсе про её гýбы?

9. Почемý киноактрúса не отвéтила?

10. Что онá предложúла другúм пассажúрам?

II. КРÁТКОЕ ИЗЛОЖÉНИЕ ТÉКСТА

Пóезд остановúлся на глухóй стáнции. К одномý мя́гкому вагóну подбежáла жéнщина и хотéла войтú, но проводнúк сказáл ей, чтоб онá пошлá в óбщий. Жéнщина ушлá, но скóро вернýлась, потомý что у неё был билéт в мя́гкий вагóн. Онá показáла проводникý билéт, и он впустúл её в мя́гкий. Жéнщина вошлá и сéла, и пассажúры смотрéли на неё с любопы́тством: на ней былá нагóльная шýба, и чéрез плечó висéл большóй кошéль. Онá сказáла, что онá óчень устáла, потомý что пришлá из дерéвни, а от дерéвни до стáнции óколо тридцатú вёрст. Одúн из пассажúров, инженéр, спросúл, кудá онá éдет, и онá отвéтила, что éдет в Москвý к сы́ну. Онá не видáла сы́на три гóда, и хóчет поглядéть на егó женý и детéй.

II

I. ВОПРÓСЫ

1. Почемý жéнщина купúла дорогóй билéт?

2. Что её сын дéлал в Москвé?

3. Чем был её муж?

4. Какóй подáрок жéнщина везлá сы́ну?

5. Почему́ мужчи́ны вы́шли в коридо́р?

6. О ком они́ ду́мали?

7. Хорошо́-ли спа́ли пассажи́ры в ту ночь?

8. Почему́?

9. Кто вошёл у́тром в их купе́?

10. Как же́нщина встре́тила сы́на?

11. Что сде́лал молодо́й до́ктор?

II. КРА́ТКОЕ ИЗЛОЖЕ́НИЕ ТЕ́КСТА

Муж же́нщины был пастухо́м, и сын был у отца́ в подпа́сках. Пото́м сын учи́лся, и стал до́ктором.

Киноактри́са захоте́ла спать, и мужчи́ны вы́шли в коридо́р. Они́ стоя́ли у окна́ и мо́лча е́ли клю́кву, кото́рую им дала́ же́нщина. Ка́ждый ду́мал о свое́й ма́тери, и ему́ бы́ло о́чень гру́стно, что его́ мать умерла́.

Мужчи́ны верну́лись в купе́ и легли́ спать, но никто́ спать не мог. У́тром, когда́ они́ прие́хали в Москву́, в ваго́н вошёл сын же́нщины. Он был взволно́ван встре́чей с ма́терью. Он переки́нул за плечо́ коше́ль с клю́квой, взял мать под руку, и они́ вы́шли из ваго́на.

168

ОБЛО́МОВ (I)

I. ВОПРО́СЫ

1. Како́й ве́чер наступа́ет?

2. Где сиди́т мать?

3. Что она́ де́лает?

4. Что де́лают други́е да́мы?

5. Что де́лает оте́ц?

6. Как освещена́[1] ко́мната?

7. Кто сиди́т в кре́слах в гости́ной?

8. Почему́ все молча́т?

9. Что наруша́ет тишину́?

10. Что говори́т Илья́ Ива́нович, когда́ он смо́трит в окно́?

11. Что говоря́т обло́мовцы, когда́ кто-нибу́дь гаси́т свечу́?

12. Как обло́мовцы вели́ счёт вре́мени?

13. Почему́?

II. КРА́ТКОЕ ИЗЛОЖЕ́НИЕ ТЕ́КСТА

Ве́чер. Мать сиди́т на дива́не и вя́жет де́тский чуло́к. Други́е да́мы шьют что-нибу́дь, а оте́ц хо́дит взад и вперёд по ко́мнате. В ко́мнате гори́т одна́ свеча́. Обло́мовцы не люби́ли тра́тить де́нег, поэ́тому дива́н в гости́ной был в пя́тнах, а ко́жаное кре́сло о́чень ста́рое.

На кре́слах в гости́ной сидя́т обло́мовцы и их обы́чные посети́тели. Все молча́т, потому́ что ви́дятся ка́ждый день, и обо всём уже́ мно́го раз говори́ли.

Когда́ кто-нибу́дь неча́янно погаси́т свечу́, кто-нибу́дь ска́жет: „Неожи́данный гость!" По́сле э́того все начина́ют гада́ть,[2] кто э́тот гость.

---

[1] *Lighted.* [2] *To conjecture.*

ОБЛО́МОВ (II)

I. ВОПРО́СЫ

1. Наруша́ло-ли что-нибудь однообра́зие жи́зни Обло́мовых?

2. Жа́ловались-ли обло́мовцы на э́то однообра́зие?

3. Кто вдруг пришёл, когда́ все собра́лись к ча́ю?

4. Отку́да он пришёл?

5. Что он привёз из го́рода?

6. Где мужи́к взял письмо́?

7. Что Илья́ Ива́нович веле́л найти́?

8. Как до́лго их иска́ли?

9. Когда́ распеча́тали письмо́?

10. Что проси́л Фили́пп Матве́евич в письме́?

11. Ско́лько сто́ило посла́ть письмо́ по по́чте?

12. Как Обло́мов знал, ско́лько э́то сто́ит?

13. Получи́л-ли Фили́пп Матве́евич реце́пт?

II. КРА́ТКОЕ ИЗЛОЖЕ́НИЕ ТЕ́КСТА

Жизнь Обло́мовых была́ о́чень однообра́зна, но они́ на э́то не жа́ловались. Одна́жды э́то однообра́зие нару́шилось. Оди́н обло́мовский мужи́к привёз из го́рода письмо́ Обло́мову. Обло́мов до́лго не чита́л э́того письма́: он боя́лся, что в нём что-нибудь стра́шное. Но на четвёртый день письмо́ распеча́тали и узна́ли, что оно́ от Ради́щева. Ради́щев проси́л присла́ть ему́ реце́пт пи́ва. Обло́мова иска́ла реце́пт, но не могла́ найти́ его́. Когда́ она́ узна́ла, что посла́ть реце́пт по по́чте бу́дет сто́ить со́рок копе́ек, она́ сказа́ла, что лу́чше подожда́ть пока́ кто-нибудь пое́дет в го́род. Неизве́стно, получи́л-ли Фили́пп Матве́евич реце́пт.

ТОСКА

I. ВОПРОСЫ

1. Кого ждёт Иона Потапов?

2. Как давно он ждёт?

3. Какое горе у Ионы?

4. Давно-ли это случилось?

5. Кому он рассказывает о своём горе?

6. Внимательно-ли военный слушает его?

7. Кто приходит после военного?

8. Приятные-ли это седоки?

9. Почему они ругаются?

10. Что Иона хочет им рассказать?

11. Слушают-ли молодые люди рассказ Ионы с интересом?

II. КРАТКОЕ ИЗЛОЖЕНИЕ ТЕКСТА

Зима. Вечер. Падает крупный снег. Извозчик Иона Потапов сидит на козлах и ждёт седоков. Он уже давно ждёт, но седоков всё нет. Приходит военный, садится в сани и говорит Ионе, куда ехать.

У Ионы большое горе: недавно умер его сын. Он хочет рассказать о своём горе седоку, но военный закрыл глаза и не слушает.

Высадив военного, Иона долго ждёт других седоков. Приходят три молодых человека и садятся в сани. Они сердятся за то, что Иона медленно едет и ругают его. Иона хочет рассказать им о своём горе, но они плохо слушают его.

Высадив молодых людей, Иона долго ищет глазами кого-нибудь, кто выслушал бы его. Но никто в толпе его не замечает. Иона очень одинок, и ужасная тоска давит ему грудь.

I. ВОПРОСЫ

1. Что Иона спрашивает у дворника?

2. Почему́ он его́ спра́шивает об э́том?

3. До́лго-ли он говори́т с дво́рником?

4. Почему́?

5. Куда́ Ио́на е́дет пото́м?

6. Почему́ он жале́ет, что так ра́но верну́лся домо́й?

7. С кем он хо́чет заговори́ть?

8. Почему́ молодо́й изво́зчик не слу́шает его́?

9. Куда́ Ио́на тогда́ идёт?

10. Кому́ он расска́зывает о своём го́ре?

II. КРА́ТКОЕ ИЗЛОЖЕ́НИЕ ТЕ́КСТА

Ио́на хо́чет заговори́ть с дво́рником, и спра́шивает у него́, кото́рый час. Дво́рник отвеча́ет, и говори́т Ио́не, чтоб он проезжа́л. Ио́на е́дет домо́й. Там уже́ все спят, и ему́ не́кому рассказа́ть о своём го́ре.

Оди́н молодо́й изво́зчик захоте́л пить. Он поднима́ется, и идёт к ведру́ с водо́й. Ио́на начина́ет говори́ть с ним, но изво́зчик напи́лся, лёг, и Ио́на ви́дит, что он уже́ спит. Ио́на не хо́чет спать. Он идёт в коню́шню, где стои́т его́ ло́шадь. Она́ жуёт се́но и ды́шит на ру́ки своего́ хозя́ина. И Ио́на расска́зывает ло́шади о своём го́ре.

ОГОНЬКИ́

I. ВОПРÓСЫ

1. Где плыл одна́жды Короле́нко?

2. Что он вдруг уви́дел?

3. Что он сказа́л?

4. Что сказа́л гребе́ц?

5. Кто был прав?

6. Что он ча́сто вспомина́л пото́м?

II. КРА́ТКОЕ ИЗЛОЖÉНИЕ ТÉКСТА

Одна́жды Короле́нко плыл по тёмной сиби́рской реке́. Э́то бы́ло ве́чером. Вдруг впереди́, о́чень бли́зко, мелькну́л огонёк. Короле́нко сказа́л с ра́достью, что бли́зко ночле́г, но гребе́ц сказа́л, что ого́нь далеко́. Гребе́ц был прав. Они́ ещё до́лго плы́ли по реке́, но огонёк всё стоя́л впереди́, — всё так же бли́зко и всё так же далеко́.

Короле́нко ча́сто вспомина́л э́ту тёмную реку́ и э́тот огонёк. Он говори́т, что огни́ ещё далеко́, но всё-таки впереди́ — огни́.

ДЕНЬ РОЖДÉНИЯ

I

I. ВОПРÓСЫ

1. Как Ивáн Дмитриевич узнáл о смéрти сы́на?

2. Почему́ он не хотéл сказáть об э́том женé?

3. Скóлько лет бы́ло Ми́те?

4. Как семья́ всегдá прáздновала день рождéния Ми́ти?

5. Почему́ роди́тели прáзднуют тепéрь э́тот день без Ми́ти?

6. Чегó тепéрь ждёт мать?

7. Как онá его ждёт? Почему́?

8. Что сдéлал Ивáн Дми́триевич, когдá он остáлся оди́н?

9. Что Ивáн Дми́триевич вспоминáл в садý?

10. О чём он ещё недáвно мечтáл там?

II. КРÁТКОЕ ИЗЛОЖÉНИЕ ТÉКСТА

Ивáн Дми́триевич получи́л извещéние о том, что его еди́нственный сын Ми́тя уби́т. Он дýмал о том, как сказáть женé о смéрти Ми́ти. Женá его былá больнá, и тóлько наканýне встáла и вы́шла на рабóту. Чéрез недéлю день рождéния Ми́ти: ему́ исполня́ется двáдцать лет. Мари́я Николáевна готóвится к ми́тиному дню и тревóжно ждёт от негó письмá.

Заня́тия в учреждéнии кóнчились, и Ивáн Дми́триевич пошёл домóй. Проходя́ ми́мо городскóго сáда, он вошёл тудá и сел на скамéйку. Он сидéл и вспоминáл, как ещё недáвно он гуля́л в э́том садý с женóй и Ми́тей. Ещё так недáвно он мечтáл о том, как кóнчится войнá, и Ми́тя вернётся домóй.

II

I. ВОПРÓСЫ

1. В какóм вопрóсе не сошли́сь ýтром Ивáн Дми́триевич и его женá?

2. Когдá Ивáн Дми́триевич скáжет женé о смéрти сы́на?

3. Почему́ не рáньше?

4. Что сделала Мария Николаевна после обеда?

5. Куда пошёл вечером Иван Дмитриевич?

6. Почему он туда пошёл?

7. Как друзья провели вечер?

II. КРАТКОЕ ИЗЛОЖЕНИЕ ТЕКСТА

Иван Дмитриевич долго сидел на скамейке в саду. Потом поднялся и медленно пошёл домой. Он решил сказать жене о смерти Мити после митиного дня. После обеда Мария Николаевна ушла на работу. Вечером Иван Дмитриевич пошёл к своему старому другу Кириллу Ильичу, потому что ему было очень тяжело оставаться одному. Кирилл Ильич согласился, что до митиного дня не надо говорить матери о его смерти. Друзья долго плакали вместе, смотрели на портрет Мити и говорили о нём.

III

I. ВОПРОСЫ

1. Почему Иван Дмитриевич зашёл за другом?

2. Как Кирилл Ильич поздравил Марью Николаевну с днём рождения сына?

3. Что делали друзья в этот вечер?

4. Как Мария Николаевна узнала о смерти Мити?

5. Почему Митя написал матери, а не отцу?

6. Что он просит её сделать?

7. Почему она не сказала Ивану Дмитриевичу раньше о смерти сына?

8. Почему Митя пишет, что его отец и мать будут гордиться им?

9. Как три друга встретили утро?

II. КРАТКОЕ ИЗЛОЖЕНИЕ ТЕКСТА

Пришёл митин день. Иван Дмитриевич и Мария Николаевна работали в этот день, а вечером пришли домой. По дороге Иван Дмитриевич зашёл за Кириллом Ильичом. Друзья сидели за столом и беседовали. На полу лежала ковровая дорожка. Иван

Дми́триевич ступи́л на э́ту доро́жку, и вдруг застона́л от бо́ли. Пото́м он запла́кал. Жена́ стоя́ла пе́ред ним с лека́рством и пла́кала. Ива́н Дми́триевич рассказа́л ей о сме́рти Ми́ти, но она́ уже́ зна́ла об э́том. Она́ получи́ла письмо́ от Ми́ти. Ми́тя писа́л из го́спиталя. Он писа́л, что день его́ сме́рти придёт ра́ньше, чем день рожде́ния; что у него́ была́ заве́тная мечта́: он хоте́л соверши́ть по́двиг. И вот он соверши́л э́тот по́двиг, и он сча́стлив.

ПЕСНЯ О СОКОЛЕ

I

I. ВОПРОСЫ

1. Где был уж?

2. Что он делал?

3. Почему сокол упал в ущелье?

4. Почему сокол называет ужа „бедняга"?

5. Почему уж не думает, что он бедняга?

6. Что хотел больной[1] сокол?

7. В чём сокол находит[2] счастье?

8. Что сделал сокол?

9. Как закончилась[3] жизнь сокола?

II. КРАТКОЕ ИЗЛОЖЕНИЕ ТЕКСТА

Уж лежал в сыром ущелье. Вдруг в ущелье упал сокол; грудь его была разбита и перья были в крови. Сокол сказал ужу, что он умирает, но что он знает счастье, потому что он храбро бился и видел небо. Ему жалко ужа, потому что уж не увидит неба так близко, как он его видел. Но уж ответил, что ему хорошо в ущелье: небо — пустое место, а в ущелье тепло и сыро.

Но соколу было душно в тёмном ущелье; он хотел бы хоть раз ещё подняться в небо и прижать врага к раненой груди. Уж предложил соколу подвинуться на край ущелья и броситься вниз: может быть, крылья поднимут его ещё раз. Сокол подошёл к обрыву, расправил крылья, вздохнул всей грудью и скатился вниз. Волна схватила его и умчала в море.

II

I. ВОПРОСЫ

1. Что уж захотел узнать?

2. Что он сделал, чтобы это узнать?

3. О чём он забыл?

---

[1] Sick. [2] Finds. [3] Ended.

4. Что с ним случилось?[1]

5. Почему ужу не нравится[2] небо?

6. Видел-ли он небо?

7. Для кого сокол будет всегда живым примером?

II. КРАТКОЕ ИЗЛОЖЕНИЕ ТЕКСТА

Уж долго думал о смерти сокола. Он захотел узнать, почему сокол так любил небо, и решил взлететь туда ненадолго. Он свернулся кольцом и быстро поднялся в воздух. Но он не высоко поднялся, а упал на камни. Он думал, что он видел небо. Небо ему не нравилось, потому что там нет пищи и опоры. И он опять лёг на камни в ущелье, где было тепло и сыро.

---

[1] *What happened to him?*   [2] *Does not like.*

СЛОВА́РЬ

Русско-Английский словарь

А

а? what's that?
абажу́р, lamp-shade
аво́сь, perhaps
а́втор, author
аза́рт, excitement
ака́ция, acacia
акко́рд, chord
аккура́тн/о, accurately; **-ый,** neat
алле́я, path
анана́с, pineapple
англи́йский, English (*adj.*)
А́нглия, England
апати́чно, indifferently
апте́ка, drug store; **-и есть,** and so it is; **-рша,** druggist's wife; **-рь,** druggist
арифме́тика, arithmetic
а́рмия, army
арома́т, aroma
атла́сный, satin (*adj.*)
афи́ша, poster
ах, oh, oh yes

Б

ба́ба, woman, country woman
ба́бушка, grandmother
багрове́ть, to become purple, red
бал, ball, dancing party
ба́нка, jar
бараба́н, drum; **-щик,** drummer
барза́к, barzak (wine)
ба́рхатный, velvet
ба́ры/ня, lady; **-шня,** girl
барье́р, railing
бас: -ом, in a bass voice
ба́сня, fable
ба́тюшк/а, father; **-и,** oh my! dear me!
бе́г/ать, to run; **-у́т (бежа́ть),** run, hurry by

беда́, misfortune
бе́дность, misery
бедня́га, poor thing!
бежа́ть, to run, flee
без, without
безде́лье, inactivity
безлю́дье, unpeopled land
безме́рно, immensely
безобра́зие, shame
безобра́зный, ugly; **не-,** not bad looking
безу́м/ный, mad; **-ство,** madness
безусло́вно, absolutely
безу́сый, without a mustache
беле́ть, to grow pale, white
бело́к, white (*of an egg*)
бе́лый, white
бельё, linen (*table*); underclothes
бе́рег, shore, bank
берегла́сь (бере́чься), was guarded
бе́режно, carefully
берёза, birch (tree)
берестяно́й, birch-bark (*adj.*)
бер/ёт (брать), takes; **-и,** take; **-я,** taking
бесе́дка, bower
бесе́довать, to talk, converse
бесконе́чный, endless
беспардо́нный, bold
беспарти́йный, non-party man
беспод́обный, matchless
беспоко́йный, restless
беспоко́ить, to bother, disturb, worry; **-ся,** to worry; **что вы так беспоко́итесь?** why are you so concerned
бесполе́зно, useless
беспоря́д/ок, disorder; **что за -ки!** what lack of order!

181

бесси́льный, powerless

библиоте́ка, library

биле́т, ticket

бинт, bandage; **из -ов,** made of bandages

би́тва, fight

бить, to pound, beat, strike; **-ся,** to fight, beat against

благода́р/ен, grateful; **-и́ть,** to thank; **-ность** (*f.*), gratitude; **-я́,** thanks to

благополу́чно, without trouble

благословля́ть, to bless

блаже́нн/о, blissfully; **-ый,** fortunate

бланк, blank, form

бле́дный, pale

блесну́ть, to gleam, flash

блесте́ть, to shine, glitter, glisten

блестя́щий, bright, shiny; shining

ближа́йший, the nearest

бли́зк/ий, close, in the near future; **-о,** near; **совсе́м -о,** quite near, very close; **тут -о,** it's not far; **бли́зость** (*f.*) nearness; **бли́же,** closer; **бы́ли —,** touched more closely

блонди́нка, blond

блоха́, flea

Бог, God; **даст —,** God willing; **не дай —,** God forbid; **ей -у,** upon my word, honestly, I swear

бога́/тый, rich, wealthy; **-че,** richer

Бо́же : — мой! my goodness! gracious! **— сохрани́,** God forbid

бо́йк/о, briskly, lively; **-ий ма́лый,** sprightly fellow

бои́тся (боя́ться), is afraid

бок, side; **-ово́й,** side (*adj.*)

бо́лее, more

боле́знь (*f.*), illness

боло́то, marsh

болта́ть, to chat, chatter

болта́ться, to dangle, sway

болтовня́, chatter

боль (*f.*), pain, anguish; **как от бо́ли,** as if from pain; **-но,** painfully; **сде́лать —,** to hurt; **-но́й,** sick, ill, sickly, ailing; patient

больни́ца, hospital; **лежа́ть в -е,** to be in the hospital

больш/о́й, big, great, large, tall; **-и́й,** greater; **-е,** (any) more, longer; **-е всего́,** more than anything, above all; **-е всех,** most of all; **-е нет,** no longer

бормо/та́ть to mumble, mutter; **-чет,** murmurs, mutters, mumbles

борода́тый, bearded

боро́дка, small beard

боро́ться, to struggle, fight for

босо́й, bare

бой, battle, struggle

бою́сь (боя́ться), I am afraid, I fear

боя́знь (*f.*), fear; **с -ю,** anxiously

боя́ться, to fear, be afraid; **не бо́йся,** don't be afraid

бра́во, hurrah

брани́ться, to abuse, inveigh

брат, brother

брать, to take; **а ты бы не брал,** you shouldn't have taken it

бре́дни, silly fantasy

бровь (*f.*), eyebrow

брос/а́ть, to throw, toss; **-ся,** to throw oneself; **-ить,** to throw, drop; **— рабо́ту,** to stop working; **-и́ться,** to hasten, rush, scurry, plunge, fling oneself; **-ьте,** throw.

брош/енный (бро́сить), thrown; **-у,** will throw

брызги, spray
брюки, trousers
будто: как —, as if
будущее, future (*n.*)
букв/а, letter; -арь, primer
букет, bouquet; aroma
булав/ка: закалывать -ками, to pin; -очка (*dim. of* булавка), pin
бумага, paper; почтовая —, letter paper
бумажка, piece of paper
бумажник, pocketbook
бумажный, paper (*adj.*)
буркнуть, to mumble
бурный, stormy
бутылка, bottle
буфет, buffet
бы: если — не, if not for
быва/ть: -ет, it happens; -ли, had been; -ло, used to; it happened
быстро, swiftly, quickly, hastily
быть, to be; что было дальше, what further happened; — может, maybe

В

в, between, through
вагон (*railroad*), car; общий —, coach
важн/ый, important; вот какой —, how puffed up; только уж очень -ая, but how puffed up she is!
валет: бубновый —, jack of diamonds
вальс, waltz
валяться, to lie
варенье, jam
варить, to boil, brew; -ся, to be cooked
вбежать, to run into
вбивать, to drive (in)
вводить, to bring (in)
вглядываться, to look intently

вдвоём, together; мы — с . . ., X and I
вдоль, along
вдруг, suddenly, unexpectedly; а —, what if
веди (вести), bring; ведший, leading
ведро, bucket, pail
ведь, but, why; а —, yes, but; а — ты тоже, but you too
веер, fan
вежливо, politely
везде, everywhere
везу (везти), am taking
вёл (вести): вели, led, were leading
велеть, to order, tell, require
великий, great
великолепный, magnificent, wonderful, glorious, splendid, sumptuous
величие, importance
венок, wreathe
вера, faith
верблюд, camel
верёвочный, made of cord (rope, string)
верить, to believe, have faith; плохо верили, were skeptical; верьте, believe
вернуть, to return, give back; -ся, to return; вернётся, would (will) return
верн/ый, faithful, loyal; -о, true, right
вероятно, probably, most likely, apparently
верт/еть/ся, to turn, whirl; -ящееся, tossing, moving about
верхлевский, from Verkhlevo
верхний: верхнее место, upper berth
весело, merrily, gayly; ей уже так —, she now feels so gay!
весёлый, cheerful, gay, jolly

весло́, oar; налёг на вёсла (vigorously), kept on rowing

весна́, spring; весе́нний, spring (adj.)

весну́/шки, freckles; -щатый, freckled

вестибю́ль (m.), lobby

весть (f.), news

весь, the entire, all, whole

весьма́, very

вет/вь (f.), -ка, branch

ве́чер, evening; party; -ом, in the evening; перед -ом, toward evening; -ний, evening (adj.)

ве́чн/о, always, constantly, for ever; -ый, perpetual

ве́шать, to weigh

вещь (f.), thing

ве́ять, to waft

взад и вперёд, to and fro, back and forth

взволно|ва́ть, to stir up; -ванный, excited

взгляд, gaze, look, glance; opinion

взгя́/дывать; -ну́ть, to look, glance, cast a look

вздёрнуть, to turn up

вздор, nonsense

вздох, sigh

вздра́гива/ть, to shiver; -ет, has a start; -ющий, shaky

вздыха́ть, to sigh; глубоко́ —, to sigh heavily; легко́ вздохну́ть, to utter a sigh of relief

взлез (взлезть), climbed up

взлете́ть, to flush

взма́хивать, to brandish

взобра́ться, to climb up

взор, glance

взро́слый, adult, grown up

взрыв, explosion

взъеро́шиться, to muss up

взял: где ты его́ —? where did you get it from? взять, to take; — под руку, to take by the arm; -ся под руки, to link arms

вид, air, appearance; де́лать —, to pretend

вид/а́ть, -еть, to see, perceive; -ся с ней, to see her; -ишь, you see; -имо, obviously; -имый, visible; ви́дно, apparent; не —, it does not show; ей —, she can see; ей далеко́ — в по́ле, she can see much of the countryside; ви́дный, visible

вида́ться, ви́деться: — друг с дру́гом, to get together, meet

ви́жу (ви́деть), I see

визгли́вый, shrill

вино́, wine

винова́т, is to blame; -ый, guilty

виногра́д, grapes

вис/е́ть, to hover, hang; -я́т, hang

виски́ (висо́к), temples

витри́на, show window

ви́шн/я, cherry; -ёвый, cherry (adj.)

вка́тывать, to wheel in

вкла́дывать, to wrap

вкус, taste; по -у, to one's liking

включа́/тель (m.), (light) switch; -ться, to be turned (switched) on

влета́ть, to rush into

влия́ние, influence

вложи́ть, to put in

влюб/и́ться, -ля́ться, to fall in love; -лён, in love

вме́сте, together, both

вме́сто, instead of; — того́, чтобы, instead

вниз, down; -у́, below

внима/ние, attention, interest; **обрати́ть —,** to call attention, notice; **-тельный,** attentive

вновь, again, anew

вну́чка, granddaughter

внуша́ть, to inspire, impress

во́все, at all; **— не,** not at all

вода́, water

во́дка, vodka

воен́н/ый, military man; war (*adj.*); **по -ому,** in a military fashion

во́жжи, reins

возвра/ти́ть, -ща́ться, to return, bring (come) back; **-ще́ние,** return

во́зглас, exclamation

во́зду/х, air; **-шный,** air (*adj.*)

вози́ть, to bring; **-ся,** to fuss about

во́зле, beside

возмо́жно: наско́лько —, as much as possible

возража́ть, to rejoin

возьм/ём (взять), we shall take; **-й,** take, take it; **-й наза́д,** take it back; **а как я -у́?** how could I take?

вой (выть), howling

войд/ёмте (войти́), let's go in; **-я,** entering; **войти́,** to come in

во́ин, military man, soldier

война́, war

вокру́г, around

волна́, wave

волне́ние, emotion

волнова́ть, to upset, disturb, move; **-ся,** to be upset

во́лос, -ы, hair

во́л/я, will; **Бо́жья —,** such is the will of the Lord; **откры́ть о́кна на -ю,** to throw the windows open to the fresh air

вон, there

вон/за́ться, to stick; **-зи́ть,** to thrust

вообража́ть, to imagine

вообще́, generally, in general; anyway; on the whole

вопро́с, question

воробе́й, sparrow

воро́на, crow

воро́та, gate

воро́чать, to turn; **-ся,** to move (toss) about

ворча́ть, to growl, grumble

воскли́/кнуть, to exclaim; **-ца́ние,** exclamation

воспита́ть, to bring up

воспомина́ние, recollection, memory

воспрещён, forbidden

восстанови́ться, to be restored

восто́рженно, enthusiastically

восто́чный, eastern

восхити́тельный, ravishing, delicious

вот, here, here is, there; now; this one; that is, why, see!: **а —,** but; **— и,** now, and so; **— как?** so ?; **— как,** so that's what it is; **— какие,** that's the kind; **но —,** now; **ну —,** well; **— так,** that's what happened; **— что,** listen

вошёл, вошла́, вошли́ (войти́), entered, came in

вошь (*f.*), louse

впа́лый, hollow

вперёд, forward, straight ahead; **впереди́,** ahead

впечатл/е́ние, impression; **-и́тельный,** impressionable

вполз (вползти́), crawled in

впро́чем, moreover, it is true, however, but then; just a second; but wait!

впусти́ть, to let in

враг, enemy

враждебны/й, hostile; **во — -х партиях,** on opposing sides

врать, to lie

врач, doctor

вращаться, to move about

вред, harm

время (pl. **времена**), time; **во —,** in time, during; **на —,** temporarily, for some time; **всё —,** all the time, continually; **в то —,** at that time; **— года,** season; **по временам,** now and then; **от времени до времени,** from time to time; **с некоторого времени,** for some time

врёшь (врать), you lie

вроде, like

вручить, to hand, present

всегда, always

всё, everything, anything; continually; more and more; constantly; entire; **— таки,** just the same, nevertheless; **обо -м,** about everything; **скорее всего,** most likely; **весь,** the entire; **все, -м (то),** everybody, all

вскакивать, вскочить, to jump up

вскинуть, to cast

вскоре, soon (afterwards)

вскрик/ивать, -нуть, to cry out, shriek

вскройте, open up

вскры/вать, -ть, to open

вслед: — за, behind, after

вслух, aloud

вспомина/ть, вспомнить, to recall, remember; **-ся,** to come back to mind; **мне часто -ется,** I often recall

вспых/ивать, -нуть, to flush; burst into flame

вста/вать, -ть, to rise, arise, stand up; get up; **— с постели,** to get up; **-ёт,** gets up

встрево/житься, to be alarmed

встрепенуться, to (give a) start, stir

встре/тить, -титься; -чать, -чаться, to meet, greet; to be; to accept; **-ча,** meeting; **случайная встреча,** chance meeting; **-чные,** people encountered

встря́х/ивать, -нуть, to shake; **— головой,** to jerk one's head

вступа́ть, to enter; **— в разговор,** to enter a conversation

всу́нуть, to stick

всхли́пыва/ние, whimper; **-ть,** to sob

всю́ду, everywhere

вся́кий, anyone, anybody, every . . .

вся́чески, in every way

второ́/й, second; **— кла́ссный,** second-class

вход, entrance; **-и́ть,** to come in, enter

вчера́, yesterday, last night; **-шний,** yesterday's

вы́брать, to choose

вы́бритый, shaven

вы́бросить, to throw out

вы́вел (вы́вести), led out

вы́глаженный, ironed

вы́гля/дывать, -деть, to look, appear; **-нуть,** to peer out

вы́дать, to give away

вы́держать, to control (oneself); **— экза́мен,** to pass an examination

вы́дернуть, to pull out

вы́ду́ма/ть, to invent, imagine; **-л!** what an idea!

вы́думка, fiction

вы́е/зжа́ть, -хать, to go out, leave

выжида́ть, to wait for

вы|зы|ва́ть, to summon, call

выздора́вливать, improve (of health)

вы́йдет (вы́йти), will leave

вы́кинуть, to thrust out

вылета́ть, to fly out

вы́лить, -ся, to pour out

вы́мазать, to smear

вы́мер (вы́мереть), died out

вы́мыть, to wash

вы́нести, to bring out

вын/има́ть, -уть, to remove, take out, pull out

вы́нужденный, forced

вы́пи|ва|ть, to drink; **вы́пейте,** drink!; **вы́пьем,** let's have a drink; **— за,** will drink to

выплыва́ть, to flow forward

выполза́ть, to creep out

выпра́шивать, to ask for, beg

выпрямля́ться, to straighten oneself

вы́пуклый, convex

вы́пученный, bulging

выраж/а́ть, to express; **-е́ние,** expression

вы́разиться, to express oneself

выраст/а́ть, -и, to grow up, emerge; **-ут,** would (will) grow up

вы́рваться, to burst forth

вы́рос, -ла, has grown up; rose higher

вы́садить, to discharge

вы́слуш|ив|ать, to hear, listen

вы́сморкаться, to blow one's nose

высо́вываться, to lean out

высо́кий, high, lofty, tall; exalted; noble

высота́, height

вы́сохнуть, to dry out

вы́ставить, to take out

выступа́ть, to appear; **— вперёд,** to stand out

вы́сший, the highest; high

вы́тер, -ла (вы́тереть), wiped

вы́терпе/ть, to endure, hold out; **не -ли,** they could endure it no longer

вытира́ть, to wipe away, dry

вытя́/гивать, -нуться, to stretch (out)

выходи́ть, to leave, go out, come out; turn out

выходно́й: под —, the eve of the day off

вы́ш/ел, -ла, -ли (вы́йти), left, went out, came out

вьётся (ви́ться), waves, undulates

вя́жет (вяза́ть), knits

вя́ло, languidly

Г

газе́та, newspaper

гвоздь (*m.*), nail

где: а —ж е он? where is he?; **— же мне быть?** where should I be?; **— -нибу́дь,** somewhere; **— -то,** somewhere

генера́л, general

геро́й, hero

ги́бкий, lithe, willowy

гла́вный, main; **са́мое гла́вное,** the most important thing

гла́дить, to stroke

гла́дкий, smooth; polished

глаз, eye; **мне в -а́,** into my eyes; **-ки** (*dim. of* **глаза́**), eyes; **-но́й,** eye (*adj.*)

глото́к, mouthful

глуб/ина́, depth; the back part; **-о́кий,** deep, profound

глу́п/о, foolish; **-ость** (*f.*), nonsense; **-ый,** stupid, foolish глух/о, dully; **-о́й,** deserted, noiseless

глуш/ь (*f.*): в -и́, in the wilderness

гля/де́ть, **-ну́ть,** to look at, gaze, stare; to follow with one's eyes; **гляжу́,** I look at

гнев, rage, anger; **-а́ться,** to be angry; **-ный,** angry

гниль (*f.*), rot; **па́хнуть -ю,** to have a foul smell

гну́тый, bent

го́вор, talk; **-и́ть,** to talk, speak, say, tell

год, year; **по -а́м,** for years

голов/а́, head; **ужа́сно боли́т—,** I have a terrible headache; **лома́ть -у,** to rack one's brains; **ударя́ть в -у,** to go to one's head

го́лод, hunger; **-а́ть,** to starve

го́лос: **-о́к** (*dim. of* го́лос), voice

голубо́й, blue

голу́бчик, dear one, my dear fellow

гоня́ть, to drive; to run the gauntlet

гора́, mountain

гора́здо, much

горба́тый, hunch-backed

горд/и́ться, to be proud of; **-ость** (*f.*), pride; **-ый,** proud; **-я́чка,** haughty girl (woman)

го́ре, grief

гор/е́ть, to burn; **-и́т,** burns

го́рло, throat

го́рничная, maid

го́род, city; **за -ом,** beyond the (out of) town

горсть (*f.*), handful

го́рьк/ий, bitter; **-о,** bitterly; sadly

горя́ч/ий, hot, warm; **-о́,** hot; deeply

господа́ (господи́н), gentlemen

Го́споди! Goodness! **О —,** oh Lord; **—, поми́луй,** God have mercy upon us! **—, Бо́же мой!** good heavens; **ах ты —!** good Lord! **дай-то —!** God grant

господи́н, Mr.

Госпо́дь (*m.*), Lord

госпожа́, Mrs.

гости́ная, living (drawing) room, parlour

гости́ни/ца, hotel; **-чный,** hotel (*adj.*)

гости́ть, to visit

гост/ь, **-я,** visitor, guest, friend; **итти́ (притти́) в -и,** to go (come) to visit

гото́/вить, to prepare; cook; **-во, -вый,** ready

гото́виться, to prepare (oneself)

грамма́тика, grammar

гра́мотны/й: **быть -м,** to be able to read

грана́та, shell

грани́ца, limit

граф, count

грацио́зный, graceful

гребе́ц, rower

греме́ть, to roar, resound

греть, to warm

грех, sin; **взяла́ — на́ душу,** I committed this fault

гриб, mushroom

грима́с/а, grimace; **-ничать,** to make faces

грози́ть, to threaten, menace

гро́зн/о, sternly; **-ный,** threatening, stern, menacing, fierce

грома́дный, immense

гро́м/кий, loud; **-ко,** clamourously; **-че,** louder

гру́бый, rude

грудь (*f.*), breast, chest; **разби́тая —,** torn breast

груз, load

гру́ппа, group

груст/и́ть, to grieve; **-но,** sadly; **мне ста́ло -но и доса́дно,** I felt sad and vexed; **-ный,** melancholy, sad

грусть (*f.*), sadness, melancholy; **с -ю,** with regret

гря́зный, soiled, dirty; **грязь** (*f.*), slush, mire

губа́, lip; **гу́бы опуска́лись в го́рькой скла́дке,** lips curled grievously; **— пло́тно сжа́ты,** lips tightened

гуверна́нтка, governess

гу́нны, Huns

густо́й, dense, thick; deep

Д

да, yes, oh yes, and, but; **—?** Is that so?

дава́/ть, to give; **-йте,** let's; **-йте зайдём,** let's go into . . .

дави́ть, to press; oppress

давно́, long ago; **— уже́,** for a long time

да́же, even

дай-то, Го́споди, God grant !

дал, дам, дан, даст (from **дать**), gave, shall give, is given, will give; **не даст ли она́ мне,** wouldn't she give me

далеко́, in the distance, far away; **—!** it's still far away!

даль (*f.*), distance; **-ше,** farther, further; in addition; next, after that; **-ний,** far off

да́ма, lady; **— пик,** queen of spades

дар/и́ть, to give (make) a present; **-ю,** I give it to you as a present

да́ч/а, summer cottage; **на -е,** in the country

два́жды, twice

двер/ь (*f.*), door; **в -я́х,** in the doorway; **за -ью,** behind the door; **у -и,** near the door

две́сти, two hundred

дви́/гаться, to move; **не -га́ются с ме́ста,** stand still; **-жущийся,** moving

движе́ние, movement

двойно́й, double

двор, yard, courtyard; **на -е́,** outside; **по -у́,** through the yard

дво́рник, yardman

дворяни́н, nobleman

двумя́, двух, from **два,** two

де́в/ушка, girl, young lady (unmarried); **-очка,** little girl; **-ический,** for girls

девяно́сто, ninety

дежу́рить, to be on duty

де́йствие, act

действи́тельно, really, indeed, that's true; **-сть** (*f.*), reality, life

действ/овать: -ует, it works; **-ующие ли́ца,** cast

де́ка, sounding-board

де́лать, to make, do; **— серьёзное лицо́,** to look serious; **что мне —,** what am I to do?; **что тогда́ —?** what shall I do then? **— шаг,** to take a step; **де́латься,** to take place; **де́лалось,** was done

делика́тный, delicate, considerate

де́л/о, job, thing, task, affair, deed, feat, business, work; **како́е вам —?** what business is it of yours? **не ва́ше —,** it's none of your business; **— про́шлое,** it is long over; **без -а,** doing nothing; **в са́мом -е,** really, in fact

демони́ческий, demonic

день (*m.*), day; **в э́тот —**, on this (that) day; **в пе́рвый же —**, on the very first day; **све́тлый —**, a happy day; **пра́здный —**, holiday; **— за днём**, day after day; **це́лый —** all day long; **днём**, in the daytime; **на дня́х**, soon; **с э́того дня**, from that day on

де́ньги, money; **на мой —**, with my money

дёргать, to pull; **-ся**, to twitch; **дёрнешь**, you pull

дереве́нский, country (*adj.*)

дере́вня, village, country

де́рево, tree

деревя́нный, wooden

держа́ть, to hold; **-ся**, to hold oneself, cling; hang on to

десе́рт, dessert

деся́т/ка, ten; **-ый**, tenth

де́т/и (дитя́), children; **-очка**, my dear child; **-ский**, children's, a child's; childish, child-like; **-ство**, childhood

дефици́тный, scarce

деше́вле, cheaper; **вдво́е —**, twice as cheap

дива́н, divan, sofa, couch

дире́ктор, manager

дитя́, child, baby

дли́нный, long; lanky

для, for

дневн/и́к, diary; **-о́й**, day (*adj.*); **вести́ —**, to keep a diary

дней, *see* **день**

до, before; as far as; **— чего́**, what

доба́вить, to add

добива́/ться: давно́ -лся, have requested for a long time; **доби́ться**, to succeed

добра́ться, to reach

добро́душный, kind, benign

добр/ота́, kindness; **-ый**, kind; **бу́дьте -ы**, be so kind; **добро́ пожа́ловать!** welcome!

довезёт (довезти́), he will get ... there

до́верху, to the top

дово́лен (дово́льный), satisfied (with), contented

дово́льно, enough; rather; **— скучна́**, pretty dull

догад/а́ться, to think of, figure out; **-ка**, guess, conjecture

догова́ривать, to speak out

договори́ться, to make an agreement

дое́хать, to reach

дожда́ться, perf. of ждать, to wait

дожд/ь (*m.*), rain; **шёл —**, it rained; **-ево́й**, rain (*adj.*)

доживу́, will live

долг: брать в —, to borrow

до́лгий, protracted, long; **до́лго: — ещё**, (for) a long time

до́лж/ен, -на́, must, should, supposed to; **— был**, had to; **-ны́: ско́лько мы вам —?** how much do we owe you?

должно́ быть, must be; must have, probably

доли́на, plain

до́ля, part

дом, house; **свой —**, home; **в -е**, at one's house; **как -а**, as if they were at home; **-а**, at home; **-а́шний**, home (*adj.*); **-о́й**, home

домохозя́йка, landlady

донести́, to reach

доноси́ться, to be heard; to come, reach, reach one's ear

дополня́ть, to complete

допуска́ться, to be allowed

доро́г/а, road, way, trip; street; **всю -у**, all the way; **на -у**, for the trip; **по -е**, on the way, along the road

дорог/о́й, -а́я, darling, dear; expensive; **са́мый -о́й**, the most expensive; **-о дал бы**, would give a great deal

доро́жка, trail, path; **ковро́вая —**, runner

доса́д/а, dissatisfaction; **-но**, annoying; **ей-но**, she is vexed

доска́, (black)board

дослы́шать, to hear; get

доста́|ва́|ть, to reach, get; search; find; produce; take from, pull out; **доста́ну**, shall get

доста́точно, sufficiently, enough

досту́пный, accessible

досча́тый, board (adj.)

дохо́д, income; rent

до́ч/ка, -ь, daughter; **-ери**, daughters

дочита́ть, to read to the end

дошла́ (дойти́), came; **— до**, reached

доще́чка: ме́дная —, (copper) name-plate

дразни́ть, to tease

дробь (f.), roll of a drum

дрова́ (pl.), wood

дро́гнуть, to stir

дрожа́|ть, to tremble, shake; **-щий**, trembling

друг, friend; **— -а**, one another; **— о -е**, about each other; **— про́тив -а**, opposite one another; **друзья́**, friends; **дру́ж/ба**, friendship; **-но**, **о́чень —**, all together; **-ный**, common

друг/о́й, other, different, another; **— день**, next day; **-о́е**, something (anything) else; **-и́е**, others

дублёный, tanned

ду́ма, thought

ду́ма/ть, to think, imagine, meditate; **как вы -ете?** what do you think? **стал —**, began to think; **мне -лось**, I thought

ду́ра, -к, fool, silly, idiot

ду́рно: ей —, she is faint

дуть, to blow

дух, spirit

духи́ (m. plur.), perfume(s)

душ, shower

душ/а́, soul, mind, heart, head, spirit, moral qualities; **— ны́ла**, the mind was oppressed; **в -е́**, in his heart; **-енька**, darling

души́ть, to choke

ду́шн/о, stuffy, hot; **ей —**, she feels hot; **-ый**, stuffy, stifling

дым, smoke; **-ный**, smoky

ды́р|оч|ка, hole, peep-hole

дыха́ние, breathing

дыша́ть, to breathe

дья́вол, devil, Old Nick

дьячо́к, sexton

дю́жина, dozen

дя́дя, uncle; gentleman; our (your) friend

Е

Е́ва, Eve

едва́ -ли, hardly

е́дете, е́ду, е́дут, from **е́хать**, to go, ride

еди́нственный, only

е́дкий, sharp

ежедне́в/но, -ный, daily

е́зди/ть, to go (ride, drive), **-л**, went, rode, drove

ёкнуло: у — се́рдце —, — 's heart throbbed

ел (есть), ate

ерунда́, nonsense, rubbish, small matter

е́сли, if; **— бы не**, if not for

есть, is, are; **у меня́ —,** I have; **там!; то —,** that is; to eat
éхать, to go, ride
ещё, still, even, else, yet, more, moreover, longer, another, in addition; **— бы!** I should say so!
éю (она́), with her, it

Ж

жа́дно, greedily, avidly
жа́жда, thirst; passion
жале́ть, to regret
жа́лко: мне —, I feel sorry
жа́лобно, mournfully
жа́ловаться, to complain
жа́лость (*f.*), pity
жаль, it's a pity! **ему́ — апте́каря,** he pities the druggist
жа́рко, hot, it's hot; **мне —,** I am hot; **ему́ да́же — ста́ло** he even felt hot
жгли (жечь), burned
ждать, to wait; **ждёт,** awaits; **ждут,** await
жела́ние, desire, wish
желто́к, yolk
жёлт/ый, yellow; **-ова́тый,** yellowish
желу́док, stomach; **— не в поря́дке,** upset stomach
жена́, wife
жени́ться, to marry; **жена́т,** married
жени́х, fiancé
же́нский, woman's, feminine
же́нщина, woman; **вот э́то —!** here is a woman for you!
жестикули́ровать, to gesticulate
жёсткий, harsh
жестя́нка, tin box
жив, alive; **-о,** vividly; **-о́й,** living, animated, lively, bright
живу́, живёшь, живёт, живём, живёте, from **жить,** to live

живо́тное, beast, brute
жи́дкость, fluid, liquid
жизнь (*f.*), life; lifetime; **на всю —,** for life
жиле́т, vest
жиле́ц, roomer, tenant
жили́ще, dwelling
жи́тель (*m.*), inhabitant
жить, to live
жму́риться, to half-close one's eyes
жуёт (жева́ть), munches; **жуй,** munch
журна́л, magazine, journal
жу́тко, awful; **невыноси́мо —,** horrible

З

за, after, at, behind, for, to; **— ней,** behind her
зааплоди́ровать, to burst out into applause
забавля́ться, to have fun
заби́ться, to begin to pound
заблесте́ть, to begin to flash
заболе́ть, to fall sick
забо́р, fence, garden wall; **за -ом,** behind the fence; **по -ам,** over fences; **о́коло са́мого -а,** very near the fence
забо́т/а, care (tender); **-ливость** (*f.*), care; **-иться,** to take care
забро́сить, to throw
забу́дем (забы́ть), we shall forget; **забу́дьте,** forget
забы́|ва́|ть, to forget; **да и -ли,** and have forgotten; **не -ли-ли,** whether they had not forgotten
зава́ленный, covered
завари́ть, to brew
заведе́ние: пра́чечное —, laundry
заве́дующий, head

завернýть, заворáчивать, to turn around; to wrap up; **— за ýгол,** to turn a corner

завéтный, cherished

зáвисть (*f.*), envy

завóд, factory, plant

заворáчивать, to turn around

зáвтра, tomorrow

зáвтрак, lunch

завяз/ыв/áться, to start, begin; **завяжется разговóр,** a conversation would (will) begin

зáвязь (*f.*), ovary

загáдочный, mysterious

загáр, tan, suntan

заглушúть, to drown out

загля́/дывать: мечтáтельно -дывали, let their thoughts wander into; **-нуть,** to look, have a look at

заговорúть, to talk, begin to speak

загорéть, to be sunburnt

заграни/ца: уéхать -цу, to go abroad; **-чный,** foreign

задвúгаться, to begin to move.

задéрж/ивать, stop, clutch; **-áться,** to linger

задóлго, long in advance; **— рáньше,** long before

задремáть, to doze off

задýм|ыв|аться, to fall to thinking, be pensive; **-чиво,** pensively

задыхáться, to be breathless

задышáть, to begin to breathe; to chug

зажáт/ь, to stop; **-ый,** clutched

заж/éчь (зажигáть), to light; **-гýт,** shall kindle, light; **-жён-ный,** lighted; **-жётся,** will light up

зай/дём (зайтú), we'll drop in; **давáйте —,** let's drop in! **-дúте!** come in . . . ! **-тú,** to get in

заинтересóванные, who became interested

закáт сóлнца, sunset; **на -е,** at sunset

закачáлся (качáться), rocked to and fro

закивáть, to nod

закúнуть, to cast

заключúть, to conclude

закóван, sheathed

заколóченный, nailed up

закóлют (заколóть), would (will) slaughter

закóнчить, to finish

закричáть, to begin to shout

закр/ыть, to close, cover; **-óю,** will close

закружúться, to spin

закусúть, to take a snack

закýтаться, to wrap oneself up

зал, hall

залéзть, to climb upon (on)

заливáться: — слезáми, to burst into tears; **залúть,** flow over

заложúть: — рýки назáд, with his hands behind his back

замáнчивый, fascinating

замёрзший (замёрзнуть), frozen

замерлú (замерéть), were dumb-founded, kept their breath

заме/чáть, -тить, to remark, notice; **-чáтельный,** remark-able

замечтáться, to dream

замирáть, to stop beating

замолчáть, to become silent

замотáть: — головóй, to shake (wag) one's head

зáмуж: выходúть — за когó-нибудь, to marry (*for a woman*); **-ем,** married

зáмшевый, chamois-leather (*adj.*)

за́навес, -ка, curtain
занима́ть, заня́ть, to occupy, interest; **за́нят, -о́й, -ый,** busy, occupied, preoccupied; engaged; **занима́ться,** to study
зано́за, splinter
заня́т/ие, occupation, work; **-о́й,** busy
запа́вший, sunken
запакова́ть, to pack, wrap
за́пах, odor
запере́ть, запира́ть, to close, lock
запе́ть, to begin to sing
запечатле́ть, to seal
запеча́тывать, to seal up
запи́ска, a note
запис|ыв|а́ть, to write down; **-ся,** to get a card; **— в ней,** to write down in it; **запиш/и́,** write down; **-у́,** I will write down
запла́/кать, to burst into tears, begin to weep, cry; **-чу,** will cry
запла́та, patch
заплати́ть, to pay
заплета́ющийся (заплета́ться), weaving
запомина́/ть, to remember; **-лись удиви́тельно легко́,** were very easy to remember
запрещённый (запреща́ть), forbidden
запротестова́ть, to object
запу́танный, intricate
запята́я, comma
зарабо́тать, to earn
зарази́тельный, contagious
заруми́ниться, to become flushed
зарыда́ть, to begin to sob
заседа́ние, conference, meeting
засия́ть, to begin to shine
заскрипе́л (скрипе́ть), creaked

засмея́ться, to (begin to) laugh
засну́ть, to fall asleep
заставля́/ть, to make, force; **меня́ -ли,** they made me . . .
заста́ть, to find
застона́ть, to begin to groan
застрели́ться, to shoot oneself
засты́л (засты́нуть), stood as if frozen
засучи́ть, to roll up
засыпа́ть, to fall asleep
зате́м, then, in order to
затенённый, shaded
затепли́ться, to begin to glimmer
за то, что́бы, in order to
зато́, on the other hand, to make up for that
затону́вший, submerged
затрепета́ть, to begin to shake
затрудне́ние, difficulty
заты́лок, back of the head
заутреня, early morning church service, matins
зау́чивать, to memorize
захлебну́ться, to choke oneself
заходи́ть, to come in; lead (*at cards*); call for
захо/те́ть, to want; **-ся; мне -те́лось,** I wished; **е́сли я -чу́,** if I want
захохота́ть, to laugh
зацепи́ться, to become caught
заче́м, why, what for? **— им,** of what interest is it to them?
зачерпну́ть, to scoop up
зачини́ть, to mend
зашага́/ть, to march off; **-ет,** would take a few steps
зашёл за, called for
зашива́ть, to mend
зашто́пать, to darn
заявля́ть, to announce
зва́ние, title
звать, to invite, call; **зовёт,** calls; **её зову́т Ни́ной,** her name is Nina

звезда́, star
звене́ть, to ring out
зверь (m.), wild beast
звони́ть, to ring
зво́нкий, resounding, clear
звоно́к, bell
звук, sound
звя́кание, tinkling
зда́ние, building
здоро́в/ье, health; за ва́ше —,
   за твоё —! to your health!;
   -ый, healthy; бу́дьте здоро́вы,
   good luck!
здра́вствуйте, good morning
   (afternoon, evening), hello
зева́ть, to yawn; зевнёт (зев-
   ну́ть), would (will) yawn
зелёный, green; зе́лень (f.),
   verdure
зе́льтерская вода́, Seltzer water
земля́, ground, earth; сыра́я —,
   mother earth
зе́ркало, mirror
зим/а́, winter; -о́ю, in the
   winter; -ний, winter (adj.),
   wintry
зло́б/а, bitterness; -но, furiously,
   angrily
злой, angry
знак, sign; в —, as a mark, sign
знако́м/иться, to get
   acquainted; -ый, acquaint/ed,
   -ance, familiar, known; -ство,
   acquaintanceship; -о: давно́
   —, long since familiar
знамена́тельный, important
знамени́тый, well-known
зна/ть, to know, be familiar
   (acquainted) with; кто его́
   -ет? who knows?; я так и
   -л, that's what I thought
зна́тный, distinguished, of high
   rank
зна́чит/ь, to mean; что э́то —?
   what does this mean?

зной, heat; -ный, burning,
   sultry
зо́ло/то, gold; -чёный, gilded
зу́бы, teeth

И

и, and, already, even; и . . .
   и . . ., both
иго́лка, needle; сиде́ть как на
   -х, to be upon pins and
   needles
игра́, game; -ть, to play, drum,
   tap; -ющий, the one who
   plays
игру́шечный, toy-like
идём (итти́), we go, walk; -те,
   come along . . .; идёт, walks,
   goes, does come; как —
   жизнь, how life is; идёт! all
   right!
иде́я, idea
ид/й, -йте (итти́), go; -у́, I go,
   am walking; -у́т, go, someone
   is coming; -я, going
из, of, out of, from; — -за,
   from beyond, through
изба́, house
избра́/ть, to choose; -нный, elite
изве́ст/но, everybody knows;
   должно́ быть —, must know;
   -ен, known
извеще́ние, notification
извин/и́ть, to forgive; -ся, to
   apologize; -ю́сь, I shall
   apologize; -и́тельно, excus-
   able
извне́, from without
изво́зчик, cab, cabman
изво́ль! look at that!
изгиба́ться, to double up
и́здали, from a distance
изда́тель (m.), publisher
издёрга/ть: он все не́рвы мне
   -л, he made me a nervous
   wreck

изжо́га, heartburn

из-за, because of, on account of, through; from behind; **из-под,** from

изложе́ние: кра́ткое —, summary

измен/и́ться, to change, alter; **-я́ть,** to change

изме́рить, to measure

изму́читься, to tire oneself out

изобра/же́ние, picture, image; **-жён,** depicted

изразцо́вый (made of) tile(s)

и́зредка, from time to time

изумля́ть, to amaze; **-ся,** to be amazed

изуро́дова/ть, to mutilate; **-нный,** disfigured

иллюстра́ция, picture

имени́нн/ик, whose birthday it is (was); **-ый,** birthday (*adj.*)

и́менно, precisely, just, exactly, specifically

име́ть, to have, possess

и́мя, name; **на —,** addressed to

и́наче, otherwise

инде́ец, Indian

инжене́р, engineer; **-меха́ник,** mechanical engineer

иногда́, sometimes, now and then

ин/о́й, other; **— раз,** sometimes; **-у́ю,** another; **-ы́е,** some others

инстинкти́вно, instinctively

интере́сн/ый, interesting; **что -ого?** what was there of interest?

инти́мный, intimate

исказ́ить, to twist

иска́ть, to hunt (search, look) for

и́скоса: — погля́дывая, looking out of the corner of the eye

и́скра, spark, sparkle

и́скренний, sincere

и́споведь (*f.*), confession; frank effusion

исподло́бья, from under one's brows

исполня́ться, to attain (age)

испо́ртить, to spoil

испра́вить, to correct

испу́г, fright; **-а́ться,** to get frightened, be afraid; **-анный,** frightened

испыт/а́ние, ordeal; **-ывать,** to experience

иссяка́ть, to be exhausted

исто́рия, history, story; business

исхуда́ть, to grow thin

исчеза́ть, to disappear, vanish

ита́к, thus

итти́, to go, walk

ишь! see!

и́щет, и́щут (from **иска́ть,** to hunt for, seek)

К

каби́на, cabin (*airplane*)

кабине́т, office, study

кавалери́йский, cavalry (*adj.*)

кадри́ль (*f.*), quadrille

ка́дры, staff, personnel

ка́ждый, each, every

ка́жется (каза́ться), it seems, it would seem; **мне —,** I think

каза́/ться, to appear to be, to seem; **-лось,** it seemed

как, as, like, how, how much, that, when; **ну — же?** how, then; **— бу́дто,** as if, as though; **— то́лько,** just as soon as

как/о́й, -а́я, what, which; **— нибу́дь,** some sort (kind) of; **— то,** some, a certain (kind)

календа́рь, calendar

калу́жский, from Kaluga (*city*)

канделя́бр, candelabrum

196

кам/ень (*m.*), stone, rock; **-енный**, stone, brick (*adj.*); **-ни**, stones

капитáн-танкист, tank corps captain

кáпл/я, drop; **-и от кáшля**, cough drops

кáпнуть, to drip

капризничать, to be cranky

карандáш, pencil

карéта, carriage

кáрий, brown (*eyes*)

кармáн, pocket, pouch

карниз, cornice

кáрт/а, card; **-очный**, card (*adj.*)

картин|к|а, picture

кáрточка, photo, picture

кáрточный, card (*adj.*)

касá/ться: что -ется, as for

кассирша, cashier

кастóрка, castor oil

катáться: — с гор, to toboggan

качáть, to shake; **-ся**, to swing

качéли: а вон —, and there is a swing

кáш/ель (*m.*), cough; **-лять**, to cough

квартáл, city block

квартира, apartment, lodging

квéрху, upward

кивнýть головóй, to nod

кидáть, to throw; to play (*a card*)

кило, kilogram

кинó, movie; **-актриса**, movie actress; **знакóмая —**, movie actress of her acquaintance

кинуть, to toss; **-ся**, to rush

киóск: табáчный —, tobacco stand

кипа, heap

киргиз, Kirghiz

кирпичный, brick (*adj.*)

кисéйный, muslin (*adj.*)

кисл/ый, sour; **-ое лицó**, a long (gloomy) face

кисть (*f.*), brush; cluster

китель (*m.*), summer uniform jacket

клад/ёт (класть), puts; **-у**, I put; **-я**, putting down

класс, grade; year

клéтка, cage

клéтчатый, checkered

клочóк, piece

клуб, curling cloud(s)

клубóк: свернýться в —, to curl up

клýмба, flower bed

клюв, beak

клюква, cranberry

ключ, key; **под -óм**, under lock and key

кнóпка (bell), button

кнут, whip

кня/зь, prince; **-гиня**, princess (married); **-жнá**, princess (unmarried)

коврóвая дорóжка, runner

когдá, when; **-то**, at one time, once

кóгти (кóготь) (*m.*), talons

кóе-что, some things

кóжа, skin, hide, leather; **самá —**, the skin itself; **-ный**, leather (*adj.*)

кóзлы, coach-box

кóзырь (*m.*), trump (*card*)

кóйка, bed (*hospital*)

кокéт/ка, coquette; **какáя однáко вы —!** what a flirt you are! **ну и —!** what a flirt! **-ничать**, to flirt; play

колéн/о, knee; **на -ях у негó**, on his knees

количество, quantity

колóда: — карт, pack of cards

колóдец, well

кóлокол, bell

колóнна, column

колхóз, kolkhoz (*collective farm*);

-ник, collective farmer
коль, if
кольну́ть, to sting, stab
коля́ска, stretcher (*on wheels*)
кома́нд/а: как бу́дто по -е, as if obeying a command
ко́мкаться, to jumble
ко́мнат/а, room; **в э́той са́мой -е,** in this very room
комо́д, chest of drawers, bureau
конве́рт, envelope
коне́ц, end, edge, limit
коне́чно, certainly, of course, no doubt, to be sure
консе́рвы, canned food
конто́р/а, office; **-щик,** clerk
конфе́та, candy
конце́рт, concert
конч/а́ть, -ся: -и́ть, -и́ться, to end, finish; **-ен,** came to an end
ко́нчик, corner
конь (*m.*), horse
конько́й (конёк), skates
коньа́к, cognac
коню́шня, stable
копа́ть, to dig
копе́йка, copeck; **на . . . копе́ек, . . .** copeck's worth of
коридо́р, corridor
кори́чневый, brown
коро́бка, box; **— папиро́с,** pack of cigarettes
коро́л/ь (*m.*), king; **-е́вна,** king's daughter
коро́ткий, short, brief
ко́рчиться, to writhe
костю́м, suit
кот, cat
кото́ры/й, who, which; **— час?** what time is it? **за -ми,** behind which
кочево́й, кочу́ющий (кочева́ть), nomadic, wandering
коше́ль (*m.*), bag

край, edge, rim
кра́йн/ий; по -ей ме́ре, anyway
кра́йност/ь (*f.*), extreme; **до -и,** extremely
крас/и́вый, handsome, pretty, lovely; **-иво,** beautiful; **-а́вец,** handsome fellow; **-а́вица,** beautiful girl (woman), beauty; **-ота́,** beauty, splendor, good looks
кра́ска, paint; color, blush
красн/е́ть, to blush; **-ый,** red, flushed
Красноарме́йская, Red Army Street (*adj.*)
кра́тк/ий, short; **-о,** briefly
крем, cream
креп/кий, strong; **-ко,** tightly; firmly, soundly; **-че,** stronger, more
крепостно́й, serf
кре́пость (*f.*), strength
кре́сло, armchair
криво/й, uneven, crooked; **-о,** aslant, askew
крик, outcry, shout; **на —,** hearing the clamor; **-нуть,** to shout, shriek, utter a cry
критику́ешь (критикова́ть), criticise
крича́ть, to announce, cry out
крова́ть (*f.*), bed
кровь (*f.*), blood; **истека́ть -ю,** to bleed
крой (крыть), take . . . (*cards*)
кроке́т, croquet
кро́ме, besides, except for; **— того́,** in addition
кро́тк/ий, gentle, benign; **-о,** humbly
кро́шка, dear little one
круг, circle; **-лый,** round; **-о́м,** (all) round
кружи́ться, to whirl
крупа́, groats

кру́пный, large, thick
крыльцо́, perron, porch
кры́лья (крыло́): распра́вить
—, to spread one's wings
кры́ш/а, roof; -ка, cover
крючо́к: на —, by means of a
hook
кста́ти, by the way; ей —, just
right for her
кто́-то, someone
куда́-то, куда-нибу́дь, somewhere
ку́дри, curls
кузне́ц, blacksmith
ку́к/ла, doll; -ольный, doll-like
кула́к, fist
купе́, compartment
купи́ть, to buy
куплети́ст, reciter
ку́пол, dome
кури́ть, to smoke
ку́рица, hen, chicken
курно́сый, pug-nosed
ку́ртка, jacket
куса́ть, to bite, stab, suck
кусо́к, piece
куст, bush, shrub; -а́рник,
bushes
кути́ть, to carouse
ку́хня, kitchen
ку́чер, driver
ку́шанье, food; dish
ку́шать, to eat, drink

Л

ла́вка, store, shop
ла́герь (m.), camp
ла́дно, all right, fine, very well
ладо́нь (f.), palm (of the hand)
ла/й, barking; -ять, to bark
ла́йковая перча́тка, kid glove
ла́зить, to climb
лаке́й, servant
ла́мпочка, (small) lamp; bulb

ла́ск/а, kindness, tenderness;
-а́ть, to stroke, flatter, caress;
-а́тельный, affectionate; -ово,
affectionately, lovingly, gently;
-овость (f.), tenderness;
-овы, affectionate, caressing,
kind
латы́нь (f.), Latin
ла́ун-те́ннис, lawn tennis
ла́ять, to bark
лгун, liar
ле́бедь (m.), swan
ле́вый, left
лёг, легла́ (лечь), lay (laid)
down; — спать, went to bed
лёгкие, lungs
лёгк/ий, light, easy, slight; -о́,
softly, easily, slightly; ле́гче,
easier
леж/а́ть, to lie; be; -а, lying;
-и́т, is lying; -у́, am lying
лез/ть, to climb; -ет, clambers;
-ут на сиде́ние, struggle to get
on the seat
лека́рство, medicine
лени́во, indolently, slowly
ле́нта, ribbon
лепета́ть, to murmur
лепёшка, tablet; мя́тная —,
peppermint
лет/а́ть, -е́ть, to fly
ле́т/о, summer; -ом, in the
summer; X . . . years;
-ний, summer (adj.)
лётчик, aviator, pilot
лечи́ть, to treat; -ся, to be
treated; люде́й ле́чит, he is a
physician
лечу́ (лете́ть), I fly
лечь, to lie down
лило́сь (ли́ться), flowed
лимо́нно-жёлтый, lemon yellow
ли́па, linden (tree)
лири́ческий, lyrical
листва́, foliage; ли́стья, leaves

лифт, elevator

лицо́, face; person; в — мне, at my face; -м к стене́, facing the wall; что бу́дет с твои́м -м, what happens to your face; де́йствующие ли́ца, cast of characters

лише́ние, deprivation

ли́шний, extra

лишь, only

лоб, forehead.

лови́ть, to catch, detect

ложи́ться, to lie down; to fall; — спать, to go to bed

ло́жка, spoon

ложь (f.), lie; —! you lie!

ло́кон, lock (of hair)

лома́ть, to break; -ся, to break down

ломово́й, drayman, carter

лопа́та, shovel

ло́паться, to burst

лохма́тый, shaggy

ло́шад/ь (f.), horse; -и́ный, horse (adj.)

лу́жа, pool

лужа́йка, plot of grass, lawn

лун/а́, moon; -ный, moon (adj.); -ный свет, moonlight

луч, ray, beam

лу́чш/ий, better; са́мый —, the very best; -e, better; rather; ещё -e, still better

лы́сый, bald

льви́ный (лев), lion's

льна (лён), flax; льняно́й, flaxen

любе́зн/ый, kind, nice; -o, kindly, affably

люб/и́ть, to love, like; -лю́, I love, like; -и́мый, beloved, dear, favorite; -я́щий, loving

любо́в/ь (f.), love; -но, lovingly; -ный, tender

любова́ться, to admire

любопы́т/ный, curious; -ство, curiosity

лю́ди, people; молоды́е —, young men; — окружа́вшие меня́, people about me; людьми́, with people

людско́й, human

ля́гу (лечь) спать, I go to bed; -т, shall rest

М

магази́н, store; -ный, shop (adj.)

магне́зия, magnesia

магни́т, magnet

мазу́рка, mazurka (a Polish dance)

мазь (f.), ointment, salve

мак, poppy

мал, small; -енький, small, little, tiny; тако́й -енький! so small! -o, little, not enough; мало-пома́лу, by degrees; -ый, small

ма́льчик, little boy

малю́сенький, tiny

ма́м/а, -а́ша, -енька, -очка, mother; -ина, mother's

мани́ть, to beckon, attract

ма́рля, gauze

ма́сленица, (Russian) carnival

ма́сло, butter; сли́вочное —, butter

ма́сса, heap

ма́стер, artist; -ска́я, shop; -ство́, craft, trade

ма́тушка (dim. of мать), sweetheart

мать (f.), mother; ма́тери (gen. sing. of мать); с ма́терью, with mother

Мафуса́ил, Methuselah

ма/ха́ть, to wave; -шет, brandishes; -хнёт, would wave

машина́льно, mechanically

200

ма́ятник, pendulum, balance

м-да, m'yes

ме́бель (*f.*), furniture

меда́ль (*f.*), medal

ме́дленн/ый, slow; **-о,** slowly; **-о -о,** very slowly; **ме́длить,** to tarry

ме́дный, copper (*adj.*)

ме́жду, between; **— тем,** meanwhile

ме́лкий, small

мело́дия, tune

мельк/а́ть, -ну́ть, to flash, gleam, appear for a moment

мельча́ть, to grow small, petty

ме́нее, ме́ньше, less; shorter; **тем не ме́нее,** yet

меня́ть, to change

ме́рзость (*f.*), abomination

ме́ст/о, place, space, seat; **-а́ми,** in some places; **на -е,** on the spot; in the right place; where it was; **не на -е,** out of place; **всё ста́ло на своё —,** everything settled down

ме́сяц, month; moon

метафи́зика, metaphysics

мечта́, dream; **-ние,** dream; **-тельно загля́дывать,** to gaze; **-ть,** to dream

меша́ть, to bother, hinder, keep from, to be in the way

мешо́к, bag

меща́нин, narrow-minded person

мига́ть, to blink

ми́л/ая, -ый, dear, sweet, nice; darling; my friend; **-ейший,** dear; **-ейший зверь,** dear beast (fellow)

милосе́рди/е: без вся́кого -я, without mercy

Ми́лостивый Госуда́рь, Dear Sir

ми́лость: ва́ша —, your grace

ми́лостыня, charity

ми́лый, nice, lovely, sweet, dear; darling; my friend, dear fellow

ми́мо, by, past; **проходи́ть —,** to walk past

мину́т/а, minute, moment; **в -у,** per minute; **на -у,** for a minute; **— че́рез пять,** after, in about five minutes; **— за де́сять до,** about ten minutes before

мир, world; **крича́ть на весь —,** to cry aloud

ми́рно, quietly

ми́шин, Misha's

младе́нец, child

мла́дший, younger

мне́ние, opinion

мно́го, much, many; **так —,** so many; **— раз,** often; **-ле́тний,** many years old; **-чи́сленный,** numerous

мог (мочь), could; **-ла́, -ли́,** could; **ника́к не -ли́,** could not; **-у́,** I can; **-ут,** they can

моги́ла, grave

могу́чий, mighty

мо́же/м (мочь), -т, -те, -шь, can, may

мо́жет быть, maybe, perhaps, possibly

мо́жно, might, can, may, possible

мозг, brain

мо́крый, moist, wet

молоде́ц, lad, young man

моло/до́й, young; **-дость** (*f.*), youth

молоко́: сгущённое —, condensed milk

молото́к, mallet

молча́/ть, to be silent; **—,** silently, in silence; **-ли́во,** silently; **-ли́вый,** quiet; **-ние,** silence

момента́льно, immediately

морга́ть, to blink

мо́р/е, sea, ocean; **за -ем океа́ном,** beyond the seas; **-ско́й,** sea (*adj.*)

моро́з, frost, cold
морщи́нка, wrinkle; **в -ах,** wrinkled; **мо́рщиться,** to wrinkle, frown
Москва́, Moscow
мост, bridge
моти́в, tune
мох, moss
мохна́тый, hairy, shaggy
моча́льный, bast (*adj.*)
мра/к, gloom, darkness; **-чно, -чный,** gloomy
мра́морный, marble (*adj.*)
му́др/ость (*f.*), wisdom; **-ый,** wise; incomprehensible
муж, husband; **при -е,** when my husband was alive; **-ья,** husbands
мужи́/к, peasant, boor; **-цкий,** peasant (*adj.*)
мужчи́на, man
му́зыка, music, melody; **-нт,** musician
му́ка, torment, trouble
мунди́р, coat (of uniform)
му́чи/ть, to torment, torture; worry; **-ся,** to suffer; **-тельно и сла́дко,** with both pain and pleasure; **-тельный,** tormenting, excruciating
мысл/ь (*f.*), thought; **при -и,** at the thought; **-енно,** mentally, in one's mind; **-ить,** to think
мыть, to wash
мы́шку: под —, under one's arm
мя́гкий, soft, mild, gentle
мя́тн/ый, mint (*adj.*); **-ая лепёшка,** peppermint
мяч, -ик, ball

Н

набира́ться, to gather
наби́ть, to cram full
наблюда́ть, to watch, spy

набра́сывать, to throw on; **-ся,** to throw oneself
набра́ть, to gather
наброс/а́ть, to put things in disorder; **-ить,** to throw on
наве́ки, for ever
навёл (навести́), aimed, directed
наве́рно, probably; **-е,** surely, I suppose, most likely
наве́ртыва/ться: слёзы -лись, tears came
наве́рх: подня́ться —, to go upstairs
навра́ть, to lie
навсегда́, forever
навстре́чу, toward; to meet
нага́р, candle-snuff
нагну́ть, to bend; **-ся,** to lean
наго́льная шу́ба, uncovered sheepskin coat
над, over, above
надвига́ться, to come near
наде|ва́|ть, to put on
наде́жда, hope
наде́я/ться: всё -лась, I was hoping
на-дня́х, a few days ago
на́до, -же, one must, it is necessary; **нам не —,** we don't need it
надое/да́ть, to pester; **-сть,** to bore; **-ла стару́ха,** the old one made me (us) sick and tired
на́дпись (*f.*), inscription
наду́шенный, scented, perfumed
нае́лась (нае́сться), had eaten
наза́д, back, backwards; **... тому́ —,** ... ago
наз|ы|ва́ть, to call, name; **— по фами́лии,** to tell the name; **-ся,** to be called; **то́лько называ́ется,** ... is only in name
назва́ние, name
наи́вный, naïve

найдётся (найти́сь), will be found; **най/ди́те (найти́),** find; **-ти́,** to find; **-ду́,** I shall find

наизу́сть, from (by) memory

нака́зыва/ть, to punish; **-емый,** one being punished; **нака́-жут,** they will punish

наказа́ние, punishment; **вот — то!** what an infliction!

накану́не, the day (evening) before

наклон/и́ться, to bend down; **-я́ть,** to lean

наконе́ц, finally, at last

налега́ть на вёсла, to work the oars

налете́ть, to bump into

нали́/ть, to pour; **-тый,** filled; **нальёт,** would (will) pour

намекну́ть, to hint

наоборо́т, on the contrary

наперёд, forward

написа́/ть, to write; **-нный,** written; **-но,** written; **на-пишу́,** I shall write

напи́ться пьян, to get drunk

напла́каться, to have a good cry

напо́лн/ить, **-я́ть,** to fill; **-енный,** filled

напомина́ть, to remind

напра́в/иться, -ля́ться, to go toward, set out for, be directed

направле́ни/е, direction; **по -ю,** toward

наприме́р, for instance.

напро́тив, opposite; on the contrary

напряга́ть, to strain

нарва́ть, to pick

наро́д, people; **-ный,** the people's

нару́жный, outer

наруш/а́ть, to disturb, break; **-ено,** disturbed

наря́дный, smart-looking, **well** fit up

на́скоро, quickly

наслажд/е́ние, pleasure; **-а́ться,** to enjoy

наста́ивать, to insist

насто́льный, table (*adj.*)

настоя́щ/ее, real; the present; **-ий,** real, first rate, true, genuine

настрое́ние, mood

наступ/а́ть, to come, let in; begin; step on; **-и́ть,** to reign

насчёт, as concerns, as regards, about

нато́пленный, intensely heated

нату́ра, character; **-льный,** genuine

натяну́ть, to draw on

нау́/ка, science; **-чи́ться,** to learn

наха́л, insolent fellow

нахму́риться, to frown

находи́ть, -ся, to find; to be

нача́ло, beginning

нача́льство, (chief) authorities

нач|ин|а́ть, -ся, to begin, start; **начнёт,** will (would) begin

наш/ёл, -ла́, ли́, found

не́б/о, sky; **-е́сный,** heavenly

небольшо́й, small

небо́сь, surely

небре́жно, indifferently

нева́жно, unimportant

неве́домый, unknown

неве́жа, rude fellow; **неве́жда,** ignoramus

невероя́тный, incredible

неве́ста, fiancée

невзра́чный, homely

неви́данный, unseen, unusual

невозмо́жно, impossible

невыноси́м/ый, unbearable; **-о,** unbearable

невысо́кий, low

него́дность, (*f.*) unfitness

203

негр, Negro; **-итя́нка,** Negress

негра́мотный, illiterate

негро́мко, quietly

неда́вно, a while ago, recently

недалеко́, nearby, not far; — **от,** close to

неда́ром, not in vain

неде́л/я, week; **на э́той -е,** this week; **на про́шлой -е,** last week; **че́рез -ю,** in a week

недово́льный, vexed

недоуме́ние, perplexity

неду́рно, not bad; not a bad idea

неесте́ственный, artificial, un-natural

не́жн/ость (*f.*), tenderness, affection; **-ый,** tender, gentle, affectionate; **-о-де́тский,** tender as a child's.

незамени́мый, irreplaceable

незаме́/тно, unnoticed, inconspicuously, without being conscious of it; **-ченный,** un-noticed

не́зачем, there is no sense (in)

незнако́мый, unacquainted

неизве́стно, unknown

не́когда: нам —, we have no time

не́котор/ое, some; **-ые,** some, a few

некраси́вый, homely

не́ктар, nectar

нельзя́, no; one can not, impossible

нем (немо́й), mute, silent

неме́дленно, immediately

немига́ющий, unblinking

немно́го, немно́жко, a little; a while; **ещё —,** a little more, longer

немолодо́й, middle-aged

ненави́деть, to hate

ненадо́лго, for a short while

необходи́м/ый, indispensable; **-о,** we must

необъясни́мый, unexplainable

необыкнове́нный, unusual

неодобри́тельно, disapprovingly

неожи́данный, unexpected

неосуществи́мый, that cannot be realized

неохо́тно, unwillingly

неплохо́й, not bad

неповоро́тливый, clumsy

неподви́жный, motionless

непоня́тн/ый, unintelligible; inconceivable; **-о,** unintelligibly

непоправи́мо, cannot be helped

непоси́льный, beyond one's strength, too heavy

непохо́жий, unlike

непра́вда, untruth

непреме́нно, without fail

непреры́вно, continually

неприли́чно, improper, un-becoming

неприя́тный, unpleasant

нера́вно, unevenly

нерв, nerve

нереши́тельно, timidly, un-decidely, hesitatingly

несвя́зно, incoherently

не́сколько, several, a few; somewhat; **— раз,** several times; **— пе́рвых дней,** for the first few days

несло́жный, simple

неслы́шный, inaudible

несправедли́вый, unjust, un-fair

нес/ти́, to carry; **нёс,** carried; **-ёт,** carries; **-у́т,** carry; **-ший,** carrying

несча́ст/ье, unhappiness, misfortune; **-ный,** unhappy

нет, no, not, no more; **-ли,** if there were

204

неуда́ча, failure

неудо́б/но, it is unpleasant; -ство, inconvenience, discomfort

неуже́ли, it is impossible

нехоро́ш/ий, unpleasant; -о́, not right

нечаянно, accidentally, unwittingly

не́что, something

нигде́, nowhere

ни́зенький, low

никако́й, none whatsoever

никогда́, never

никто́, none, nobody

ниско́лько, not in the least

ни́тки, thread

ничего́, nothing; anything; it's all right; it's nothing; it does not matter, do not worry; — так, no, nothing; — не дал мне, was of no use to me

ничто́, nothing

нового́дний, New Year's time (adj.)

новосе́лье, housewarming; устро́ить —, arrange a housewarming party

но́вость (f.), news

но́вы/й, new; всё -е и -е, more and more; -е́йший, newest

ног/а́, leg; foot; под -а́ми, underfoot; у —, at the feet; с головы́ до —, from head to toe

нож, knife

но́жка (dim. of нога́), foot

но́мер, number; room (hotel)

норма́льный, normal

нос, nose

носи́ть, to bear

носки́, socks

ночле́г: бли́зко —, soon we can stop for the night

ночь (f.), night; на́ —, for the night; -ю, during the night, at night; как -ю, like at night; по ноча́м, at night; ночно́й, night (adj.)

но́ша, burden

ноше́ние (noun), wearing

нра́виться, to please; нра́вится, pleases; он мне —, I like him; как вам — . . .? how do you like . . .?

ну, well, now, just, then; — вот, it's done; — что же, well; —-ка, now just; —-ка, попро́буйте, just try; — -ко, come

нужда́, need

ну́жно, one must, necessary; — бы́ло бы, one should, could; мне —, I need; са́мое -е, most necessary

ны́нче, nowadays

ныть, to ache

нью-йо́ркцы, New Yorkers; -йо́ркский, New York (adj.)

ню́хать, to sniff

О

об/о, about

о́ба, о́бе, both

обвёрнутый, wrapped

обви́ть, to entwine

обду́мать, to consider

обе́д, dinner; к -у, for dinner; за -ом, at dinner; -ать, to eat (dine)

обе́дня, mass

оберну́ться, to look around

обёртка, wrapper

обеща́/ть, to promise; -нный, promised

оби́д/а, insult; -еться, to feel hurt

обиж/а́ться, to feel hurt; -енный, -ен, hurt, offended; -енно, in an offended voice

обильный, abundant
обитатель, resident, inhabitant
облепленный (облепить), covered
облизывать, to lick
облить, to make wet
обман, delusion, deception; -уть, -ывать, to deceive
обмахиваться, to fan oneself
обменяться, to exchange
обнимать, обня/ть, to hug; -вшись, arms around each other's waist; -лись бы, would embrace each other
ободрение, encouragement
ободрять, to encourage
обожгло (обжечь), had been burned
обоих, both
оборачиваться, to turn around
оборваться, to stop short, be interrupted
оборот, about-face
обрад/оваться, to be happy, overjoyed; -уется, -уются, would (will) rejoice, be happy
образ, image; главным, -ом, for the most part
образование: высшее —, higher education
обра/титься, -щаться, to turn to, address
обратно: пошла —, returned
обрушить, to bring down upon
обрыв, precipice, cliff
обрывок, scrap
обстановка, setting
обтирать, to wipe off
обхватить, to embrace
обход, rounds; -ить, to go around; далеко -ил, made a long detour
обшарить, to search, feel
общежитие, dormitory

объявить, to declare
объясн/ение, caption, description; -ить, to explain
обыкновени/е: против -я, contrary to custom
обычай, custom
обычн/ый, usual, habitual; -о, usually
обяза/нность (f.), duty; -нный, obligated; -тельно, certainly, without fail
овёс, oats
огарки, candle stumps
оглядеть, to look around, give the " once over "; -ся, to look around; -ся по сторонам, to look from side to side; оглядывать, to look over; -ся, to look about, back, around; оглянуться, to glance
оголённый, stripped
огонь (m.), fire, light; огней (gen. pl. of огонь), light; -ки, tiny lights; огненно-красные, fiery-red
огород, garden (vegetable)
огорчение, disappointment
ограничиться, to be confined to
огромный, large, huge, enormous
одеваться, to dress
одежда, clothes
оде/ть, to dress; envelop; -ваться, to dress
одеяло, blanket
один, one, alone, a certain, a single
одинаковый, the same
одиннадцать, eleven
одино/кий, alone, lonely, only; -чество, loneliness
однажды, once, one time, one day
однако, however
одни, alone, only

однообра́зие, monotony
одноэта́жный, one-storey
одоле́ть, to master
ожив/лённо, brightly, lively, with animation; **-ля́ться,** to become animated
ожида́ть, to expect, await
озабо́ченно, anxiously
озари́ть, to lighten, brighten
о́зеро, lake
оказа́ться, to turn out to be; to be found
окла́д, salary
окн/о́, window; **у -а́,** near the window; **-а на во́лю откро́ют,** the windows are thrown open
о́коло, near, around, about
оконча́тельно, completely, definitely
око́шечко, little window, (ticket) window
окруж/а́ть, to surround; **-е́ние,** encirclement
омы́ть, to wash off
опа́сн/ый, dangerous; **-ость** ($f.$), danger
опера́ци/я: ему́ сде́лают -ю, they will operate on him
описа́ть, to describe
опозда́ть, to be late
опо́мниться, to collect oneself
опо́ра, support
опоя́сывать, to bind, encircle
опра́виться, to recover, get well
опроки/дываться, to fall over; **-нуть,** to make fall
опус/ка́ться, to descend; **-ти́ть,** to lower; **-ти́ться,** to sink, fall
о́пытный, experienced
опя́ть, again; **пото́м —,** then again
ориенти́роваться, find one's way around
освеща́ть, to light up
осени́ть, to envelop, embrace
о́сен/ь ($f.$), fall, autumn; **-ний,** autumnal
оска́ливать зу́бы, to bare one's teeth
ослепи́ть, to blind
осли́ный, asinine, of an ass
осмотре́ть, to examine
осо́бенн/ый, special, peculiar; **-о,** especially, particularly; **что тут -ого,** what is there so important?
оста/ва́ться, to remain; **— в шля́пах,** to keep hats on; **— „в дурака́х",** to be the fool (*in a game of cards*); **-ётся то́лько,** it is only necessary; **-нется,** would (will) remain; **-нусь,** shall remain; **-ньтесь,** stay; **-ются,** remain
оста́в/ить, -ля́ть, to leave; keep; **-лено,** left; **э́то уж -ьте,** you rather stop that
остальн/о́е, the rest; **-о́й,** the remaining; **-ы́е,** the others; **оста́лось,** remained, survived
остан/а́вливаться, -ови́ть, -ови́ться, to stop
остолбене́ть, to become petrified
осторо́жн/ый, cautious; **-о,** carefully, discreetly, warily
о́стров, island
о́стрый, sharp, pungent
осужде́н, destined
осуществи́ться, to be realized
от, from, away from, because of, by
отбо́рный, the very best
отверну́ть, -ся, to turn away
отве́рстие, opening
отве́т, answer; **-ить,** to answer, reply; **ничего́ не -ил,** did not answer; **отвеча́ть,** to answer
отве́тственный, responsible, important
отводи́ть, to lead
отвори́ть, to open

отдавáть, to give, return, hand to; send; **-ся,** to give oneself over to

отдалённый, distant

отдéл, department; **как у нас в -е?** how are things in our department?

отдéлаться, to get rid

отдел/я́ть, to separate; **-ьный,** separate

отдёрнуть, to withdraw

отдохн/у́ть, to rest; **-и́те,** rest up

óтдых, rest; **-áть,** to rest

отдыша́ться, to regain one's breath

отéль (m.), hotel

откá/зываться, to refuse; **-жется,** would (will) reject

отки́нутый, open

открове́нн/о, frankly; **-ый,** frank

откры́тие, discovery

откры́тка, postcard

откры́/ть, to open; find out; **-ва́ться, -ся,** come into view; **откро́/й,** open, **-ем,** we shall open; **откры́тый,** open, revealed

отку́да, where from

отлегáть от . . ., to ease off, leave

отливáть руби́новым цвéтом, to radiate a (the) ruby hue

отли́чн/ый, excellent, splendid; **-о,** well, fine

отложи́ть, to lay aside

отмéрить, to fix, determine

отметáть, to sweep away, brush off

отнёс (отнести́), carried, took

отнимáть, to take away

относ/и́ться: они́ -ятся ко мне хорошо́, they are friendly toward me

отношéние, attitude

отобрáть, to take back (away)

ото/йти́, to move away; **-шёл,** walked (went) away

отопри́ (отпере́ть), unlock (the door)

оторвáть от, to snatch from

óтпер (отпере́ть), opened; **-éть,** to unlock

отползти́, to crawl away

отпрáв/ить, to send; **-ля́ться,** to go, set out

óтпус/к, leave; **-ти́ть,** to dismiss

отры́вок, selection, excerpt

отстá/ть, to lag behind; **часы́ -ю́т,** the watch loses, is slow

отстрани́ться, to move away

отступи́ть, to recede

отсю́да, from here, there

оттого́, because; **— что,** because of the fact that

оттопы́ри|ва|ть, to project, stick out

отту́да, from (out of) there, from it

отходи́ть, to walk (move) away from

отчáсти, partially

отчáяние: приходи́ть в —, to become discouraged

отчего́? why? what of? in consequence of which . . .

отшатну́ться, to recoil

отыск|ив|áть, to find, seek out

отъезжáть, to move on

офицéр, officer; **-ский,** officer's

óхать, to moan, groan

охвáтывать, to seize

охóтник, hunter; **— до,** lover of

оцени́ть, to appreciate

очаровáтельный, charming

очеви́дно, apparently

óчередь (f.), turn

óч/и, eyes; **повести́ -áми,** to gaze around; **сверкáть -áми,** one's eyes flash fire

208

очи́щенный, cleared
очки́, spectacles, glasses
очути́ться, to appear suddenly; find oneself
ошиби́ться, to make a mistake; **— две́рью**, to go to the wrong door
оши́бка, mistake

П

па́дать, to fall
паде́ние, falling, fall, descent
па́зуха: из-за па́зухи, from under his shirt
паке́т, package
пал (пасть), fell
пала́та, ward, hall
па́лец, па́льцы, finger(s); **па́льцем**, with one's finger
па́лка, cudgel, stick
па́мять, memory; **на —**, by heart, from memory; as a souvenir
па́п/а, -а́ша, father; **-ин**, father's, papa's
папиро́са, cigarette
па́ра, couple; **-ми**, in couples; **па́рочка**, two
парово́з, locomotive
парохо́д, steamer
па́рти/я, party, faction; game, match; **во враждéбных -ях**, on opposite sides; **перешла́ в на́шу -ю**, joined our side
пассажи́р, passenger
пасту́х, herdsman; **ходи́л в -а́х**, worked as a herdsman
па́уза, pause
па́хн/уть, to smell; **-ет**, smells of, does smell; **-ет апте́кой**, it smells like a drug store; **па́хло**, smelled
па́чка, pack, package; **— де́нег**, roll of bills
пей (пить), drink

пекли́ (печь), baked
пе́на, foam
пе́рвый, first; **— раз**, first time
перебега́ть, to run across
переби́ть, to interrupt
переброси́ть через . . ., to throw over
перевёртывать, to turn
переве/сти́, to transfer, turn; **-ла́ глаза́**, turned her eyes; **-лся**, transferred
переводи́ться, to become extinct
перевяз/а́ть, to dress; tie together; **-ка**, dressing; **-о́чная**, dressing room (hospital)
переглянýться, to look (glance) at each other
перегнýться, to bend
пе́ред, in front of, before; **— собо́ю**, before him (her); **-о мной**, ahead of me
переда́ть, to deliver, give, hand; to describe, depict; **-ся**, to be communicated
передвига́ть, to move
пере́дняя, anteroom, hall
перее́хать, to move
пережи́ть, to endure, live through
пере/йти́, to pass, cross; **-шёл**, passed, crossed; **-шла́ в на́шу па́ртию**, joined our side; **-шли́**, moved to
перека́тывать, to roll (about)
переки́нуть, to throw over; **— за плечо́**, to toss over one's shoulder
перекрести́ться, to cross oneself
перелива́ться, to play
переме́н/а, change; **-и́ть, -я́ться**, to be changed
перенима́ть, to learn
переночýйте (переночева́ть), spend the night
перепи́ска, correspondence

переполненный, overflowing
перепута́ть, to confuse
пересека́ть, to cross, intersect
пересели́ться, to be transferred
переси́лить, to overcome
переска́зывать, to relate
пересла́ть, to send
переста|ва́|ть, to stop, cease
переста́вить, to move
пересыпа́ть с руки́ на́ руку, to pour from hand to hand
перетасова́ть, to shuffle
переу́лок, alley
переутомля́ться, to overwork
перо́, feather, pen; пёрышко, feather; пе́рья, feathers
перро́н, platform
перча́тка, glove
пе́сня, song
пёстрый, bright, motley
песча́ный, sandy
петь, to sing
печа́ль (f.), sorrow; -ный, mournful, sad
печа́тный, printed
печёный (печь), baked
пе́ч/ка, печь (f.), stove; у -ки, near the stove
пешехо́д, pedestrian
пи́во, beer
пиджа́к, coat
пи́ки (f. plur.), spades
пиро́г, pie, cake
писа́ть, to write
письмо́, letter; сел за —, sat down to write a letter; пи́сем, letters
пить, to drink; попроси́ть — to ask for a drink; захоте́л —? you are thirsty?
пихну́ть, to poke
пи́ш/ешь (писа́ть), you are writing; -ет, is writing; -й, write; -у, am writing; -ется, is spelled

пи́ща, food
пища́ть, to squeak
пла́вать, to swim
пла́вно, smoothly
пла́кать, to cry, weep
пласт, layer
плати́ть, to pay
плато́к, kerchief (hand)
пла́тье, dress, clothes; быть в бе́лом —, to wear a white dress
плач, crying; -ут, cry
плева́ть, to spit; — на, not to give a hang
племя́нни/к, nephew; -ца, niece
плетёт (плести́), braids; — вено́к, makes a wreathe
плеч/о́, shoulder; че́рез —, over the shoulder, across the back; -и, shoulders; пожа́ть -а́ми, to shrug one's shoulders
пли́тка, bar (chocolate)
пло́тн/ый, dense, thick; -ее, more tightly
плохо́/й, bad, wretched; -о, badly
площа́дка, playground; кроке́тная —, croquet grounds
пло́щадь (f.), square (village, town . . .)
плуг, plough
плыть, to sail, float
пляж, beach
по, through, along, from, via; according to
по-ва́шему, you think
по-неме́цки, German; по-францу́зски, French
поба́ловать, to fondle
побе́г, desertion
побе́/да, victory; -дитель, conqueror; -ди́ть, -жда́ть, to conquer, win
побежа́ть, to run

побесе́довать, to talk
поби́ть, to beat up
поблагодари́ть, to thank
побледне́ть, to turn pale
побли́же, nearer, closer
побрёл (побрести́), went
поброса́ть, to throw
повели́тельно, commandingly
пове́рить, to believe, trust, heed
повер/ну́ть, -ся, to turn; **-ни́сь,** turn around
пове́рх, over; **-ность** (*f.*), surface
по́весть (*f.*), tale
повида́ть, to see
пови́димому, obviously
повора́чивать, to turn
поворо́т, bend
повтор/и́ть, —я́ть, to repeat
повя́зка, bandage
пога́снуть, to go out, die away
поги́б/нуть, to perish; **-ший,** lost, doomed
погляд/е́ть, to look at; **-ывать,** to keep looking, to look; **погляжу́,** I shall take a look
поговори́ть, to talk, converse, have a chat
пого́да, weather
погод/и́ть, to wait a little; **немно́го -я́,** a little later
погоня́й! whip the horse!
по́греб, cellar
пода|ва́|ть, to hand, give, bring
пода́вленный, crushed
пода́льше, away
подар/и́ть, to give (make) a present; **-ок, -очек,** present
подбежа́ть, to run up to
подбодри́ть, to stimulate
подборо́док, chin
подбра́сывать, to toss up
подвезём (подвезти́), will drive
подвёл (подвести́), led up to
подверну́ть, to tuck up

по́двиг, exploit
подви/га́ться, to draw near; **-ну́ться,** to move
подвози́ть, to drive, take
подгото́вить, to prepare
подели́ться, to share
поджима́ть, to tuck
подко́шенный, cut from under, mowed down
по́дле, beside, near by, next to
подлива́ть, to pour, add
подмета́ть, to sweep
подмеша́ть, to mix
подми́гивать, to wink
поднима́ть, подня́ть, to raise, lift, pick up; **-ся,** to go (get) up, ascend, rise
подо́бно/е, similar; **ничего́ -го!** nothing of the kind!
подожда́ть, to wait
подозри́тельный, suspicious
подой/ти́, to come up, approach; **-дёт,** will walk up to
подоко́нник, window sill
подош/ёл, -ла́, -ли́ (подойти́), came near, walked up to, went to
подпа́сок, herdsman's assistant
по́дпись (*f.*), signature
подползти́, to crawl to
подполко́вник, lieutenant colonel
подрасту́т, would (will) grow up
подро́бн/о, at length; **-ый,** detailed
подру́га, girl-friend
подсве́чник, candlestick
подсе́ла (подсе́сть) к, sat down beside
подсу́нуть, to dig (bury) beneath
поду́ма/ть, to think; **и не -ла!** not at all
поду́шка, pillow

подходи́ть, to come near, approach, walk up to

подъе́з/д, entrance; **-жа́ть,** to drive up

по́езд, train; **-ка,** trip

поёт (петь), sings

пое́/хать, to drive, start out, go; **-зжа́й,** go on

пожале́ть, to take pity, have mercy; to regret, be sorry

пожа́луй, all right, if you wish, perhaps, probably

пожа́луйста, please

пожа́р, fire; **-ный брандме́йстер,** the head of the fire department

пожи/вёшь (пожи́ть), you will live; **-ло́й,** older man

пожима́ть, to press

пожи́ть (жить), to live

поза́втракать, to eat breakfast

позади́, behind

позва́ть, to call, invite

позво́л/ить, to allow; **-ьте,** tell me; but, please

позвони́ть, to ring the bell, call

по́здно, late; **бы́ло —,** was (too) late

поздоро́ваться, to greet

поздрав/ля́ть, **-ить,** to congratulate

познако́миться, to become acquainted, meet

позна́ть, to experience

позо́р, disgrace

поигра́ть, to play for a while; **— в ка́рты,** to play cards

пойма́ть, to catch

пойму́ (поня́ть), I will understand

пой/ти́, to go; **-дём,** let's go; **что же вы -дёте?** why should you go? **-ди́,** go; **-ду́,** am going, I'll go

поищу́ сейча́с, I am going to look for it

пока́, till, until, in the meantime, while, while waiting

показ|ыв|а́ть, to show, reveal; **-ся,** to appear, seem; **покажу́,** will show

пока́чиваться, to stagger

поки/да́ть, **-нуть,** to leave, abandon

покло́н, greeting

поко́й, peace of mind

поко́й/ник, deceased; **-ный,** late . . .

покормлю́ (покорми́ть), I shall give you something to eat

покрасне́ть, to blush, flush

покры/ва́ть, to cover; **-ться,** to become covered

покуп/а́ть, to buy, get; **-а́лся,** was to be purchased; **-а́тель** (*m.*), customer

поку́пка, purchase

покури́ть, to smoke

пол, floor

полго́да, half-year

по́ле, field; **ей далеко́ ви́дно в —,** she can see far into the fields; **над -м,** over the field

поле́зный, useful

полёт, flight

по́лзать, to crawl

по́лк/а, shelf; **к -е,** toward the shelf

полкило́, half-kilogram

полко́в/ник, colonel; **-о́й,** regimental

полмину́ты, half-minute

по́лн/ый, **-о,** full, complete

положе́ние, position, attitude, situation

положи́ть, to put, lay, put away

полос/а́, streak; **-ка,** small stripe

полтора́, one and one-half; **— часа́,** one hour and a half

полуоткры́тый, half-open
полус/о́н: в -не́, half asleep
получи́ть, to receive; **-ся,** to be received; come out
полчаса́, half-hour; — **наза́д,** half an hour ago
по́льзоваться, to take advantage of
по́лька, polka
польсти́ться, to be tempted
поменя́ть, to exchange
поме́ркнуть, to grow dim
помести́ть, to accommodate
помеща́ться, to be located
поме́щик, landowner
по́м/нить, to remember; **-ню,** I remember
помога́ть, to help
помолча́ть, to remain silent for a time
помо́/чь, to help; **-щник,** assistant
помрём (помере́ть), we shall die
помча́ться, to race, rush
понёс (понести́), carried, took
пони́же, somewhat lower
пони́зить, to lower
понима́ть, поня́т/ь, to understand, realize; **-но,** naturally, of course; **-ный,** intelligible
понра́ви/ться, to please, be pleased; **-лось?** did you like it?
поню́ха/ть, -ет табаку́, would take a pinch of snuff
пообе́дать, to dine, eat
попа́сться, to get caught
попра́вить, to adjust, correct
попре́жнему, as before
попро́б/овать, to try; **ну́-ка -уйте,** just try
попро/си́ть, to ask; **-ша́йка,** beggar
пор/а́, time; **до сих —,** still; **с тех —,** since then; **до тех — пока́,** until; **мне -а́,** I must go

поравня́ться, to come up beside
порази́т/ь, to strike, impress; **-ельный,** striking; **о́ба поражены́,** both are surprised
порва́ть, to rip, tear, break
поро́г, threshold
поро́да, race
по́ртить, to ruin
портре́т, portrait, picture
портсига́р, cigarette (cigar) case
портупе́я, sword-belt
портфе́ль (*m.*), brief case
портье́, desk clerk
по́ручень (*m.*), handrail
пору́чик, lieutenant
поря́док, order
поса/ди́ть, to seat; **-жен,** put, placed; **-женный,** planted; **-жу́,** shall plant
поса́дка, landing
посети́тель, visitor, caller
посиде́ть, to sit for awhile
поскака́ть, to skip
посла́ть, to send
по́сле, after, afterward, later
после́дний, last, the newest
после́довать, to follow
послеза́втра, the day after tomorrow
посло́вица, saying
послу́ша/ть, to listen; **-йте!** look here!
послу́шно, obediently
послы́ша/ться, to be heard; **-лось,** was heard; **мне —,** I thought I heard
посме́ть, to dare
посмотре́ть, to see, look; **ещё —,** to look once more
по́сох, staff
поспа́ть, to sleep awhile
поспе́шно, quickly; **-сть** (*f.*)**: с -ю,** with haste
посреди́, between, in the middle; **-не,** in the center

213

поссо́риться, to quarrel
поста́вить, to put, place, apply, set up
постара́ться, to endeavor, make an effort
постаре́ть, to grow old
посте́ль (f.), bed
постепе́нно, gradually
постоя́лец (hotel) guest
постоя́нно, continually, constantly
посто/я́ть, to stand; -й, -йте, wait, wait a minute
пострада́ть, to suffer
посту́/кивать, -ча́ть, to knock; to drum
посу́да, chinaware
посы́лка, parcel; продукто́вая —, food package
пот, perspiration
потёмки, darkness; в потьма́х, in the dark
потеря́ть, to lose
потихо́ньку, quietly, furtively
пот/о́к, stream, current; -ечёт, will flow
потоло́к, ceiling
пото́м, then, later, after that
пото́мки, offspring
потому́, therefore; — что, since, because
поторопи́ться, to hurry
потрёпанный, ragged
потруди́ться, to take the trouble
поту́хнуть, to go off
поуч/е́ние, lesson; -и́ться, to study
похвал/а́, praise; -и́ть, to say a nice word (about)
похо/ди́ть, to resemble; -ж, like, looks like; на кого я -жа! how awful I look! до того́ -же, he imitates so well
похо́дка, pace, gait
по́хороны, funeral

похуде́ть, to grow thin
поцел/ова́ть, to kiss; -у́й, kiss; посла́ть возду́шный -уй, to throw a kiss
поча́ще: вы бы —, you ought more often
почему́, why; вот —, that's why; -же? and why?
по́черк, handwriting
почерне́вший, darkened
починя́ть, to repair
почита́ть, to read
по́чта, post office
почти́, almost, nearly, hardly
почти́тельный, respectful
почу́вствовать, to feel, sense
почу́ди/ться, to seem; мне -лось, it seemed to me
почу́ять, to sense
пош/ёл, -ла́ (пойти́), walked, started walking, went, played (a card); -ли бы, would go
пошепта́ться, to whisper
пошлёт (посла́ть), would (will) send
поэ́зия, poetry
пою́т (петь), sing
появ/и́ться, -ля́ться, to appear
по́яс, belt; оголённый по —, stripped to the waist
прав, right; -о, truly, surely, honestly, really; I assure you, I am sure
пра́вд/а, truth, a fact, reality; не — ли, is it not so? -иво, truthfully
пра́вило, rule
пра́вильн/ый, the right one; well regulated; -о, correctly, properly, soundly, that's right
пра́здн/ик, holiday, birthday; -ичный, festive; -овать, to celebrate
прах, dust
пред, -о, before
предвкуша́ть, to look forward to

предлага́ть, to offer

предло́/г: под -гом, on the pretext; **-жи́ть,** to suggest

предме́т, object

предохраня́ть, to protect

предпочита́ть, to prefer

председа́тель (*m.*), president (at a kolkhoz)

предста́в/ить, to introduce; **— себе́,** to see in one's imagination; **-ля́ть,** to be, imagine, present, think

предстоя́ло, it was necessary

предупреди́ть, to warn

предчу́вствие, forefeeling

пре́жде, before; **— всего́,** first of all

пре́жний, former, same as before

презре́ние, contempt

прекра́сн/ый, beautiful, grandiose; **-о,** fine, excellent, very well

прекрати́ться, to cease

пре́лест/ь (*f.*), delight; **-ный,** charming, ravishing

преподава́ть, to teach

прерыва́ть, to interrupt

преступле́ние, crime

при, with; **— э́том,** while doing so

прибе/га́ть, -жа́ть, to come running

прибира́ть, to clean

прибли/жа́ть, to move toward; **-ся, -зиться,** to approach, draw near, move forward

привезти́, to bring

приве́т, greetings; **-ливо,** affably

привлёк (привле́чь), drew

прив/оди́ть, to lead; **-еди́те,** bring

привста́ть, to raise oneself up (a little)

привы́/кнуть, to become accustomed; **по -чке,** from habit; **-чный,** habitual

привяза́ть, to attach (tie on)

приглаша́ть, to invite

приго́тов/ить, to prepare, do, make ready, fix; **-ле́ние,** preparedness

пригрози́ть, to threaten

приде́рживать, to press

придётся (приттись́), I shall have to

приду́мать, to think up (of); find

прие́/хать, to arrive; **-дет,** will come; **-зд,** arrival

прижа́ть, to press; **— к,** press against; **-ся,** to cuddle up, press up against

при́знак, sign (indication)

призна́ться, to confess, be frank; make oneself known

при́зрак, phantom

призы́в, call

прика́з|ыв|а́ть, to order, tell

прикла́дывать, to press

приключе́ние, adventure

прикова́ть, to fasten

прикосн/ове́ние, contact; **-у́ться,** to touch, kiss (with a light touch)

прикры́ть, to cover up

прила́вок, counter

приласка́ть, to show affection

прил/егла́ (приле́чь), took a nap; **-я́гте,** lie down

приле́жно, diligently

прилете́ть, to arrive (by plane)

прильну́ть, to cling to

приме́р, example

приме́р/ивать, -я́ть, to try on

примкну́ть, to join

принадлежа́ть, to belong to

прин/ести́, -оси́ть, to carry, bring; **-нёс,** brought

прини́кнуть, to stoop over

принима́ть, приня́ть, to receive; assume; **— за,** to take for; **-ся,** to begin, start, set about

принц, prince; **-écca**, princess
приотвори́ть, to open (a little)
припа́рка, poultice
припа́сть лицо́м, to press one's face to
приподня́ть, to lift, raise a little; **-ся**, to arise
припуска́ть огня́ в ла́мпе, to turn up a lamp
приро́да, nature
прирождённый, by birth
присе́ла (присе́сть), sat down; прися́д|ет, **-у**, would (will) sit down
присла́ть, to send
прислони́|ться, to lean against; **-лся лбом к стеклу́**, leaned his forehead against the glass
прислу́га, maid
прислу́ш|ив|аться, to eavesdrop; listen closely
присма́триваться, to watch
при́стально, fixedly
прису́тствие, presence
присы́панный, covered
притворя́ться, to pretend
прити́хнуть, to quiet down
прито́м, besides
притоми́ться, to become exhausted
притро́нуться, to touch
при/тти́, to come; **-дём, -ду́**, would (will) come
притя́гивать, to attract
приходи́ть, to come; **-ся: -лось тру́дно**, it was hard
причеса́ть, to comb
причи́на, reason, cause
приш/ёл, **-ла́** (притти́), came, has come; **раз вы са́ми -ли**, since you came to me (without my asking you)
пришло́сь (прийти́сь), I had to, it was necessary
прищу́ривать глаза́, to screw up one's eyes
прию́т, hospitality; **-и́ть**, to give shelter
прия́тель (*m.*), friend
прия́тн/о, pleasant; palatable
пробира́ться, to steal one's way; **— бо́ком**, to move sideways
проби́ть, to strike
про́бовать, to taste
пробормота́ть, to mumble
проверя́ть, to check (ascertain)
пров/ести́, **-оди́ть, -ожа́ть**, to spend, follow, accompany, see off; **-одни́к**, conductor
прово́рно, hastily
проворча́ть, to mutter
проговори́ть, to utter, say
прогу́лка, walk, ride
прода/ва́|ть, to sell; **и — не хоте́ли**, didn't even wish to sell
продолжа́ть, to continue, keep up
проезжа́й! move on!
прозвуча́ть, to be heard
прозра́чный, transparent
пройд/ёт, would (will) pass; **пусть —**, let ... pass; **-и́тесь**, dance; **-я́ ... шаго́в**, having gone (taken) ... steps; **прошла́сь**, walked up and down
произв/оди́ться, to make, produce; **-ели́**, have made
произн/ести́, **-оси́ть, -оси́ться**, to pronounce, say, utter
прои/сходи́ть, to happen, result; **-зошло́**, had taken place, happened
пройти́, to pass, go, tread; **-сь**, to dance
пролежа́ть, to lie
проле́тка, (light) carriage
проло́г, prologue
промо́лвить, to utter

промолча́ть, to keep silent
пронзи́ть, to pierce, affect
пропа́/сть, to be lost, disappear; **чтоб ты -л!** the devil take you!
пропус/ка́ть, -ти́ть, to let in; to sip
прорва́ться, to break out
проси́ть, to ask, beg, invite, request
просну́ться, to wake up
просо́хнуть, to get dry
прости́ть, to forgive; **-ся,** to take leave
про́сто, merely, simply; **— так,** so naïvely; **-й,** common, simple; **-та́,** simplicity
простона́ть, to utter a moan; to sound
просто́рный, spacious
простоя́ть, to stand
простра́нство, space, expanse
просу́нуть, to shove through
просчита́ть, to count
просыпа́ться, to wake up
про́сьб/а, request; **по́сле до́лгих —,** after repeated requests
про́тив, opposite; **-ник,** opponent; **-ный,** disgusting; naughty
протира́ть, to wipe; **-ся,** to be worn
проти́скиваться, to force one's way
протя/ну́ть, -гивать, to extend, stick out; **— ру́ку,** to offer one's hand; **-ся,** to stretch out
прохво́ст, scoundrel
прохла́да, coolness
прохо/ди́ть, to pass, walk on by; **— ми́мо,** to walk past; **-жий,** passer-by
прочсть, to read
про́чи/е, all the others; **-й,** other, remaining
прочит/а́ть, to read; **-ываться,** to be read

про́чный, fast
прочь, away
прошёл (пройти́), went, walked by (through)
прошепта́ть, to whisper
прошипе́ть, to hiss
прошл/о́, passed; **-ое,** past; **далё-кое -е,** the distant past; **-ый,** last
проща́/й, -те, good-bye; **-ться,** to tell good-bye; **-ние,** farewell; **на -ние,** at parting
проща́ть, to forgive
проясня́ться, to brighten
пры́гать, to jump
прям/о́й, straight; **-о,** straight, upright, directly
пря́нуть, to spring
пря́та/ть, to hide, conceal, put away; **-лись,** were hidden; **пря́чет,** hides, puts
пти́/ца, -чка, bird; **-чкин,** the birdie's
пу́блика, people
пу́др/еница, powder box; **-иться,** to powder oneself
пузы́р/ь (*m.*), bubble; **пуска́ть -и,** to blow bubbles
пунцо́вый, crimson
пуска́ть, пусти́ть, to let; let go; **пусти́те меня́,** leave me alone
пусто́й, empty
пусты́н/я, desert; **-ный,** desert (*adj.*)
пусть, let; **— же,** let (then)
пустя́к, bagatelle, trifle; **на -и броса́ть,** to waste
пу́тать, to confuse
путь (*m.*), road, way; term of existence
пу́хлый, puffy
пуши́стый, fluffy
пу́шк/а, (mounted) gun; **как из -и,** in no time
пы́льный, dusty

217

пыта́ться, to attempt, try

пье́са, play

пьёт, пьют (пить), drink

пья́н/ица, drunkard; -ый, intoxicated, drunk

пятна́дцать, fifteen

пятн/о́, spot, stain; весь в -ах, all spotted

пя́тый час, between four and five o'clock

пять, five; -деся́т, fifty; -со́т, five hundred

Р

рабо́т/ать, to work, function; -а, work, labor; дома́шняя -ница, domestic servant

равно́: всё —, anyway, all the same; мне всё —, I don't care

равноду́шие, indifference

рад, -а, -ы, glad, pleased; и сама́ не -а, now I am sorry

ра́ди, for the sake of

ра́доваться, to rejoice, be happy about

ра́дост/ный, joyfull, gay; -ь (f.), joy, happiness; с -ью, joyfully

раз, once; —, друго́й, once, twice; ещё —, once more; как — как, just like; мно́го — often; не́сколько —, several times; в пе́рвый —, for the first time; в после́дний —, for the last time; про́шлый —, last time; ско́лько —, how many times; со́тый —, for the hundredth time; э́то —, that's one reason

разби́|ва́|ть, to break, smash; -ся, to break, be killed; -тый, wounded

разбира́ть, to unpack

разброса́ть, to scatter

разбу/ди́ть, to wake up, awaken; -жу́, will awaken

развали́ться в куски́, to fall to pieces

ра́зве, unless; do you think; should I (we) . . .? — не́ был, was (did) he not

развлека́ться, to have a good time

разгля́дывать, to examine, look intently

разгов/о́р, conversation; по́сле до́лгих -ов, after much talk; -а́ривать, to converse, talk; -ори́ться, to converse

разда́|ва́|ться, to ring, resound, be heard

раздвига́ть, to open up

разде́|ва́|ться, to undress

раздели́ть, to share

разде́льно, distinctly

раздражённо, angrily

разду́м/ывать, to wonder; -ать, to change one's mind

разлива́ть, to pour

различа́ть, to distinguish

разма́хивать рука́ми, to gesticulate

разма́шисто, with a swinging movement

разнообра́зный, varied

ра́зный, different, varied, various

разозли́ть, to enrage

разойти́сь, to part, separate

разостла́ть, to spread, put

разочарова́ние, disappointment

разража́ться, to burst out

разраста́ться, to grow, develop

разреш/а́ть, -и́ть, to allow; -е́ние, permission

разры́в, blast, burst, explosion

разуме́ется, of course

разучи́ться, to forget how

рай, paradise

райо́н, place (area, district)

рáм/а, frame; **зúмние -ы**, storm windows

рáн/а, wound; **-еный**, wounded

рáн/о, early; **-емý**, it's too early for him; **-ний**, early; **-ьше**, earlier, before; at first; in the past; **как -ьше**, as before

раскáчивать, to swing

раскры/вáться, to open; **-тый**, open, opened

раскýпорить, to open, uncork

распечáт|ыв|ать, to open

расплáкаться, to burst into tears

распознáть, to diagnose

располóжен, disposed

рассвéт, dawn

рассердúть, to make angry; **-ся**, to get angry

рассéянный, scatterbrain; dreamy

расскáз, story; **-чик**, narrator

расскá/зывать, to relate, tell; **-жý**, shall tell

расслýшать, to hear

рассм/áтривать, **-отрéть**, to look, examine; get a view

рассмеяться, to laugh, burst into laughter

рассмотрéть, to get a view

расспрáшивать, to question

расстáвить, to put; **— нóги**, to spread one's legs

расстрóиться, to break up

рассуждáть, to argue

растéрянн/о, distractedly; **-ый**, distraught

раст/ú, to grow, shoot up; **-ёт**, grows

растирáть, to rub, grind

растúтельность (*f.*), vegetation

растóпленный, melted

растрóганный, deeply moved

расходúться, to move away, depart, part

расчётливый, thrifty

ребёнок, child

рёв, roar

реверáнс: сдéлать —, to make a curtsy

ревно/вáть, to be jealous; **-сть** (*f.*), jealousy; **ревнúвый**, jealous

рéже, less often

рéзать, to cut

резúновый, rubber (*adj.*)

рекá, river

реснúца, eyelash

рецéпт, recipe

речь (*f.*), speech, chatter; **зашлá —**, the subject came up; **о котóрой идёт —**, which interests us

реш/áть, **-úть**, **-úться**, to decide; **-áющий**, decisive; **-éние**, decision; **приходúть к -éнию**, to decide

рисовáть, to picture, draw

рúфма, rhyme

рóбк/ий, timid, faint; **-о**, timidly

рóвный, even

род: всякого -а, any kind

рóдина, birthplace, fatherland

родúтели, parents

родн/óй, dear; native; **-ы́е**, members of the family

рóдом: быть —, to belong by birth

рóется (ры́ться), rummages

рождéн/ие, birth; **день -ия**, birthday; **-ный**, born, created

рóзовый, pink, rosy, rose (*adj.*)

роковóй, fateful

ромáн, novel; **-тúческий**, **-тúчно**, romantic

ромáнс, ballad

ронять, to drop

рóскошь (*f.*), luxury; splendor

рост, size; **нúзкого -а**, short

рот, mouth

роя́ль (*m.*), piano

руба́шка, shirt
руби́новый, ruby (*adj.*)
рубль (*m.*), rouble
руга́/нь (*f.*), abuse; **-ть,** to scold; **-ся,** to abuse, swear, call names
ружьё, gun, rifle; **держа́ть — к ноге́,** at attention; **за ру́жья,** by the guns
рук/а́, arm, hand; **за́ -у,** by the hand; **махну́ть -о́й,** to wave
рука́в, sleeve
румя́н/ец, reddish color; **-ый,** ruddy, rosy
русло́, riverbed
ру́сский, Russian
рыда́ние, sobbing
рыть, to dig
рю́мка, wine glass, goblet, glassful
ряд, rank, row; **двумя́ -а́ми,** in two rows; **-ом,** close-by, alongside, beside, side by side

С

сад, garden; **городско́й —,** city park
сади́ть, to plant
сади́ться, to sit down; **— в каре́ту,** to climb into a carriage
са́ло, tallow; **свино́е —** bacon
салфе́тка, napkin
сам, -а́, -и, him (her, it, them) self
самолёт, airplane
самостоя́тельный, independent; resourceful
самоуби́йство, suicide, self-destruction
са́мый, same, very, most
са́ни, са́нки, sleigh
сапоги́, boots
са́хар, sugar
сби|ва́|ть, to smash; fool (lead astray)

сбира́ть, to gather
сва́дьба, wedding
све́жий, fresh
сверк/а́ть, to sparkle; **-ну́ть,** to flash
сверну́ть, to turn; **-ся,** to roll oneself; **-ся кольцо́м,** to coil
свёрток, package
све́ситься, to hang down
свет, light; society; world; **дневно́й —,** daylight; **лу́нный —,** moonlight; **смотре́ть на —,** to look through; **-ло,** light, daylight; **-лый,** light, clear, bright; happy; light-colored; glorious
свети́ла, heavenly bodies
све́ч/ка, -а́, candle
свида́ни/е; до -я, good-bye
свисте́ть, to whistle, trill
свобо́д/а, freedom; **-ный,** free
свой, one's own
сво́йство, peculiarity
свора́чива/ть, to turn aside; **-й! get out!**
свы́кнуться, to become accustomed to
свя́занный, connected
свяще́нник, priest, chaplain
сгиба́ться, to double up
сгоре́ть, to burn up
сда|ва́|ть, to rent; **—экза́мены,** to pass an examination
сде́лать, to do, make; **-ся,** to become
сдержа́ть, to hold back; **-ся,** to control oneself
себя́: како́й же он из —? how does he look?
сего́дня, today
седо́й, hoary, grey-haired
седо́к, fare, customer
сейча́с, now, right away, at the present moment; soon, immediately

селёдка, herring
семейный, family, domestic
семь, seven; -десят, seventy
семья, family
сени, vestibule
сено, hay
сентябрьский, September (*adj.*)
сердит/о, angrily, sullenly; -ься, to be angry
сердце, heart; — сжималось, the heart ached
серебр/яный, silver (*adj.*), -истый, silvery
серый, grey
серьёзно, seriously, gravely
сестра, sister; — милосердия, nurse
сесть, to sit down; сел, sat down; сел бы, should sit down
сетка, net
сж|им|ать, to weigh upon, press; -ся, to contract
сзади, behind
Сибир/ь (*f.*), Siberia; -ский, Siberian
сигарный, cigar (*adj.*)
сигнал: недавно — был, the whistle just blew
сидение, seat
сидеть, to be seated, sit; alight; вы всё дома сидите, you stay at home
сил/а, force, strength; не под -у, beyond one's strength; -ьно, strongly; violently; vividly; very much; -ьный, powerful; самый -ьный, the strongest
син/ий, blue; -евато-белый, bluish-white
сиплый, hoarse
сирень (*f.*), lilac
сиятельство; ваше —, your excellency
сия/ть, to shine; -ющий, brilli-ant, radiant
ска/зать, to tell, say; надо —, I must say; как она мне это -зала, when she told me this; -жем, let's say; -жет, will say; -жите, tell; -жу, shall tell
сказ/ка, tale, story; -очный, fantastic, fairy-tale like; fairy-land (*adj.*)
скала, cliff, rock
скамейка, скамья, bench
скандалить, to kick up a row, fuss
скатиться вниз, to roll down
скважина: замочная —, keyhole
скверный, nasty, terrible, awful
сквозь, through
склад/ка, fold; -ывать, to fold; put in
склоняться, to lean
скольз/кий, slippery; -ить, to slip
сколько, how much (many); as much as
скомандовать, to order
скорб/ь (*f.*), grief; -но, grievously
скор/о, soon; -ее, -ей, quickly, hurry; rather, more; -ость (*f.*), speed; со-ю, at the rate of скорее всего, most likely
скрип/ач, violinist; -ка, violin
скромн/ичать, to be modest; -ый, modest
скрутить, to twist
скры|ва|ть, to conceal ; -ся, to disappear
скука, boredom; а то тут ужас какая —, for it's awful, how dreary it is here
скупой, stingy, miserly
скуч/ать, to be lonely; -но, -ный, boring, uninteresting, dull

слаби́тельное, purgative, laxative

сла́бый, weak, frail

сла́ва, glory; — Бо́гу, —тебе́, Го́споди, thank heavens

сла́вно, well

сла́дко, sweetly, with evident pleasure

сле́ва, to the left

слегка́, slightly

след, trace, footprint

следи́ть, to follow; — за, to watch

сле́д/овать: не -у́ет, (one) must not

сле́дующий, following, next

слеза́, tear

слез/а́ть, to climb down; -ла, peeled off

слепо́й, blind

слизь (f.), slime

сли́шком, too, excessively; — ма́ло, too little

сло́вно, as if, as though, like, just like

сло́в/о, word; че́стное —, I assure you; из двух —, from a few words

сложи́ться, to unfold

сло́жн/о, complex; -ый, complicated

служа́нка, maid

слу́ж/ба, service, post, work; на -бе, in the factory (shop, office)

служ/и́ть, to serve, work, be employed; -ащий, employee; employed

слу́ча/й, occasion; incident; event; в тако́м -е, in that case; по -ю, on the occasion; случи́ться, to happen; -лось мне, I happened

слу́шат/ь, to listen; -ся, to obey; -ель, -ельница, listener

слыха́ть, to hear

слы́ш/ать, to hear; -ся, to be heard; -но, audible; -но то́лько, all that would be heard

сма́хивать, to wipe away

сме́лый, courageous, daring

сме́н/а: ночна́я —, night shift; -и́ться, to change into

смерть (f.), death

сме/ть, to dare; не -ют, must not

смех, laughter

смешно́, funny; тебе́ —, it seems funny to you

сме/я́ться, to laugh; — над, to laugh at; -ётся, he laughs; -и́ся, laugh

сми́луйтесь (сми́ловаться), have pity!

смог (смочь), was able; как —, the best he could

смо́лоду, in his youth

смо́рщенный, contracted

смотр/е́ть, to look, watch; -и́, -и́те, look; — ка, just look at that; — в упо́р, to stare

сму́глый, swarthy

сму/ти́ться, -ща́ться, to be embarrassed

смущ/а́ть, to disturb; -ённо, embarrassingly, confusedly, abashed

смысл, meaning; в -е, in regard to

снача́ла, at first, in the beginning

снег, snow

сни́зу, from below (downstairs)

снима́ть, снять, to take off, remove

снима́ться, to have one's photo taken

сни́ться, to dream

сно́ва, again

сны (сон): ви́дит —, dreams

соба́ка, dog

собесе́дники, those conversing among themselves

соб|и|ра́ть, to collect, gather, assemble; **-ся,** to get together; get ready

собо́й: с —, with me (him, her, etc.)

собра́ние, meeting

собра́ть, -ся, to gather, assemble; get ready

со́бственный, one's own

собы́тие, event; **це́лое —,** quite an event

сова́ть, to thrust

соверше́нн/о, absolutely; **-ый,** complete

соверши́ть, to accomplish

совсе́м, forever, quite, completely; **— не . . .,** not at all

согла/си́ться, -ша́ться, to agree; **-сен, -сна, -сны,** agree; **-сие,** consent

согну́ться, to bend, stoop

согре́ться, to warm up

со́да, soda

соедини́ть, to unite

сожале́ни/е, sorrow; **к -ю,** to my (his, her, etc.) regret

созна́ться: на́до —, one must admit

сойти́сь, to agree

со́кол, falcon

солда́т, soldier

со́лнечный, sun (adj.)

со́лнце, sun

сомнева́ться, to doubt, be undecided

сомни́тельный, uncertain

сон, sleep; **— не приходи́л,** I (he) couldn't sleep; **у меня́ — прошёл,** I am no longer sleepy; **перед сно́м,** before going to sleep; **— dream; ви́дит вас во сне́,** he is dreaming of you; **-ный,** sleepy; **-ное дыха́ние,** heavy breathing

сообщи́ть, to announce

сообра/жа́ть, -зи́ть, to consider, decide, figure; **как я не -зи́л?** how did I not think of it?

соп/е́ние, wheeze; **-е́ть,** to wheeze; sniffle

сопровожде́ни/е: в -и, escorted by

со́рок, forty; **-але́тний,** forty-year-old

сосе́д, -ка, neighbor; **-ний,** neighboring, next

соскочи́ть, to jump off

составля́ть, to be made up, make up

состоя́щий из, consisting of

сосчита́ть, to count

со́тня, hundred (roubles)

сотру́дни/к, -ца, co-worker

со́ус, sauce, dressing

сохрани́ть, to keep; **-ся,** to be preserved

сочиня́ть, to make up, compose

сочи́ться, to trickle

сошл/и́сь (сойти́сь), came together; agreed; **-ло́ (сойти́),** passed

спа́льня, bedroom

спаси́бо, thank you; **большо́е —,** thank you very much; **— за,** thanks for

спать, to sleep; **легли́, пошли́ —,** went to bed

сперва́, at first, first of all

спех: не к -у, there is no hurry

спеши́ть, to hurry; **не́куда —,** there is no hurry

спин(к)а́, back; **за -о́й,** behind the back

спит (спать), sleeps; **сла́дко —,** sleeps soundly; **спишь, что́-ли?** are you asleep?

спи́ца, knitting needle

спи́чка, match

спишу́ (списа́ть), I shall copy

сплёл (сплести́): ещё Ва́-
ничка —, Vanichka weaved it
сплю́нуть, to spit
споко́/ен, undisturbed; -йно,
peacefully, calm; сиде́ть
-йно, to keep still
сполза́ть, to slip down
спор, argument, discussion;
-ить, to argue
спосо́бный, capable
спотыка́ться, to stumble
спра́ва, on (to) the right
спра́вка, information
спра́шивать, спроси́ть, to ask,
enquire; спроси́те-ка, just
ask; спрошу́, I shall ask
спря́/тать, -ся, to hide; — под
замо́к, to put under lock and
key; -чу, I will hide; -чь их,
put them away
спусти́ться, to descend
спустя́, later
спя/т (спать), are sleeping;
-щий, sleeping; sleeper
сраж/а́ться, to fight; -ённый,
beaten, vanquished
сра́зу, immediately, at once; in
one sitting
срами́шься (срами́ться), disgrace yourself (oneself)
сред/а́: в -е́, in the company;
-й, amid, among, in the midst
of
сре́дний, average
сро́чный, urgent
срыва́ться, to break
ссо́р/а, quarrel; -иться, to
quarrel
ссыла́ясь (ссыла́ться), referring
to
ста́вить, to put; set (a watch)
ста́вший (стать), who became
стака́н, glass
сталь (f.), steel
станда́ртный, standard (adj.)

станови́ться, to become; stand
ста́нция, station
стара́ться, to endeavor, make
strenuous efforts
стар/и́к, -у́ха, -у́шка, old man
(woman);—уж стал я, I have
become old; -ый, -чески, old,
aged; -ше, older
ста́тный, stately, well-built
ста/ть, to become; begin; stand,
stop; -нет, -ну, would (will)
become; begin; -вший, who
became
стащи́ть, to pull off
стека́ть, to run
стекл/о́, glass; lens; -я́нный,
glass (adj.)
стемне́ть, to grow (get) dark
стен/а́, wall; -но́й, wall (adj.)
стесня/ться, to feel hesitant
(shy, embarrassed); trouble
oneself; spare; не -йтесь,
don't mind me
стир/а́ть, to launder; wash;
-ка, laundry
стих, -и́, poetry, verses, poems;
-отворе́ние, poem
стихи́я, element
сто, one hundred
стои́т (стоя́ть), is; stands
сто́ит/ь, to be worthy of; не —,
don't mention it
стол, table; над -о́м, over the
table; -ик, side stand
столкнове́ние, encounter meeting
столо́вая, dining room
сто́лько, so much
стон, groan; -а́ть, to moan,
lament; groan
сторон/а́, direction, side; в -е́,
apart; о́бе -ы, both sides; со
всех —, on all sides
стоя́/ть, to stand, be; так и -л,
brightly shone (stood)

страда́/ние, pain; -ть, to suffer

страна́, country

страни́ца, page

стра́нный, odd, peculiar, strange, queer

страсть (*f.*), passion

страх, fear

стра́шный, ghastly, horrible, frightful, terrible, hideous; strong

стре́лка, hand, pointer

стреля́/ть, to shoot; так и -ют, they fairly shoot

стреми́ться, to rush, rush down

стро́г/ий, severe; -о, sternly, seriously

стро́йный, well-shaped, stately

стро́иться, to be built

строка́, line

стря́хивать, to shake off

стук, knock, thud; -нуть, to thump

стул, -ья, chair, chairs

ступ/е́нька, step; -и́ть, to step (on)

стуча́/ть, to strike, beat, pound, knock; make a noise; гро́мко — кало́шами, stamping loudly in overshoes

сты́дно, shameful, to be ashamed; мне —, I'm ashamed

суда́рыня, madam

суждено́, destined

сумасше́дший, insane

су́мерничать, to chat quietly during twilight

су́мка, satchel, knapsack

сунду́к, trunk, chest

су́нуть, to thrust, put (in)

суро́во, sternly

суха́рь (*m.*), dried slice (piece) of bread

су́щност/ь (*f.*): в -и, in effect

схвати́ть, to seize

сходи́ться, to walk up to one another

схожу́ (сходи́ть), I shall go

счастли́в/ый, happy; бу́дет —, will have a happy life

сча́стье, bliss, happiness; како́е э́то —, what a joy!

счёт: вели́ —, counted; на э́тот —, about such matters, with regard to that

счита́/ть, to count, consider, take for; -лись, were counted

сын, son

сы́п/аться, to fall; -лется, falls

сыр, cheese

сыро́/й, damp; -сть (*f.*), dampness

сыска́ть, to find

сыт, has had enough to eat; -ый, well fed

сюда́, here

сюрпри́з, surprise

ся́ду (сесть), will sit down

Т

таба́/к, tobacco; поню́хать -у́, to take a pinch of snuff; -чный, tobacco (*adj.*)

табуре́т, stool

таз, basin

та́йн/а, secret, mystery; -ый, mysterious, secret

так, so, yes; just; thus, this way, like this; I see; just as; that's how; in such a fashion; so much, to such an extent; so eagerly; that's so; in that case; for no reason; а —, just so; е́сли —, if such is the case; — вот, so you see, here then; — ра́но, so early; — как, since, for

тако/й, such (as), such a one; **-же,** the very same; **не —,** not right; **что -е?** what is it (that)? **что тут -е?** what is going on here? **-в,** is such

такт, measure (*mus.*)

тáмбур, platform

танк, tank; **-ист,** member of a tank crew; **-овый,** tank (*adj.*)

танцовáть, to dance

тáпочки, light sport shoes

тарéлка, plate

таскáть, to carry around

татáрин, Tartar

тащи́т/ь, to carry, take (drag) away; **-е егó сюдá!** bring it here

тверди́ть, to maintain (assert), keep repeating

твёрд/ый, hard, firm; **-о,** firmly

тво/й: по -ему, you think

теáтр, theatre

текла́ (течь), flowed

тéло, body

темн/ó, dark; **совсéм —,** entirely dark; **-отá,** darkness; **-о-зелёный,** dark green

тен/ь (*f.*), shadow; **-и́стый,** shady

тепéрь, now, at this time; **— ужé,** now; **— иди́,** now go

тёпл/ый, warm; **-ó,** it's warm; heat

терпели́во, patiently

терп/éть, to endure, withstand; **не -лю,** I can't stand

террáса, porch

теря́ть, to lose

тéсн/ый, narrow; **-о,** closely; **-отá,** close quarters

тётенька, тётя, aunty; mother

тетрáдь (*f.*), notebook

течёт (течь), flows

ти́тул, title

ти́хо, softly, gently, quiet, quietly, in a low voice; **-нько,** quietly, slowly; stealthily; **ти́ше,** more slowly, more quietly; **—!** be still! hush! **тишинá,** stillness, silence

то, then; **то . . . то . . .,** now . . . now; **-же,** the same; **а —,** otherwise; **за — что,** because; **за — и другóе,** for both; **-гó же,** the same; **до -гó,** so, to such an extent; **к -му́ же,** in addition

товáр, goods, wares

товáрищ, comrade, friend; **по -ески,** as a friend

тогдá, then, at that time; in that case

тóже, too, also

толкáть (толкну́ть), to push; **-ся,** to push one another, crowd

толп/á, crowd; **собрáться -óй,** to gather together; **-и́ться,** to crowd together

тóлстый, thick, fat, stout

тóлько, only, just, no sooner; **ещё —,** it is only; **— чтó,** just now

том, volume; **-ик,** small volume

тон, tone

тóнкий, thin, slender; **тóньше,** thinner

тону́ть, to sink

тóп/ать, to stamp; **-нуть,** to tap

тóполь (*m.*), poplar

торговáть, to trade; sell

торжéственный, festive

тороп/и́ть, to hurry, urge (on); **-ся,** to hurry; **-ли́во,** hastily, swiftly; **-ли́вый,** rushing

торт, cake

торчáть, to stick out

тоск/á, grief; longing; **-овáть,** to be lonesome

тост, toast
тот, that, the latter; **-же, тá же, тé же,** the same
тóтчас же, immediately
тóчно, exactly like; that is so; that's right; as if; the exact spot
трав/á, grass; **-ка,** blade (of grass)
трагикомический, tragicomic
трамвáй, streetcar
трáтить, to spend
трéбоват/ь, to demand; **-ельный,** exacting
тревó/га, anxiety; **-житься,** to worry, be anxious; **-жно,** anxiously; **-жный,** perturbed
трéпетно колебáлся, trembled and waved to and fro
трéт/ий, the third; **-ьего дня,** day before yesterday; **-ьему,** third
трёх, of three; **-окóнный,** three-windowed
трещáть, to crackle
три, three; **-дцать,** thirty; **-нáдцать,** thirteen; **-ста,** three hundred
трóгательный, touching
трó/е, -йх, three, the three (of them)
троллéйбус; на — сяду, I shall take a trolley
трóнуть, to touch; **-ся,** to start
тротуáр, sidewalk
труд; с -óм, with difficulty; **-но,** hard, difficult; **ох как -но,** oh, how difficult it is; **-ный,** hard, laborious
труп, body
тряпка, rag
тудá, there, in it; **-же,** in the same direction
тумáн, fog, mist
тýскло, dimly

тут, here; at this moment
тýфля, slipper, shoe
тýч/а, cloud; **чёрною -чею,** like a black moving mass
ты что? What is the matter with you? **я тебé,** I'll fix you!
тыкать, to poke
тысяча, thousand
тьма, darkness; **плóтная —,** pitch darkness
тьфу! pshaw!
тяжёл/ый, heavy; painful; difficult; **-ó,** hard; with difficulty; **мне -о,** I am sick; **емý -éе,** he feels worse
тяжкий, painful
тянýть, to pull, draw, attract; **-ся,** to stretch out (one's hands)

У

убегáть, убежáть, to run away (off)
убе/дúться, to be (become) convinced; **-ждённо,** with conviction
убирáть, to clean (house, room)
убú/ть, to kill; **-ся,** to be killed; **-вáться,** to grieve
ýбыль: пойтú на —, to decrease
увезýт (увезтú), take (away) (in a vehicle)
увелúчивать, to increase
увéрен, certain; **-но,** confidently
увид/áть, -еть, to see, catch sight of; realize
увлекáться, to be carried away
увы! alas!
угад|ыв|áть, to guess, speculate about; **ведь как угадáла,** how well I guessed
уговорúть, to persuade, " talk into "
угóдно: что вам —? what may I give you?

у́гол, corner; **заверну́ть за —,** to turn a corner; **из-за угла́,** from behind a corner; **на углу́,** on the corner

угощ/а́йтесь, help yourself; **-е́ние,** treat

угрю́мый, gloomy

удаля́ть, **-ся,** to move away

уда́р, blow, stroke; **при ка́ждом -е,** at every blow; **-ить,** to strike, hit, beat

уда́стся, will (should) succeed

уде́рживать, to keep (from)

удив/и́ть, to surprise, strike; **-ля́ться,** to wonder, be astonished; **-и́тельно,** amazing; wonderful; **-лённо,** amazed, surprised; **-ле́ние,** surprise

удлиня́ть, to lengthen

удово́льствие, pleasure, satisfaction; **с -ем,** gladly

уезжа́ть, уе́хать, to go (ride) away; leave

уж (n.), adder; **уж (уже́)** (adv.), now, just; **— не,** no longer; already; please

у́жас, horror, dread; **-но,** terribly; **-ый,** awful, horrible; very nasty

у́жин, supper

у́зел, knot

у́зкий, narrow, thin

узна́ть, to learn, find out, recognize

уй/ти́, to leave, go away; **-ду́,** shall go away

ука́/зывать, to designate, mark, point to; command; **-жут,** will indicate

уко́р, reproach; **-и́зненно,** reproachfully

укора́чивать, to shorten

укра́дкой, stealthily

украш/а́ть, to embellish; **-енный,** decorated

укрыва́ться, to cover oneself, hide

улета́ть, to fly away

улёгся (уле́чься), subsided

у́лиц/а, street; **на -е,** outside; **у́личный,** of the street

улови́ть, to detect

улыб/а́ться, **-ну́ться,** to smile; **-ка,** smile

ум, mind; **на -é,** on one's mind; **-ный, -ница,** intelligent

умер/е́ть, to die; **-ши,** after death; **-ший,** the dead; **умрём,** we shall die

уме́/ть, to be able, can, know how; **как -л,** as well as I could

умира́/ть, to be dying, die; **я про́сто -ю,** I am simply dying

умо́лк (умо́лкнуть), became silent

у́мственный, intelligent

умча́ть, to whirl away

унесли́ (унести́), carried away

унижённый, humiliated

уноси́т/ь, to take (carry) away; **что вы там -е?** what do you carry away?

у́нтер-офице́р, corporal

унц, ounce; **по -у,** an ounce each

упа/дёшь (упа́сть), you will fall down; **-ла,** fell

уплы|ва́/ть, to flow (swim) away; disappear

упрёк, reproach; **с -ом,** reproachfully

упря́мо, stubbornly; **— сказа́л,** insisted

ура́, hurrah!

Ура́л, Urals; **за -ом,** beyond the Urals

уро́д, monster, disfigured person; **-ство,** ugliness

уро́к, lesson

урони́ть, to drop; spill

ус, -ы́, mustache; **-а́тый,** with a heavy mustache; **-ики** (*dim. of* **усы**)

усе́лись (усе́сться) вокру́г, sat around

усе́рдно, diligently, hard

усе́яно, studded

уси́лие, effort

услу́жливый, obliging

услы|ха́ть, -шать, to hear; **-ха́в,** having heard

усмехну́ться, to laugh; sneer

усну́ть, to fall asleep

успе́|ва́|ть, to have time; **-ешь,** you will have time; **-ю,** I have plenty of time; **спать ещё -ю,** there is no hurry going to bed

успе́шно, successfully

успок/а́ивать, -о́ить, to calm; reassure; **-о́ение,** reassurance

уста́|ва́|ть, to tire, get (be) tired; **-лый,** tired; **-лость** (*f.*), fatigue, weariness

уста́виться, to stare fixedly

у́стал/ь: без -и, unceasingly

устр/а́ивать, -о́ить, to arrange, make; **— сканда́л,** to make a scene; **-ся,** be settled

устрем/и́ться, to be directed; **-лены́ на,** fixed upon

устро́иться, be settled

уступи́ть, to give in

утверди́тельный, affirmative

утвержда́ть, to assert, maintain

утеш/а́ть, -ить, to comfort; **-е́ние** (word of) comfort

утих/а́ть, -нуть, to die down; **-ший,** eased, relieved

уткну́ть нос в рабо́ту, to lean over one's work

у́тр/о, morning; **до́брое —,** good morning; **под —,** toward morning; **-м,** in the morning; **по -а́м,** mornings, in the morning; **-енний,** morning (*adj.*)

уха́живать (за), to court

ухвати́ться, to cling to

у́хо, ear

ухо́д, departure; **-и́ть,** to leave, go (move) out (away); disappear; **ухожу́,** I am going away

ухудше́ние, change for the worse

уцеле́ть, to be preserved

уцепи́ться, to catch hold of

уче́бник, textbook

уче́нье, drill

учи́тель, -ница, teacher

учи́ть, to study; **-ся,** to study, go to school; **пло́хо —,** be a poor student

учрежде́ние, department

ушёл (уйти́), left, went away, withdrew

у́ши (у́хо), ears

ушл/а́ (уйти́), she left, went; **-и́,** went away, have left

уще́лье, gorge, hollow

Ф

фами́лия, surname

фе́я, fairy

фигу́р|к|а, figure, outline

флейт/а, flute; **-и́ст,** flutist

фона́рь (*m.*), lantern, street lamp

фонта́н, fountain

фо́рма, uniform; shape

фра́за, sentence

фрак, dresscoat

фрукт, fruit; **—!** a peach!

фура́жка, cap

футля́р, case

фы́ркнуть, to burst out laughing

X

хала́т, dressing gown, robe, bathrobe

хвата́ть, to seize; **-ся,** to grasp

хва/ти́ть, to suffice; **-тит!** that's enough

хи́тро, slyly, craftily

хлеб, bread

хло́пать в ладо́ши, to clap one's hands

хлы́нуть, to surge

хлыст, horsewhip

хму́р/иться, to look displeased; **-ясь,** wrinkling the forehead

ход, movement; **на -у́,** while walking; **-и́ть,** to go, walk; stroll; — **за,** to take care

хозя́/ин, master, boss; host; **-йка,** housewife, lady of the house; hostess; **-ева,** host and hostess; **-йство,** household; **по -йству,** around the house; **-йничать,** to act as host (ess)

хо́лод, cold; **-ный,** cold, cool

холостя́к, bachelor

хор, chorus; **-ом,** all together

хоро́шенькая, cute, attractive, pretty

хоро́ш, good, fine; **-о́,** well, right, fine, sweet, pleasant; all right!; **-е́нько,** well

хо/те́ть, -ся, to like, wish, intend; **-чу́, -чешь, -чет,** present of **хоте́ть; я -чу́ сказа́ть,** I mean; **-те́лось,** wanted; **-те́л бы,** would like

хот/ь, although, at least, just; — **раз,** but once; **-я́,** although, even when

хо́хот, guffaw; **-а́ть,** to laugh, giggle

хра́брый, brave

храни́ть, to retain

храп, snoring; **-е́ть,** to snore

хрип, sob; **-лый,** hoarse

Ц

цар/ь (*m.*), czar, tzar; **-и́ца,** tzarina; **-и́ца небе́сная,** Holy Mother; **-ский,** the tzar's

ца́рствовать, to reign

цвет, color; flower; **-о́к,** flower

цвести́, to bloom

целова́ть, to kiss

це́лый, whole, entire

цена́, rent (price), price

цент, cent

центр, center

цепо́чка, chain

це́ркви (це́рковь), churches

цини́зм, cynicism

цыпля́та (цыплёнок), chicks

цы́почк/и: на -ах, on tiptoe

Ч

ча/й, tea; **за -ем,** at tea; **к -ю,** to go with the tea

чарти́ст, chartist

ча́ры (*n.*), spell

час, hour; o'clock; —, **друго́й,** one hour, two hours; **че́рез —,** an hour later; **-а́ми,** for hours at a time; **в э́ти -ы́,** at those moments; **-ы́,** clock, watch

ча́стный, private

ча́сто, often, frequently; **ча́ще,** more often

част/ь (*f.*), part; volume; **-ю,** partly; **по бо́льшей -и,** for the most part

ча́шка, cup

чего́, why; — **же,** why then

чей, чья, чьё, whose; **чей-то, чья-то, чьи-то,** someone's

челове́/к, man, person, fellow; **-ческий,** human

че́люсть (*f.*), jaw; **вот так —!** such a jaw!

чем, than; how; — **-нибу́дь,** with something; **в чём-ни-бу́дь,** in this or that

230

чемода́н, suitcase
че́рез, across, over, in; — **день, неде́лю,** in a day, a week
чересчу́р, overly
черне́ть, to form black spot
черни́льница, inkstand
Черномо́рдик, (surname meaning " black muzzle ")
чёрный, black
черта́, trait, feature
черти́ть, to draw
чест/ь (*f.*), honor; **-ный,** honest; **-ное сло́во,** on my honor
че́тверо, four; **четвёртый,** fourth
чётко, distinctly
четы́р/е: их —, there are four; **-ёхле́тний,** four years old; **-надцать,** fourteen
че́шет (чеса́ть), scratches; **-ся,** scratches himself
чино́вник, state official
числ/о́, number, date; **в -é** among; **в том -é,** including
чи́ст/ить, to clean; **-ый,** clean
чита́ть, -ся, to read
чи́щен, cleaned, scoured
чорт, devil; the deuce; — **зна́ет,** the deuce knows
чрезвыча́йно, extremely
чте́/ние, reading; **-ц,** reader
что, what, that; well; why; — **за,** what . . .; — **-нибу́дь,** — **-то,** something
чтоб, чтобы, in order to, so that
чтож, что же, well, why, what then . . .
чу́вств/о, feeling; **объясня́ться в -ах,** to declare one's love; **-овать,** to feel; smell; perceive; believe; — **себя́,** to feel
чу́д/о, wonder, marvel; **каки́м-то -ом,** by a miracle; **вот — -то,** a real miracle; **чудеса́,** *pl. of* **чу́до**; **-есный,** wonderful

чужо́й, strange; unnatural; not his; someone else, — **else's**
чуло́к, stocking
чу́ткий, sensitive
чуть, somewhat; — **ли,** almost, nearly

Ш

шаг, step, footstep, pace; **в не́скольких -áх от,** a few feet from; **бы́стрым -ом,** fast
шампа́нское, champagne
ша́пка, hat, cap
шар, ball; **за -ом,** after the ball; **-ик,** ball; ball-bearing
шата́ться, to shake
шевели́ть, to move; — **па́льцами,** to motion with one's fingers; **-ся,** to move
ше́дший (итти́), walking; **шёл,** walked
ше́лест, rustling
шёлковый, silk (*adj.*)
шеп/ну́ть (шепта́ть), to whisper; **-та́ться,** to whisper to one another
ше́ствие, procession
шестиле́тний, six-year-old
шестьдеся́т, sixty
ше́я, neck
шине́ль (*f.*), overcoat (of uniform)
шипе́ть, to hiss
широ́к/ий, broad, wide; **-оли́цый,** broad-faced; **ши́ре,** broader, wider
шкаф, cupboard
шко́л/а, school; **-ьник,** schoolboy
шла (итти́), walked, came, proceeded; ran (*of road, path*)
шля́п/ка, hat
шнуро́к, cord
шо́пот, whisper; **-ом,** in a whisper

шпа́га, sword
шпицру́тен, switch
шпо́ра, spur
штаб, headquarters
штаны́, trousers
што́пор, corkscrew
шту́к/а, piece; за -у, for one
шум, noise; с -ом, noisily; -е́ть, to make a noise, roar
шурша́ть, to rustle
шути́/ть, to joke; не -те, be serious; шу́тка, prank, escapade, farce; шу́точный, playfull

Щ

щека́, cheek
щекота́/ть, to tickle; мне что́-то -ло се́рдце, my heart was thrilled
ще́лка, щель, peephole, chink; crack
щеня́та (щено́к), puppies
щу́риться, to screw up one's eyes; blink

Э

эвакуи́ровать, to evacuate; -ся, to be evacuated
экза́мен, examination; успе́шно сдал —, passed a test
эконо́м/ия, thrift, economy; -но, economically

электри́чес/тво, electricity; -кий, electric
эполе́т, epaulet
эстра́д/а, platform; -ник, music hall singer
эта́ж, floor, storey
э́то: что -за, what, what a; от -го, because of this; при -м, at the same time

Ю

юг, south; ю́жный, southern
юла́, top

Я

я́бло/ко, apple; глазно́е — eyeball; по -ньке, an apple tree for each of you
явле́ние, event; это что за —? what's this?
я́вно, clearly
я́года, berry
яд, poison
язы́/к, tongue; language; -чо́к, tongue
я́м/очка, dimple; -ка, pit, hole
я́рко, bright; brightly; -кра́сный, bright red
ярлы́к, label
я́сный, clear
я́щик. drawer